スバラシク実力がつくと評判の

演習 フーリエ解析
― キャンパス・ゼミ ―

馬場敬之(けいし)

改訂1 revision1

マセマ出版社

◆ はじめに ◆

みなさん，こんにちは。マセマの**馬場敬之(けいし)**です。既刊の『**フーリエ解析キャンパス・ゼミ**』は多くの読者の皆様のご支持を頂いて，**数学教育のスタンダードな参考書**として定着してきているようです。そして，マセマには連日のように，この『フーリエ解析キャンパス・ゼミ』で養った実力をより確実なものとするための『**演習書(問題集)**』が欲しいとのご意見が寄せられてきました。このご要望にお応えするため，新たに，この『**演習 フーリエ解析キャンパス・ゼミ 改訂1**』を上梓することができ，心より嬉しく思っています。

フーリエ解析を単に理解するだけでなく，自分のものとして使いこなせるようになるために**問題練習は欠かせません**。
この『**演習 フーリエ解析キャンパス・ゼミ 改訂1**』は，そのための**最適な演習書**と言えます。

ここで，まず本書の特徴を紹介しておきましょう。
- 『フーリエ解析キャンパス・ゼミ』に準拠して全体を**4章**に分け，各章毎に，解法のパターンが一目で分かるように，(methods & formulae)(要項)を設けている。
- マセマオリジナルの頻出典型の演習問題を，各章毎に**分かりやすく体系立てて配置**している。
- 各演習問題には(ヒント)を設けて解法の糸口を示し，また(解答 & 解説)では，定評あるマセマ流の読者の目線に立った**親切で分かりやすい解説**で明快に解き明かしている。
- 演習問題の中には，類似問題を2題併記して，**2題目は穴あき形式**にして自分で穴を埋めながら実践的な練習ができるようにしている箇所も多数設けた。
- **2色刷り**の美しい構成で，読者の理解を助けるため**図解も豊富**に掲載している。

さらに，本書の具体的な利用法についても紹介しておきましょう。
- まず，各章毎に，methods & formulae (要項)と演習問題を一度**流し読み**して，学ぶべき内容の全体像を押さえる。
- 次に，methods & formulae (要項)を**精読**して，公式や定理それに解法パターンを頭に入れる。そして，各演習問題の 解答 & 解説 を見ずに，問題文と ヒント のみを読んで，**自分なりの解答**を考える。
- その後， 解答 & 解説 をよく読んで，自分の解答と比較してみる。そして間違っている場合は，**どこにミスがあったかをよく検討**する。
- 後日，また 解答 & 解説 を見ずに**再チャレンジ**する。
- そして，問題がスラスラ解けるようになるまで，何度でも納得がいくまで**反復練習**する。

以上の流れに従って練習していけば，フーリエ解析も確実にマスターできますので，**大学や大学院の試験でも高得点で乗り切れる**はずです。このフーリエ解析は様々な大学の数学や物理学を学習していく上での基礎となる分野です。ですから，これをマスターすることにより，さらなる**上のステージに上っていく鍵**を手に入れることができるのです。頑張りましょう。

また，この『演習 フーリエ解析キャンパス・ゼミ 改訂1』では，『フーリエ解析キャンパス・ゼミ』では扱えなかった**フーリエ級数やパーシヴァルの等式と様々な無限級数の和の公式**，**フーリエ変換やパーシヴァルの等式と様々な無限積分の公式**，**ワイエルシュトラスのM判定法による一様収束の判定**なども詳しく解説しています。ですから，『フーリエ解析キャンパス・ゼミ』を完璧にマスターできるだけでなく，さらに**ワンランク上の勉強**もできます。

この『演習 フーリエ解析キャンパス・ゼミ 改訂1』は皆さんの数学学習の**良きパートナーとなるべき演習書**です。本書によって，多くの方々がフーリエ解析に開眼され，フーリエ解析の面白さを堪能されることを願ってやみません。

マセマ代表 馬場 敬之(けいし)

この改訂1では，さらに1次元熱伝導の演習問題と解答&解説を加えました。

◆ 目 次 ◆

講義 1 フーリエ級数（Ⅰ）
- *methods & formulae* ··· 6
- 三角関数の内積（問題 1, 2） ··· 14
- 周期 2π の関数のフーリエ級数（問題 3〜8） ······················ 18
- 周期 $2L$ の関数のフーリエ級数（問題 9〜15） ····················· 34
- 複素フーリエ級数（問題 16〜18） ····································· 49
- 無限級数の和（問題 19〜22） ··· 58

講義 2 フーリエ級数（Ⅱ）
- *methods & formulae* ·· 66
- R-L の補助定理（問題 23） ·· 72
- 一様収束（問題 24〜26） ··· 74
- パーシヴァルの等式（問題 27〜30） ··································· 80
- ギブスの現象（問題 31） ··· 89
- フーリエ級数の項別微分・積分（問題 32, 33） ···················· 92
- デルタ関数・単位階段関数（問題 34〜36） ························· 97
- 不連続関数の微分（問題 37, 38） ···································· 102

講義 3 フーリエ変換

- *methods & formulae* ……………………………………… 110
  - フーリエ変換とフーリエ逆変換（問題 39）……………… 114
  - フーリエ変換（問題 40 ～ 43）…………………………… 116
  - フーリエ・コサイン変換, フーリエ・サイン変換（問題 44 ～ 51）… 124
  - フーリエ変換の性質（問題 52, 53）……………………… 141
  - 合成積（たたみ込み積分）（問題 54）…………………… 144
  - パーシヴァルの等式（問題 55 ～ 60）…………………… 146

講義 4 偏微分方程式への応用

- *methods & formulae* ……………………………………… 154
  - 1 次元熱伝導方程式（問題 61 ～ 67）…………………… 158
  - 2 次元熱伝導方程式（問題 68）…………………………… 178
  - 2 次元ラプラス方程式（問題 69, 70）…………………… 183
  - 1 次元波動方程式（問題 71 ～ 75）……………………… 191
  - 2 次元波動方程式（問題 76）……………………………… 204

◆ *Term・Index*（索引）………………………………………… 210

講義 1 フーリエ級数（Ⅰ）　*methods & formulae*

§1. フーリエ級数の基本

三角関数の基本公式を下に示す。

(1) 加法定理

(ⅰ) $\begin{cases} \cos(\alpha+\beta) = \cos\alpha\cos\beta - \sin\alpha\sin\beta \\ \cos(\alpha-\beta) = \cos\alpha\cos\beta + \sin\alpha\sin\beta \end{cases}$

(ⅱ) $\begin{cases} \sin(\alpha+\beta) = \sin\alpha\cos\beta + \cos\alpha\sin\beta \\ \sin(\alpha-\beta) = \sin\alpha\cos\beta - \cos\alpha\sin\beta \end{cases}$

(2) 2倍角の公式

(ⅰ) $\cos 2\alpha = \cos^2\alpha - \sin^2\alpha = 2\cos^2\alpha - 1 = 1 - 2\sin^2\alpha$

(ⅱ) $\sin 2\alpha = 2\sin\alpha\cos\alpha$

(3) 半角の公式

(ⅰ) $\cos^2\alpha = \dfrac{1+\cos 2\alpha}{2}$　　(ⅱ) $\sin^2\alpha = \dfrac{1-\cos 2\alpha}{2}$

(4) 積→和(差)の公式

(ⅰ) $\cos\alpha\cos\beta = \dfrac{1}{2}\{\cos(\alpha+\beta) + \cos(\alpha-\beta)\}$

(ⅱ) $\sin\alpha\sin\beta = -\dfrac{1}{2}\{\cos(\alpha+\beta) - \cos(\alpha-\beta)\}$

(ⅲ) $\sin\alpha\cos\beta = \dfrac{1}{2}\{\sin(\alpha+\beta) + \sin(\alpha-\beta)\}$

また，周期 $2L$ の周期関数の定義を次に示そう。

周期関数の定義

すべての実数 x $(-\infty < x < \infty)$ に対して，$f(x+2L) = f(x)$ となる定数 L が存在するとき，$f(x)$ は周期 $2L$ の"周期関数"という。

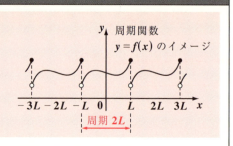

偶関数と奇関数の積分公式と，三角関数の積分公式を示す。

偶関数・奇関数と定積分

（Ⅰ）$y = f(x)$ が偶関数
- 定義 $f(-x) = f(x)$
- y 軸に関して対称なグラフになる。
- $\int_{-a}^{a} f(x)dx = 2\int_{0}^{a} f(x)dx$

右半分の面積を求めて2倍すればいい。

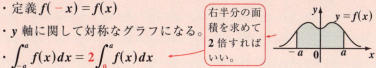

（Ⅱ）$y = f(x)$ が奇関数
- 定義 $f(-x) = -f(x)$
- 原点に関して対称なグラフになる。
- $\int_{-a}^{a} f(x)dx = 0$

（a：正の定数）

絶対値の等しい⊕, ⊖ の面積で打ち消しあう。

⊕の面積
⊖の面積

(ex) $\int_{-\pi}^{\pi} \underbrace{x \cdot \cos x}_{奇 \times 偶 = 奇} dx = 0$, $\int_{-3}^{3} \underbrace{x \cdot e^{-x^2}}_{奇 \times 偶 = 奇} dx = 0$

$\int_{-\pi}^{\pi} \underbrace{x \cdot \sin x}_{奇 \times 奇 = 偶} dx = 2\int_{0}^{\pi} x \cdot \sin x \, dx = 2\int_{0}^{\pi} x \cdot (-\cos x)' dx$

$= 2\left\{ -[x\cos x]_{0}^{\pi} + \int_{0}^{\pi} \cos x \, dx \right\} = 2 \cdot (-\pi) \cdot \cos \pi = 2\pi$

三角関数の積分公式

(1) $\int_{-\pi}^{\pi} \cos mx \, dx = 0$, $\int_{-\pi}^{\pi} \sin mx \, dx = 0$

(2) $\int_{-\pi}^{\pi} \sin mx \cdot \cos nx \, dx = 0$

(3) $\int_{-\pi}^{\pi} \cos mx \cdot \cos nx \, dx = \begin{cases} \pi & (m = n \text{ のとき}) \\ 0 & (m \neq n \text{ のとき}) \end{cases}$

(4) $\int_{-\pi}^{\pi} \sin mx \cdot \sin nx \, dx = \begin{cases} \pi & (m = n \text{ のとき}) \\ 0 & (m \neq n \text{ のとき}) \end{cases}$

（ただし，m, n は自然数とする。）

2つの関数 $f(x)$, $g(x)$ の内積とノルムの定義は次の通りである。

関数の内積とノルム

区間 $[-\pi, \pi]$ で定義された区分的に連続な2つの関数 $f(x)$, $g(x)$ について，

(1) f と g の内積 (f, g) を次のように定義する。
$$(f, g) = \int_{-\pi}^{\pi} f(x)g(x)dx$$

(2) f のノルム（または大きさ）$\|f\|$ を次のように定義する。
$$\|f\| = \sqrt{(f, f)} = \sqrt{\int_{-\pi}^{\pi} \{f(x)\}^2 dx}$$

(ex) $(1, \cos x) = 0$, $(\cos mx, \cos nx) = \begin{cases} \pi & (m = n) \\ 0 & (m \neq n) \end{cases}$

（ただし，m, n は自然数とする。）

次に，"区分的に連続"と"区分的に滑らか"の定義を下に示す。

"区分的連続"と"区分的滑らか"の定義

(I) 区分的に連続な関数 $f(x)$

区間 $[a, b]$ で定義された関数 $f(x)$ が，有限個の点を除いて連続で，かつ，いずれの不連続点 x_0, x_1, $\cdots$ においても左側極限値 $\lim\limits_{x \to x_i - 0} f(x)$ と右側極限値 $\lim\limits_{x \to x_i + 0} f(x)$ が存在し，$(i = 0, 1, \cdots)$ さらに，両端点においても右側極限値 $\lim\limits_{x \to a+0} f(x)$ と左側極限値 $\lim\limits_{x \to b-0} f(x)$ が存在するとき，$f(x)$ を区間 $[a, b]$ で"区分的に連続な関数"という。

区分的に連続な関数 $f(x)$ のイメージ

(II) 区分的に滑らかな関数 $f(x)$

区間 $[a, b]$ で定義された関数 $f(x)$ と，その1階導関数 $f'(x)$ が共に区分的に連続であるとき，$f(x)$ を区間 $[a, b]$ で"**区分的に滑らかな関数**"という。

> ただし，$f(x)$ に不連続点や，尖点がある場合，$f'(x)$ はそれらの点を除いて考える。（不連続点や尖点では当然微分不能だからね。）

§2. 周期 2π のフーリエ級数

区分的に滑らかな周期 2π の関数 $f(x)$ のフーリエ級数を以下に示す。

周期 2π の周期関数 $f(x)$ のフーリエ級数（Ⅰ）

$-\pi < x \leqq \pi$ で定義された周期 2π の区分的に滑らかな周期関数 $f(x)$ は不連続点を除けば，次のようにフーリエ級数で表すことができる。

$$f(x) = \frac{a_0}{2} + \sum_{k=1}^{\infty}(a_k \cos kx + b_k \sin kx) \quad \cdots\cdots ①$$

①の右辺を，$f(x)$ の "フーリエ級数" または "フーリエ級数展開" と呼ぶ。また，$a_k \ (k=0, 1, 2, \cdots)$, $b_k \ (k=1, 2, 3, \cdots)$ を "フーリエ係数" といい，それぞれ次式で求める。

$$\begin{cases} a_k = \dfrac{1}{\pi}\displaystyle\int_{-\pi}^{\pi} f(x) \cdot \cos kx \, dx & (k=0, 1, 2, \cdots) \\ b_k = \dfrac{1}{\pi}\displaystyle\int_{-\pi}^{\pi} f(x) \cdot \sin kx \, dx & (k=1, 2, 3, \cdots) \end{cases}$$

不連続点まで考慮に入れたフーリエ級数は次のように表される。

周期 2π の周期関数 $f(x)$ のフーリエ級数（Ⅱ）

$-\pi < x \leqq \pi$ で定義された周期 2π の区分的に滑らかな周期関数 $f(x)$ のフーリエ級数展開について，次式が成り立つ。

$$\frac{a_0}{2} + \sum_{k=1}^{\infty}(a_k \cos kx + b_k \sin kx) = \begin{cases} f(x) & (f(x) \text{ は } x \text{ で連続}) \\ \dfrac{f(x+0)+f(x-0)}{2} & (f(x) \text{ は } x \text{ で不連続}) \end{cases}$$

$$\left(\text{ただし，} a_k = \frac{1}{\pi}\int_{-\pi}^{\pi} f(x) \cdot \cos kx \, dx, \quad b_k = \frac{1}{\pi}\int_{-\pi}^{\pi} f(x) \cdot \sin kx \, dx \right)$$

さらに，連続，不連続に関わらず，上記のフーリエ級数は次のようにまとめて表せる。

$$\frac{a_0}{2} + \sum_{k=1}^{\infty}(a_k \cos kx + b_k \sin kx) = \frac{f(x+0)+f(x-0)}{2}$$

$$\left(\text{ただし，} a_k = \frac{1}{\pi}\int_{-\pi}^{\pi} f(x) \cdot \cos kx \, dx, \quad b_k = \frac{1}{\pi}\int_{-\pi}^{\pi} f(x) \cdot \sin kx \, dx \right)$$

$f(x)$（周期 2π）が偶関数か，奇関数のいずれかであれば，これをフーリエ級数展開するときに，次の"**フーリエ余弦級数**"か，"**フーリエ正弦級数**"を利用することができる。

フーリエ余弦級数とフーリエ正弦級数

周期 2π の区分的に滑らかな周期関数 $f(x)$ について
（I）$f(x)$ が偶関数のとき，
　　そのフーリエ級数は
$$f(x) = \frac{a_0}{2} + \sum_{k=1}^{\infty} a_k \cos kx$$
$\left(\text{ただし } a_k = \dfrac{2}{\pi}\displaystyle\int_0^\pi f(x)\cos kx\, dx\right)$

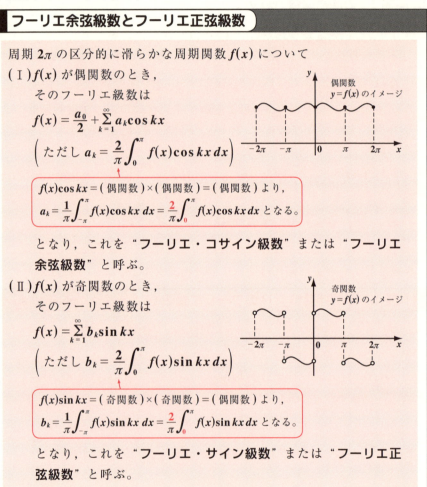

偶関数
$y = f(x)$ のイメージ

> $f(x)\cos kx = ($偶関数$) \times ($偶関数$) = ($偶関数$)$ より，
> $a_k = \dfrac{1}{\pi}\displaystyle\int_{-\pi}^{\pi} f(x)\cos kx\, dx = \dfrac{2}{\pi}\displaystyle\int_0^\pi f(x)\cos kx\, dx$ となる。

となり，これを"**フーリエ・コサイン級数**"または"**フーリエ余弦級数**"と呼ぶ。

（II）$f(x)$ が奇関数のとき，
　　そのフーリエ級数は
$$f(x) = \sum_{k=1}^{\infty} b_k \sin kx$$
$\left(\text{ただし } b_k = \dfrac{2}{\pi}\displaystyle\int_0^\pi f(x)\sin kx\, dx\right)$

奇関数
$y = f(x)$ のイメージ

> $f(x)\sin kx = ($奇関数$) \times ($奇関数$) = ($偶関数$)$ より，
> $b_k = \dfrac{1}{\pi}\displaystyle\int_{-\pi}^{\pi} f(x)\sin kx\, dx = \dfrac{2}{\pi}\displaystyle\int_0^\pi f(x)\sin kx\, dx$ となる。

となり，これを"**フーリエ・サイン級数**"または"**フーリエ正弦級数**"と呼ぶ。

$(ex)\ f(x) = x^2 + 1\ (-\pi < x \leqq \pi)$ は偶関数なので，フーリエ余弦級数で展開できる。

§3. 周期 $2L$ のフーリエ級数

区分的に滑らかな周期 $2L$ の関数 $f(x)$ のフーリエ級数を次に示す。

周期 $2L$ の周期関数 $f(x)$ のフーリエ級数(Ⅰ)

$-L < x \leqq L$ で定義された周期 $2L$ の区分的に滑らかな周期関数 $f(x)$ は，不連続点を除けば次のようにフーリエ級数で表すことができる。

$$f(x) = \frac{a_0}{2} + \sum_{k=1}^{\infty} \left(a_k \cos \frac{k\pi}{L} x + b_k \sin \frac{k\pi}{L} x \right)$$

$$\begin{cases} a_k = \dfrac{1}{L} \displaystyle\int_{-L}^{L} f(x) \cdot \cos \frac{k\pi}{L} x \, dx & (k = 0, 1, 2, \cdots) \\ b_k = \dfrac{1}{L} \displaystyle\int_{-L}^{L} f(x) \cdot \sin \frac{k\pi}{L} x \, dx & (k = 1, 2, 3, \cdots) \end{cases}$$

不連続点まで考慮に入れたフーリエ級数は次のように表される。

周期 $2L$ の周期関数 $f(x)$ のフーリエ級数(Ⅱ)

$-L < x \leqq L$ で定義された周期 $2L$ の区分的に滑らかな周期関数 $f(x)$ のフーリエ級数展開について，次式が成り立つ。

$$\frac{a_0}{2} + \sum_{k=1}^{\infty} \left(a_k \cos \frac{k\pi}{L} x + b_k \sin \frac{k\pi}{L} x \right) = \begin{cases} f(x) & (f(x) \text{ は } x \text{ で連続}) \\ \dfrac{f(x+0) + f(x-0)}{2} & (f(x) \text{ は } x \text{ で不連続}) \end{cases}$$

$$\left(\text{ただし, } a_k = \frac{1}{L} \int_{-L}^{L} f(x) \cdot \cos \frac{k\pi}{L} x \, dx, \quad b_k = \frac{1}{L} \int_{-L}^{L} f(x) \cdot \sin \frac{k\pi}{L} x \, dx \right)$$

連続，不連続によらず，上のフーリエ級数は次のようにまとめて表せる。

周期 $2L$ の周期関数 $f(x)$ のフーリエ級数(Ⅲ)

$-L < x \leqq L$ で定義された周期 $2L$ の区分的に滑らかな周期関数 $f(x)$ のフーリエ級数展開について，次式が成り立つ。

$$\frac{a_0}{2} + \sum_{k=1}^{\infty} \left(a_k \cos \frac{k\pi}{L} x + b_k \sin \frac{k\pi}{L} x \right) = \frac{f(x+0) + f(x-0)}{2}$$

$$\left(\text{ただし, } a_k = \frac{1}{L} \int_{-L}^{L} f(x) \cdot \cos \frac{k\pi}{L} x \, dx, \quad b_k = \frac{1}{L} \int_{-L}^{L} f(x) \cdot \sin \frac{k\pi}{L} x \, dx \right)$$

$f(x)$（周期 $2L$）が偶関数か奇関数のとき，次のフーリエ余弦級数または
フーリエ正弦級数を利用できる。

フーリエ余弦級数とフーリエ正弦級数

周期 $2L$ の区分的に滑らかな周期関数 $f(x)$ について，

（Ⅰ）$f(x)$ が偶関数のとき，$f(x)$ は，次のようにフーリエ・コサイン
級数（フーリエ余弦級数）に展開できる。

$$f(x) = \frac{a_0}{2} + \sum_{k=1}^{\infty} a_k \cos\frac{k\pi}{L}x \quad \leftarrow \text{偶関数部のみ}$$

$$\left(\text{ただし，} a_k = \frac{2}{L}\int_0^L f(x)\cos\frac{k\pi}{L}x\,dx \quad (k=0,1,2,\cdots) \right)$$

（Ⅱ）$f(x)$ が奇関数のとき，$f(x)$ は，次のようにフーリエ・サイン級
数（フーリエ正弦級数）に展開できる。

$$f(x) = \sum_{k=1}^{\infty} b_k \sin\frac{k\pi}{L}x \quad \leftarrow \text{奇関数部のみ}$$

$$\left(\text{ただし，} b_k = \frac{2}{L}\int_0^L f(x)\sin\frac{k\pi}{L}x\,dx \quad (k=1,2,3,\cdots) \right)$$

区分的に滑らかな周期 $2L$ の関数 $f(x)$ の複素フーリエ級数の公式を次に
示す。

周期 $2L$ の周期関数 $f(x)$ の複素フーリエ級数（Ⅰ）

$-L < x \leq L$ で定義された周期 $2L$ の区分的に滑らかな周期関数 $f(x)$
は，不連続点を除けば次式で表すことができる。

$$f(x) = \sum_{k=0,\,\pm 1}^{\pm\infty} c_k e^{i\frac{k\pi}{L}x} \quad \cdots\cdots ①$$

①の右辺を，$f(x)$ の "複素フーリエ級数" または "複素フーリエ級
数展開" と呼ぶ。また，$c_k\,(k=0,\pm 1,\pm 2,\cdots)$ を "複素フーリエ
係数" といい，次式で求める。

$$c_k = \frac{1}{2L}\int_{-L}^{L} f(x)e^{-i\frac{k\pi}{L}x}\,dx \quad (k=0,\pm 1,\pm 2,\cdots)$$

実フーリエ係数のときと同様に，c_0 のみは別扱いで，$c_0 = \frac{1}{2L}\int_{-L}^{L} f(x)dx$ から求める。

さらに，不連続点も考慮に入れた，区分的に滑らかな周期 $2L$ の周期関数 $f(x)$ の複素フーリエ級数ついても，その公式を示す。

周期 $2L$ の周期関数 $f(x)$ の複素フーリエ級数 (Ⅱ)

$-L < x \leq L$ で定義された周期 $2L$ の区分的に滑らかな周期関数 $f(x)$ の複素フーリエ級数展開について，次式が成り立つ。

$$\sum_{k=0,\pm 1}^{\pm\infty} c_k e^{i\frac{k\pi}{L}x} = \begin{cases} f(x) & (f(x) \text{ が } x \text{ で連続のとき}) \\ \dfrac{f(x+0)+f(x-0)}{2} & (f(x) \text{ が } x \text{ で不連続のとき}) \end{cases}$$

$$\left(\text{ただし，} c_k = \frac{1}{2L}\int_{-L}^{L} f(x)e^{-i\frac{k\pi}{L}x}dx \quad (k=0,\pm 1,\pm 2,\cdots) \right)$$

$f(x)$ が x で連続，不連続に関わらず，この複素フーリエ級数は $\dfrac{f(x+0)+f(x-0)}{2}$ に収束すると言ってもいいので，次の公式も成り立つ。

周期 $2L$ の周期関数 $f(x)$ の複素フーリエ級数 (Ⅲ)

$-L < x \leq L$ で定義された周期 $2L$ の区分的に滑らかな周期関数 $f(x)$ の複素フーリエ級数展開について，次式が成り立つ。

$$\sum_{k=0,\pm 1}^{\pm\infty} c_k e^{i\frac{k\pi}{L}x} = \frac{f(x+0)+f(x-0)}{2}$$

$$\left(\text{ただし，} c_k = \frac{1}{2L}\int_{-L}^{L} f(x)e^{-i\frac{k\pi}{L}x}dx \quad (k=0,\pm 1,\pm 2,\cdots) \right)$$

以上，実フーリエ級数と同様の公式が，複素フーリエ級数においても成り立つ。しかし，実フーリエ級数における "フーリエ余弦級数" や "フーリエ正弦級数" は，複素フーリエ級数では考慮しない。

$e^{i\frac{k\pi}{L}x} = \underbrace{\cos\frac{k\pi}{L}x}_{\text{偶関数部}} + \underbrace{i\sin\frac{k\pi}{L}x}_{\text{奇関数部}}$ より，$e^{i\frac{k\pi}{L}x}$ の中に偶関数部と奇関数部が共に含まれているので，分解して考えることができないからである。

演習問題 1 ● 三角関数の内積（I）●

$-\pi \leq x \leq \pi$ で定義された区分的に連続な 2 つの関数 $f(x)$ と $g(x)$ の内積 $(f(x), g(x))$ を，$(f(x), g(x)) = \int_{-\pi}^{\pi} f(x)g(x)dx$ で定義する。

(1) 次の内積の値を求めよ。

（ i ）$(1, \cos mx)$ （ ii ）$(1, \sin mx)$ （ iii ）$(\cos mx, \cos nx)$

（ただし，m, n は自然数とする。）

(2) 定積分 $\int_{-\pi}^{\pi} \cos x (\cos x + \cos^2 x + \cos^3 x) dx$ の値を求めよ。

ヒント！ (1) の内積の計算結果は，フーリエ級数の係数を求める際に利用する公式なので，頭に入れておこう。(2) は，三角関数の公式：$\cos^2 x = \dfrac{1+\cos 2x}{2}$, $\cos^3 x = \dfrac{\cos 3x + 3\cos x}{4}$ を使って，内積の計算にもち込むとよい。

解答 & 解説

(1)（ i ）$(1, \cos mx) = \int_{-\pi}^{\pi} 1 \cdot \cos mx\, dx = \dfrac{1}{m}\left[\sin mx\right]_{-\pi}^{\pi}$

$= \dfrac{1}{m}\{\underline{\sin m\pi} - \underline{\sin m(-\pi)}\} = 0$ ……………（答）

　　　　$\underbrace{0}$　　$\underbrace{-\sin m\pi = 0}$　　（m：自然数）

（ ii ）$(1, \sin mx) = \int_{-\pi}^{\pi} 1 \cdot \sin mx\, dx = -\dfrac{1}{m}\left[\cos mx\right]_{-\pi}^{\pi}$

$= -\dfrac{1}{m}\{\underline{\cos m\pi} - \underline{\cos m(-\pi)}\}$

　　　　$\underbrace{(-1)^m}$　$\underbrace{\cos m\pi = (-1)^m}$

$= -\dfrac{1}{m}\{(-1)^m - (-1)^m\} = 0$ ……………（答）

（m：自然数）

（ iii ）・$m = n$ のとき，

$(\cos mx, \cos nx) = (\cos mx, \cos mx) = \int_{-\pi}^{\pi} \underline{\cos^2 mx}\, dx$

公式：$\cos^2 \theta = \dfrac{1 + \cos 2\theta}{2}$

$\underbrace{\dfrac{1}{2}(1 + \cos 2mx)}$ （偶関数）

よって，
$$(\cos mx, \cos nx) = 2\cdot \int_0^\pi \frac{1}{2}(1+\cos 2mx)dx$$

> f が偶関数のとき，$\int_{-a}^{a} f dx = 2\int_0^a f dx$

$$= \left[x + \frac{1}{2m}\sin 2mx\right]_0^\pi = \pi - 0 = \pi \quad \cdots\cdots ①$$

（$\sin 2m\pi = \sin 0 = 0$ より 0）

・$m \neq n$ のとき，
$$(\cos mx, \cos nx) = \int_{-\pi}^{\pi} \underbrace{\cos mx \cdot \cos nx}_{\frac{1}{2}\{\cos(m+n)x + \cos(m-n)x\} \,(偶関数)} dx$$

> 公式
> $\cos\alpha\cos\beta = \frac{1}{2}\{\cos(\alpha+\beta)+\cos(\alpha-\beta)\}$

$$= 2\cdot \int_0^\pi \frac{1}{2}\{\cos(m+n)x + \cos(m-n)x\}dx$$

$$= \left[\frac{1}{m+n}\sin(m+n)x + \frac{1}{m-n}\sin(m-n)x\right]_0^\pi$$

$$= \frac{1}{m+n}\underbrace{\sin(m+n)\pi}_{0} + \frac{1}{m-n}\underbrace{\sin(m-n)\pi}_{0} = 0 \quad \cdots ②$$

以上①，②より，
$$(\cos mx, \cos nx) = \begin{cases} \pi & (m=n \text{ のとき}) \\ 0 & (m\neq n \text{ のとき}) \end{cases} \quad (m, n : 自然数) \cdots\cdots(答)$$

(2) $\int_{-\pi}^{\pi} \cos x(\cos x + \underbrace{\cos^2 x}_{\frac{1}{2}(1+\cos 2x)} + \underbrace{\cos^3 x}_{\frac{1}{4}(\cos 3x + 3\cos x)})dx$

> 公式
> $\cos 3x = 4\cos^3 x - 3\cos x$

$$= \int_{-\pi}^{\pi} \cos x\left(\frac{1}{2} + \frac{7}{4}\cos x + \frac{1}{2}\cos 2x + \frac{1}{4}\cos 3x\right)dx$$

$$= \frac{1}{2}\underbrace{\int_{-\pi}^{\pi} \cos x\, dx}_{\substack{(1,\cos x)=0 \\ ((\text{i}) \text{ より})}} + \frac{7}{4}\underbrace{\int_{-\pi}^{\pi} \cos^2 x\, dx}_{\substack{(\cos x,\cos x)=\pi \\ ((\text{iii}) \text{ より})}}$$

$$+ \frac{1}{2}\underbrace{\int_{-\pi}^{\pi} \cos x \cdot \cos 2x\, dx}_{\substack{(\cos x,\cos 2x)=0 \\ ((\text{iii}) \text{ より})}} + \frac{1}{4}\underbrace{\int_{-\pi}^{\pi} \cos x \cdot \cos 3x\, dx}_{\substack{(\cos x,\cos 3x)=0 \\ ((\text{iii}) \text{ より})}}$$

$$= \frac{7}{4}\pi \quad \cdots\cdots(答)$$

演習問題 2 ●三角関数の内積(Ⅱ)●

$-\pi \leq x \leq \pi$ で定義された区分的に連続な 2 つの関数 $f(x)$ と $g(x)$ の内積 $(f(x), g(x))$ を，$(f(x), g(x)) = \int_{-\pi}^{\pi} f(x)g(x)dx$ で定義する。

(1) 次の内積の値を求めよ。

(ⅰ) $(\sin mx, \cos nx)$ (ⅱ) $(\sin mx, \sin nx)$

(ただし，m, n は自然数とする。)

(2) 定積分 $\int_{-\pi}^{\pi} \sin x(\sin x + \sin^2 x + \sin^3 x)dx$ の値を求めよ。

ヒント! (1)の内積の計算結果は覚えておこう。(2)では，三角関数の公式：$\sin^2 x = \dfrac{1-\cos 2x}{2}$，$\sin^3 x = \dfrac{3\sin x - \sin 3x}{4}$ と内積を利用して解いていこう。

解答&解説

(1) (ⅰ) $(\sin mx, \cos nx) = \int_{-\pi}^{\pi} \underline{\sin mx \cos nx}\, dx = \boxed{(ア)}$ ……(答)

(奇関数)×(偶関数)=(奇関数)

f が奇関数のとき，$\int_{-a}^{a} f dx = 0$

(ⅱ)・$m = n$ のとき，

$(\sin mx, \sin nx) = (\sin mx, \sin mx) = \int_{-\pi}^{\pi} \underline{\sin^2 mx}\, dx$

$\underbrace{}_{\frac{1}{2}(1-\cos 2mx)}$

公式：$\sin^2 \theta = \dfrac{1-\cos 2\theta}{2}$

$= 2\int_0^{\pi} \underline{\dfrac{1}{2}(1-\cos 2mx)}dx$

偶関数

f が偶関数のとき，$\int_{-a}^{a} f dx = 2\int_0^{a} f dx$

$= \left[x - \dfrac{1}{2m}\sin 2mx\right]_0^{\pi} = \boxed{(イ)}$ ……①

$0\ (\because \sin 2m\pi = \sin 0 = 0)$

● フーリエ級数（Ⅰ）

・$m \neq n$ のとき，

$$(\sin mx, \sin nx) = \int_{-\pi}^{\pi} \sin mx \sin nx \, dx$$

公式：
$\sin\alpha\sin\beta = -\dfrac{1}{2}\{\cos(\alpha+\beta) - \cos(\alpha-\beta)\}$

$\underbrace{-\dfrac{1}{2}\{\cos(m+n)x - \cos(m-n)x\}}_{\text{（偶関数）}}$

$$= 2\int_{0}^{\pi}\left(-\dfrac{1}{2}\right)\{\cos(m+n)x - \cos(m-n)x\}dx$$

$$= -\left[\dfrac{1}{m+n}\sin(m+n)x - \dfrac{1}{m-n}\sin(m-n)x\right]_{0}^{\pi}$$

$$= -\dfrac{1}{m+n}\underbrace{\sin(m+n)\pi}_{0} + \dfrac{1}{m-n}\underbrace{\sin(m-n)\pi}_{0} = \boxed{(ウ)} \quad \cdots\cdots ②$$

以上①，②より，

$$(\sin mx, \sin nx) = \begin{cases} \boxed{(イ)} & (m = n \text{ のとき}) \\ \boxed{(ウ)} & (m \neq n \text{ のとき}) \end{cases} \quad \cdots\text{（答）}$$
$(m, n : 自然数)$

(2) $\displaystyle\int_{-\pi}^{\pi} \sin x(\sin x + \underbrace{\sin^2 x}_{\frac{1}{2}(1-\cos 2x)} + \underbrace{\sin^3 x}_{\frac{1}{4}(3\sin x - \sin 3x)})dx$

公式
$\sin 3x = 3\sin x - 4\sin^3 x$

$$= \int_{-\pi}^{\pi}\sin x\left(\dfrac{1}{2} + \boxed{(エ)}\sin x - \dfrac{1}{2}\cos 2x - \dfrac{1}{4}\sin 3x\right)dx$$

$$= \dfrac{1}{2}\underbrace{\int_{-\pi}^{\pi}\sin x\,dx}_{(1,\,\sin x)=0} + \boxed{(エ)}\underbrace{\int_{-\pi}^{\pi}\sin^2 x\,dx}_{(\sin x,\,\sin x)=\pi}$$

$$\quad - \dfrac{1}{2}\underbrace{\int_{-\pi}^{\pi}\sin x \cdot \cos 2x\,dx}_{(\sin x,\,\cos 2x)=0} - \dfrac{1}{4}\underbrace{\int_{-\pi}^{\pi}\sin x \cdot \sin 3x\,dx}_{(\sin x,\,\sin 3x)=0}$$

$$= \boxed{(オ)} \quad \cdots\cdots\text{（答）}$$

解答　(ア) 0　　(イ) π　　(ウ) 0　　(エ) $\dfrac{7}{4}$　　(オ) $\dfrac{7}{4}\pi$

演習問題 3 ●周期 2π の関数 $f(x)$ のフーリエ級数（Ⅰ）●

次式で表される周期 2π の周期関数 $f(x)$ をフーリエ級数展開せよ。

$$f(x) = \begin{cases} \dfrac{1}{2}x + \dfrac{\pi}{2} & (-\pi < x < 0) \\ \dfrac{1}{2}x & (0 < x < \pi) \end{cases}$$

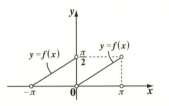

ヒント！ 周期 2π の区分的に滑らかな周期関数 $f(x)$ $(-\pi < x < \pi)$ は、次のようにフーリエ級数展開できる。$f(x) = \dfrac{a_0}{2} + \sum\limits_{k=1}^{\infty}(a_k \cos kx + b_k \sin kx)$
$\left(a_k = \dfrac{1}{\pi}\int_{-\pi}^{\pi}f(x)\cos kx\,dx,\ b_k = \dfrac{1}{\pi}\int_{-\pi}^{\pi}f(x)\sin kx\,dx\right)$
ただし、a_0 のみは、$a_0 = \dfrac{1}{\pi}\int_{-\pi}^{\pi}f(x)dx$ で計算することに注意しよう。

解答＆解説

$f(x) = \begin{cases} \dfrac{1}{2}x + \dfrac{\pi}{2} & (-\pi < x < 0) \\ \dfrac{1}{2}x & (0 < x < \pi) \end{cases}$ ……①は区間 $(-\pi, \pi)$ において区分的に

滑らかな周期 2π の周期関数より、次のようにフーリエ級数展開できる。

$f(x) = \dfrac{a_0}{2} + \sum\limits_{k=1}^{\infty}(a_k \cos kx + b_k \sin kx)$ ……②

(ⅰ) a_k $(k = 0, 1, 2, \cdots)$ について、

・$a_0 = \dfrac{1}{\pi}\int_{-\pi}^{\pi}f(x)dx$

$= \dfrac{1}{\pi}\left\{\int_{-\pi}^{0}\left(\dfrac{1}{2}x + \dfrac{\pi}{2}\right)dx + \int_{0}^{\pi}\dfrac{1}{2}x\,dx\right\} = \dfrac{1}{\pi}\left(\dfrac{\pi^2}{4} + \dfrac{\pi^2}{4}\right)$

$\therefore a_0 = \dfrac{1}{\pi} \times \dfrac{\pi^2}{2} = \dfrac{\pi}{2}$ ……③

● フーリエ級数（Ⅰ）

・$k=1, 2, 3, \cdots$ のとき，

$$a_k = \frac{1}{\pi}\int_{-\pi}^{\pi} f(x)\cos kx\, dx$$

$$= \frac{1}{\pi}\left\{\underbrace{\int_{-\pi}^{0}\left(\frac{1}{2}x+\frac{\pi}{2}\right)\cdot\cos kx\, dx} + \underbrace{\int_{0}^{\pi}\frac{1}{2}x\cdot\cos kx\, dx}\right\}$$

$\dfrac{1}{2}\int_{-\pi}^{0}(x+\pi)\left(\dfrac{1}{k}\sin kx\right)' dx$

$=\dfrac{1}{2}\left\{\dfrac{1}{k}\left[(x+\pi)\sin kx\right]_{-\pi}^{0} - \dfrac{1}{k}\int_{-\pi}^{0} 1\cdot\sin kx\, dx\right\}$

部分積分

$=-\dfrac{1}{2k}\cdot\left(-\dfrac{1}{k}\right)\left[\cos kx\right]_{-\pi}^{0}$

$=\dfrac{1}{2k^2}\{\underline{\cos 0} - \underline{\cos(-k\pi)}\}$
　　　　①　　$\boxed{\cos k\pi = (-1)^k}$

$=\dfrac{1}{2k^2}\{1-(-1)^k\}$

$\dfrac{1}{2}\int_{0}^{\pi} x\left(\dfrac{1}{k}\sin kx\right)' dx$

$=\dfrac{1}{2}\left\{\dfrac{1}{k}\left[x\cdot\sin kx\right]_{0}^{\pi} - \dfrac{1}{k}\int_{0}^{\pi} 1\cdot\sin kx\, dx\right\}$

$=-\dfrac{1}{2k}\cdot\left(-\dfrac{1}{k}\right)\left[\cos kx\right]_{0}^{\pi}$

$=\dfrac{1}{2k^2}\{\cos k\pi - \cos 0\}$

$=\dfrac{1}{2k^2}\{(-1)^k - 1\}$

$\therefore a_k = \dfrac{1}{\pi}\left[\dfrac{1}{2k^2}\{1-(-1)^k\} + \dfrac{1}{2k^2}\{(-1)^k - 1\}\right] = 0$ ……………④

(ⅱ) b_k $(k=1, 2, 3, \cdots)$ について，

$$b_k = \frac{1}{\pi}\int_{-\pi}^{\pi} f(x)\sin kx\, dx$$

$$= \frac{1}{\pi}\left\{\int_{-\pi}^{0}\left(\frac{1}{2}x+\frac{\pi}{2}\right)\cdot\sin kx\, dx + \int_{0}^{\pi}\frac{1}{2}x\cdot\sin kx\, dx\right\}$$

$\dfrac{1}{2}\int_{-\pi}^{0}(x+\pi)\left(-\dfrac{1}{k}\cos kx\right)' dx$

$=\dfrac{1}{2}\left\{-\dfrac{1}{k}\left[(x+\pi)\cos kx\right]_{-\pi}^{0} + \dfrac{1}{k}\int_{-\pi}^{0} 1\cdot\cos kx\, dx\right\}$

$=-\dfrac{1}{2k}\cdot\pi = -\dfrac{\pi}{2k}$

$\boxed{\dfrac{1}{k}[\sin kx]_{-\pi}^{0} = 0}$

$\dfrac{1}{2}\int_{0}^{\pi} x\left(-\dfrac{1}{k}\cos kx\right)' dx$

$=\dfrac{1}{2}\left\{-\dfrac{1}{k}[x\cos kx]_{0}^{\pi}\right.$

$\left.+\dfrac{1}{k}\int_{0}^{\pi} 1\cdot\cos kx\, dx\right\}$

$=-\dfrac{1}{2k}\pi\cdot(-1)^k = -\dfrac{\pi(-1)^k}{2k}$

19

よって，求める b_k は，

$$b_k = \frac{1}{\pi}\left\{-\frac{\pi}{2k} - \frac{\pi(-1)^k}{2k}\right\}$$
$$= -\frac{(-1)^k + 1}{2k} \quad \cdots\cdots ⑤ \quad (k = 1, 2, 3, \cdots)$$

・$a_0 = \dfrac{\pi}{2}$ ……③
・$a_k = 0$ ……④
　$(k = 1, 2, 3, \cdots)$

以上（i）（ii）より，③，④，⑤を

$$f(x) = \frac{a_0}{2} + \sum_{k=1}^{\infty}(\underbrace{a_k \cos kx}_{0\;(④より)} + b_k \sin kx) \cdots\cdots ② \text{に代入すると，} f(x) \text{は}$$

次のようにフーリエ級数展開できる。

$$f(x) = \frac{\pi}{4} - \sum_{k=1}^{\infty}\frac{(-1)^k + 1}{2k}\sin kx \quad \cdots\cdots ⑥ \quad \cdots\cdots\cdots\cdots\cdots\cdots\text{(答)}$$

⑥のフーリエ級数を n 項までの部分和で近似して，$n = 10, 50, 300$ としたときのグラフを下に示す。

$$f(x) \fallingdotseq \frac{\pi}{4} - \sum_{k=1}^{n}\frac{(-1)^k + 1}{2k}\sin kx$$

（i）$n = 10$ のとき

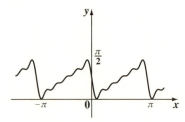

（ii）$n = 50$ のとき

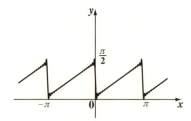

（iii）$n = 300$ のとき

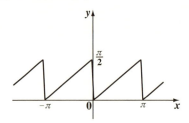

演習問題 4 ● 周期 2π の関数 $f(x)$ のフーリエ級数（Ⅱ）●

次式で表される周期 2π の周期関数 $f(x)$ をフーリエ級数展開せよ。

$$f(x) = \begin{cases} \dfrac{1}{2}x + \dfrac{\pi}{2} & (-\pi < x \leq 0) \\ \dfrac{\pi}{2} & (0 < x < \pi) \end{cases}$$

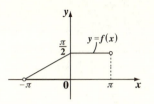

ヒント！ フーリエ級数展開の公式：$f(x) = \dfrac{a_0}{2} + \sum\limits_{k=1}^{\infty}(a_k \cos kx + b_k \sin kx)$

$\left(a_k = \dfrac{1}{\pi} \int_{-\pi}^{\pi} f(x) \cos kx \, dx, \ b_k = \dfrac{1}{\pi} \int_{-\pi}^{\pi} f(x) \sin kx \, dx \right)$ を利用して解けばよい。

解答＆解説

$$f(x) = \begin{cases} \dfrac{1}{2}x + \dfrac{\pi}{2} & (-\pi < x \leq 0) \\ \dfrac{\pi}{2} & (0 < x < \pi) \end{cases} \cdots\cdots ①$$ は区間 $(-\pi, \pi)$ において区分的に滑らかな周期 2π の周期関数より，次のようにフーリエ級数展開できる。

$$f(x) = \dfrac{a_0}{2} + \sum_{k=1}^{\infty}(a_k \cos kx + b_k \sin kx) \cdots\cdots ②$$

(i) $a_k \ (k = 0, 1, 2, \cdots)$ について，

・$a_0 = \dfrac{1}{\pi} \int_{-\pi}^{\pi} f(x) dx$

$= \dfrac{1}{\pi} \left\{ \int_{-\pi}^{0} \left(\dfrac{1}{2}x + \dfrac{\pi}{2} \right) dx + \int_{0}^{\pi} \dfrac{\pi}{2} dx \right\} = \dfrac{1}{\pi} \left(\dfrac{\pi^2}{4} + \dfrac{\pi^2}{2} \right)$

$\therefore a_0 = \dfrac{1}{\pi} \times \dfrac{3}{4}\pi^2 = \boxed{(ア)} \cdots\cdots ③$

・$k=1, 2, 3, \cdots$ のとき，

$$a_k = \frac{1}{\pi}\int_{-\pi}^{\pi} f(x)\cos kx\, dx$$

$$= \frac{1}{\pi}\left\{\int_{-\pi}^{0}\left(\frac{1}{2}x+\frac{\pi}{2}\right)\cdot \cos kx\, dx + \int_{0}^{\pi}\frac{\pi}{2}\cdot \cos kx\, dx\right\}$$

$\boxed{a_0 = \frac{3}{4}\pi \cdots\cdots ③}$

$\dfrac{1}{2}\int_{-\pi}^{0}(x+\pi)\left(\dfrac{1}{k}\sin kx\right)'dx$

$= \dfrac{1}{2}\left\{\dfrac{1}{k}\left[(x+\pi)\sin kx\right]_{-\pi}^{0} - \dfrac{1}{k}\int_{-\pi}^{0} 1\cdot \sin kx\, dx\right\}$

$= -\dfrac{1}{2k}\left(-\dfrac{1}{k}\right)[\cos kx]_{-\pi}^{0}$ （部分積分）

$= \dfrac{1}{2k^2}\{\underbrace{\cos 0}_{①} - \underbrace{\cos(-k\pi)}_{\cos k\pi = (-1)^k}\}$

$= \dfrac{1-(-1)^k}{2k^2}$

$\dfrac{\pi}{2}\cdot \dfrac{1}{k}[\sin kx]_{0}^{\pi}$

$= \dfrac{\pi}{2k}(\underbrace{\sin k\pi}_{0} - \underbrace{\sin 0}_{0})$

$= 0$

$\therefore a_k = \boxed{(\text{イ})}\ \cdots\cdots\cdots ④$

(ii) $b_k\ (k=1, 2, 3, \cdots)$ について，

$$b_k = \frac{1}{\pi}\int_{-\pi}^{\pi} f(x)\sin kx\, dx$$

$$= \frac{1}{\pi}\left\{\int_{-\pi}^{0}\left(\frac{1}{2}x+\frac{\pi}{2}\right)\cdot \sin kx\, dx + \int_{0}^{\pi}\frac{\pi}{2}\cdot \sin kx\, dx\right\}$$

$\dfrac{1}{2}\int_{-\pi}^{0}(x+\pi)\left(-\dfrac{1}{k}\cos kx\right)'dx$

$= \dfrac{1}{2}\left\{-\dfrac{1}{k}\left[(x+\pi)\cos kx\right]_{-\pi}^{0} + \dfrac{1}{k}\int_{-\pi}^{0} 1\cdot \cos kx\, dx\right\}$

$= -\dfrac{1}{2k}\cdot \pi = -\dfrac{\pi}{2k}$ $\boxed{\dfrac{1}{k}[\sin kx]_{-\pi}^{0}=0}$

$\dfrac{\pi}{2}\cdot \left(-\dfrac{1}{k}\right)[\cos kx]_{0}^{\pi}$

$= -\dfrac{\pi}{2k}(\cos k\pi - 1)$

$= -\dfrac{\pi}{2k}\{(-1)^k - 1\}$

$= \dfrac{\pi\{1-(-1)^k\}}{2k}$

よって，求める b_k は，

$$b_k = \frac{1}{\pi}\left\{-\frac{\pi}{2k} + \frac{\pi\{1-(-1)^k\}}{2k}\right\} = \boxed{(ウ)} \cdots\cdots ⑤ \quad (k=1, 2, 3, \cdots)$$

以上（i）（ii）より，③，④，⑤ を

$$f(x) = \frac{a_0}{2} + \sum_{k=1}^{\infty}(a_k \cos kx + b_k \sin kx) \cdots\cdots ② に代入すると，$$

$f(x)$ は次のようにフーリエ級数展開できる。

$$f(x) = \boxed{(エ)} + \sum_{k=1}^{\infty}\left\{\frac{1-(-1)^k}{2\pi k^2}\cos kx - \frac{(-1)^k}{2k}\sin kx\right\} \cdots\cdots ⑥ \cdots\cdots (答)$$

⑥のフーリエ級数を n 項までの部分和で近似して，$n=10, 50, 300$ としたときのグラフを下に示す。

$$f(x) ≒ \frac{3}{8}\pi + \sum_{k=1}^{n}\left\{\frac{1-(-1)^k}{2\pi k^2}\cos kx - \frac{(-1)^k}{2k}\sin kx\right\}$$

（i）$n=10$ のとき

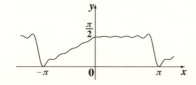

（ii）$n=50$ のとき

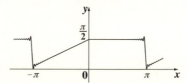

（iii）$n=300$ のとき

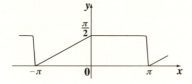

解答 （ア）$\frac{3}{4}\pi$　　（イ）$\frac{1-(-1)^k}{2\pi k^2}$　　（ウ）$-\frac{(-1)^k}{2k}$　　（エ）$\frac{3}{8}\pi$

演習問題 5 ●周期 2π の関数 $f(x)$ のフーリエ級数 (III)●

次式で表される周期 2π の周期関数 $f(x)$ をフーリエ級数展開せよ。

$$f(x) = \begin{cases} 0 & (-\pi < x \leq 0) \\ \sin x & (0 < x \leq \pi) \end{cases}$$

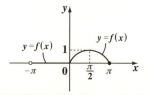

ヒント! フーリエ級数展開の公式: $f(x) = \dfrac{a_0}{2} + \sum\limits_{k=1}^{\infty}(a_k \cos kx + b_k \sin kx)$

を利用して解いていけばよい。ただし、今回は、a_k, b_k ($k = 1, 2, 3, \cdots$) の計算で、a_1, b_1 のみは別扱いに計算しなければならないことに注意しよう。

解答＆解説

$f(x) = \begin{cases} 0 & (-\pi < x \leq 0) \\ \sin x & (0 < x \leq \pi) \end{cases}$ ……① は，区間 $(-\pi, \pi]$ において区分的に滑らかな周期 2π の周期関数より，次のようにフーリエ級数展開できる。

$$f(x) = \dfrac{a_0}{2} + \sum_{k=1}^{\infty}(a_k \cos kx + b_k \sin kx) \quad \cdots\cdots ②$$

(i) a_k ($k = 0, 1, 2, \cdots$) について，

【a_0 のみ別に求める。】

$\cdot\; a_0 = \dfrac{1}{\pi}\displaystyle\int_{-\pi}^{\pi} f(x)dx = \dfrac{1}{\pi}\int_{0}^{\pi} \sin x\, dx = \dfrac{1}{\pi} \cdot \left[-\cos x\right]_{0}^{\pi} = \dfrac{1}{\pi}(-\cos\pi + \cos 0)$

$\therefore a_0 = \dfrac{1}{\pi}(1 + 1) = \dfrac{2}{\pi} \quad \cdots\cdots ③$

$\cdot\; k = 1, 2, 3, \cdots$ のとき，

【公式通り】

$a_k = \dfrac{1}{\pi}\displaystyle\int_{-\pi}^{\pi} f(x)\cos kx\, dx = \dfrac{1}{\pi}\int_{0}^{\pi} \sin x \cdot \cos kx\, dx$

【$\int g \cdot g' dx = \dfrac{1}{2}g^2$】

(ア) $k = 1$ のとき，$a_1 = \dfrac{1}{\pi}\displaystyle\int_{0}^{\pi} \sin x \cos x\, dx = \dfrac{1}{\pi}\left[\dfrac{1}{2}\sin^2 x\right]_{0}^{\pi}$

【0 ($\because \sin\pi = \sin 0 = 0$)】

$\therefore a_1 = 0 \quad \cdots\cdots ④$

(イ) $k = 2, 3, 4, \cdots$ のとき,

$$a_k = \frac{1}{\pi}\int_0^\pi \underline{\sin x \cdot \cos kx}\, dx = \frac{1}{2\pi}\int_0^\pi \{\sin(k+1)x - \sin(k-1)x\}dx$$

$\boxed{\frac{1}{2}\{\sin(1+k)x + \sin(1-k)x\}}$ 　$\boxed{\text{積}\to\text{和の公式}: \sin\alpha\cos\beta = \frac{1}{2}\{\sin(\alpha+\beta)+\sin(\alpha-\beta)\}}$

$$= \frac{1}{2\pi}\left[-\frac{1}{k+1}\cos(k+1)x + \frac{1}{k-1}\cos(k-1)x\right]_0^\pi$$

$\boxed{k=1\text{ のとき, この分母が }0\text{ となるため, }k=1\text{ のときは別に計算した！}}$

$$= \frac{1}{2\pi}\left\{-\frac{1}{k+1}\underline{\cos(k+1)\pi} + \frac{1}{k-1}\underline{\cos(k-1)\pi} + \frac{1}{k+1} - \frac{1}{k-1}\right\}$$
　　　　　　　$\boxed{(-1)^{k+1}}$ 　　　$\boxed{(-1)^{k-1}}$

$$= \frac{1}{2\pi}\left\{\underline{\frac{(-1)^k}{k+1} - \frac{(-1)^k}{k-1}} + \underline{\frac{1}{k+1} - \frac{1}{k-1}}\right\}$$
$\boxed{(-1)^k\left(\frac{1}{k+1}-\frac{1}{k-1}\right)=\frac{-2(-1)^k}{k^2-1}}$ 　$\boxed{\frac{-2}{k^2-1}}$

$$\therefore a_k = \frac{1}{2\pi}\cdot\frac{-2}{k^2-1}\{(-1)^k+1\} = -\frac{1+(-1)^k}{\pi(k^2-1)} \quad\cdots\cdots ⑤\ (k=2,3,4,\cdots)$$

(ii) $b_k\ (k=1,2,3,\cdots)$ について,

$\boxed{\text{公式通り}}$

$$b_k = \frac{1}{\pi}\int_{-\pi}^\pi f(x)\sin kx\, dx = \frac{1}{\pi}\int_0^\pi \sin x \sin kx\, dx$$

(ア) $k=1$ のとき, $b_1 = \frac{1}{\pi}\int_0^\pi \underline{\sin^2 x}\, dx = \frac{1}{2\pi}\int_0^\pi (1-\cos 2x)dx$

$\boxed{\frac{1}{2}(1-\cos 2x)}$ 　$\boxed{\text{半角の公式}}$

$$= \frac{1}{2\pi}\left[x - \frac{1}{2}\sin 2x\right]_0^\pi = \frac{1}{2\pi}\times \pi$$
　　　　　　$\boxed{0\ (\because \sin 2\pi = \sin 0 = 0)}$

$$\therefore b_1 = \frac{1}{2} \quad\cdots\cdots\cdots\cdots ⑥$$

(イ) $k=2, 3, 4, \cdots$ のとき，

$$b_k = \frac{1}{\pi}\int_0^\pi \underbrace{\sin x \cdot \sin kx}_{-\frac{1}{2}\{\cos(1+k)x - \cos(1-k)x\}} dx$$

・$a_0 = \dfrac{2}{\pi}$ ……③　・$a_1 = 0$ ……④

・$a_k = -\dfrac{1+(-1)^k}{\pi(k^2-1)}$ …⑤ $(k \geq 2)$

・$b_1 = \dfrac{1}{2}$ ……………⑥

積→差の公式：$\sin\alpha\sin\beta = -\dfrac{1}{2}\{\cos(\alpha+\beta) - \cos(\alpha-\beta)\}$

$$= -\frac{1}{2\pi}\int_0^\pi \{\cos(k+1)x - \cos(k-1)x\} dx$$

$$= -\frac{1}{2\pi}\left[\frac{1}{k+1}\sin(k+1)x - \frac{1}{k-1}\sin(k-1)x\right]_0^\pi$$

$0 \; (\because \sin(k+1)\pi = \sin 0 = 0)$　　$0 \; (\because \sin(k-1)\pi = \sin 0 = 0)$

$k=1$ のとき，この分母が 0 となるため，$k=1$ のときは別に計算した。

∴ $b_k = 0$ ……………⑦　　$(k=2, 3, 4, \cdots)$

以上 (ⅰ)(ⅱ) より，③〜⑦を

$f(x) = \dfrac{a_0}{2} + \sum\limits_{k=1}^{\infty}(a_k \cos kx + b_k \sin kx)$ ……②に代入すると，

$f(x)$ は次のようにフーリエ級数展開できる。

$f(x) = \dfrac{1}{\pi} + \dfrac{1}{2}\sin x - \sum\limits_{k=2}^{\infty}\dfrac{1+(-1)^k}{\pi(k^2-1)}\cos kx$ ……⑧ ……………(答)

⑧のフーリエ級数を n 項までの部分和で近似して，$n=5, 100$ としたときのグラフを下に示す。

$f(x) \fallingdotseq \dfrac{1}{\pi} + \dfrac{1}{2}\sin x - \sum\limits_{k=2}^{n}\dfrac{1+(-1)^k}{\pi(k^2-1)}\cos kx$

(ⅰ) $n=5$ のとき　　　　　　　　(ⅱ) $n=100$ のとき

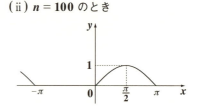

26

演習問題 6 ●周期 2π の関数 $f(x)$ のフーリエ級数(IV)●

次式で表される周期 2π の周期関数 $f(x)$ をフーリエ級数展開せよ。

$$f(x) = \begin{cases} 0 & (-\pi < x < 0) \\ \cos x & (0 < x < \pi) \end{cases}$$

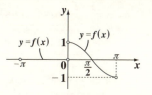

ヒント! フーリエ級数展開の公式：$f(x) = \dfrac{a_0}{2} + \sum\limits_{k=1}^{\infty}(a_k \cos kx + b_k \sin kx)$ を利用しよう。ただし，前問同様，a_k，b_k ($k=1, 2, 3, \cdots$) を求める際，a_1，b_1 は別に計算しなければならない点に注意しよう。

解答＆解説

$f(x) = \begin{cases} 0 & (-\pi < x < 0) \\ \cos x & (0 < x < \pi) \end{cases}$ ……① は区間 $(-\pi, \pi)$ において区分的に滑らかな周期 2π の周期関数より，次のようにフーリエ級数展開できる。

$f(x) = \dfrac{a_0}{2} + \sum\limits_{k=1}^{\infty}(a_k \cos kx + b_k \sin kx)$ ……②

(i) a_k ($k=0, 1, 2, \cdots$) について，

・$a_0 = \dfrac{1}{\pi}\int_{-\pi}^{\pi} f(x)dx = \dfrac{1}{\pi}\int_{0}^{\pi} \cos x\,dx = \dfrac{1}{\pi}\cdot\underbrace{[\sin x]_0^{\pi}}_{0\,(\because \sin\pi = \sin 0 = 0)} = \dfrac{1}{\pi}(0-0)$

（a_0 は別に求める。）

$\therefore a_0 = \boxed{(ア)}$ ……③

・$k=1, 2, 3, \cdots$ のとき，（公式通り）

$a_k = \dfrac{1}{\pi}\int_{-\pi}^{\pi} f(x)\cos kx\,dx = \dfrac{1}{\pi}\int_{0}^{\pi}\cos x \cdot \cos kx\,dx$

(ア) $k=1$ のとき，$a_1 = \dfrac{1}{\pi}\int_{0}^{\pi}\underbrace{\cos^2 x}_{\frac{1}{2}(1+\cos 2x)}dx = \dfrac{1}{2\pi}\int_{0}^{\pi}(1+\cos 2x)dx$

（半角の公式）

$= \dfrac{1}{2\pi}\left[x + \dfrac{1}{2}\sin 2x\right]_0^{\pi} = \dfrac{1}{2\pi}\times \pi$

$\therefore a_1 = \boxed{(イ)}$ ……④

（今回は，a_1 も別に求める。）

(イ) $k = 2, 3, 4, \cdots$ のとき，

$$a_k = \frac{1}{\pi}\int_0^\pi \underbrace{\cos x \cdot \cos kx}_{\frac{1}{2}\{\cos(1+k)x + \cos(1-k)x\}} dx$$

（積→和の公式：$\cos\alpha\cos\beta = \frac{1}{2}\{\cos(\alpha+\beta) + \cos(\alpha-\beta)\}$）

（$a_0 = 0$ …③，$a_1 = \frac{1}{2}$ …④）

$$= \frac{1}{2\pi}\int_0^\pi \{\cos(k+1)x + \cos(k-1)x\}dx$$

$$= \frac{1}{2\pi}\left[\underbrace{\frac{1}{k+1}\sin(k+1)x}_{0\,(\because \sin(k+1)\pi = \sin 0 = 0)} + \underbrace{\frac{1}{k-1}\sin(k-1)x}_{0\,(\because \sin(k-1)\pi = \sin 0 = 0)}\right]_0^\pi$$

（$k=1$ のとき，この分母が 0 となるため，$k=1$ のときは別に計算した！）

$$\therefore a_k = \boxed{(ウ)} \cdots\cdots\cdots ⑤ \quad (k = 2, 3, 4, \cdots)$$

(ii) b_k ($k = 1, 2, 3, \cdots$) について，（公式通り）

$$b_k = \frac{1}{\pi}\int_{-\pi}^{\pi} f(x)\sin kx\,dx = \frac{1}{\pi}\int_0^\pi \cos x \cdot \sin kx\,dx$$

$$\left(\int g \cdot g'\,dx = \frac{1}{2}g^2\right)$$

(ア) $k = 1$ のとき，$b_1 = \frac{1}{\pi}\int_0^\pi \sin x \cdot \cos x\,dx = \frac{1}{\pi}\left[\frac{1}{2}\sin^2 x\right]_0^\pi$

$$\therefore b_1 = \boxed{(エ)} \cdots\cdots\cdots ⑥$$

(イ) $k = 2, 3, 4, \cdots$ のとき，

$$b_k = \frac{1}{\pi}\int_0^\pi \underbrace{\sin kx \cdot \cos x}_{\frac{1}{2}\{\sin(k+1)x + \sin(k-1)x\}}\,dx = \frac{1}{2\pi}\int_0^\pi \{\sin(k+1)x + \sin(k-1)x\}dx$$

（積→和の公式：$\sin\alpha\cos\beta = \frac{1}{2}\{\sin(\alpha+\beta) + \sin(\alpha-\beta)\}$）

$$= \frac{1}{2\pi}\left[-\frac{1}{k+1}\cos(k+1)x - \frac{1}{k-1}\cos(k-1)x\right]_0^\pi$$

（$k=1$ のとき，この分母が 0 となるため，b_1 を別に求めた。）

$$= \frac{1}{2\pi}\left\{-\frac{1}{k+1}\underbrace{\cos(k+1)\pi}_{(-1)^{k+1}} - \frac{1}{k-1}\underbrace{\cos(k-1)\pi}_{(-1)^{k-1}} + \frac{1}{k+1} + \frac{1}{k-1}\right\}$$

$$= \frac{1}{2\pi}\left\{\underbrace{\frac{(-1)^k}{k+1} + \frac{(-1)^k}{k-1}}_{(-1)^k\left(\frac{1}{k+1}+\frac{1}{k-1}\right) = \frac{2k(-1)^k}{k^2-1}} + \underbrace{\frac{1}{k+1} + \frac{1}{k-1}}_{\frac{2k}{k^2-1}}\right\}$$

●フーリエ級数（Ⅰ）

$$\therefore b_k = \frac{1}{2\pi} \cdot \frac{2k}{k^2-1}\{1+(-1)^k\} = \boxed{(オ)} \quad \cdots\cdots ⑦ \quad (k=2, 3, 4, \cdots)$$

以上（ⅰ）（ⅱ）より，③〜⑦を

$$f(x) = \frac{a_0}{2} + \sum_{k=1}^{\infty}(a_k\cos kx + b_k\sin kx) \cdots\cdots ② に代入すると，$$

$f(x)$ は次のようにフーリエ級数展開できる。

$$f(x) = \frac{1}{2}\cos x + \sum_{k=2}^{\infty}\frac{k\{1+(-1)^k\}}{\pi(k^2-1)}\sin kx \cdots\cdots ⑧ \cdots\cdots\cdots\cdots(答)$$

⑧のフーリエ級数を n 項までの部分和で近似して，$n=10, 50, 300$ としたときのグラフを下に示す。

$$f(x) \fallingdotseq \frac{1}{2}\cos x + \sum_{k=2}^{n}\frac{k\{1+(-1)^k\}}{\pi(k^2-1)}\sin kx$$

（ⅰ）$n=10$ のとき

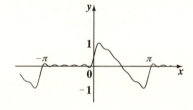

（ⅱ）$n=50$ のとき

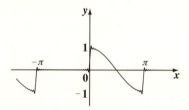

（ⅲ）$n=300$ のとき

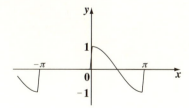

解答　(ア) 0　　(イ) $\frac{1}{2}$　　(ウ) 0　　(エ) 0　　(オ) $\frac{k\{1+(-1)^k\}}{\pi(k^2-1)}$

29

演習問題 7 ●周期 2π の関数 $f(x)$ のフーリエ級数 (V)●

次式で表される周期 2π の周期関数 $f(x)$ をフーリエ余弦級数展開せよ。

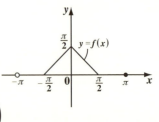

$$f(x) = \begin{cases} x + \dfrac{\pi}{2} & \left(-\dfrac{\pi}{2} < x \leq 0\right) \\ -x + \dfrac{\pi}{2} & \left(0 < x \leq \dfrac{\pi}{2}\right) \\ 0 & \left(-\pi < x \leq -\dfrac{\pi}{2}, \dfrac{\pi}{2} < x \leq \pi\right) \end{cases}$$

ヒント! 区間 $(-\pi, \pi]$ における周期関数 $f(x)$ は，偶関数 (y 軸に関して対称なグラフ) なので，これは，フーリエ余弦級数展開の公式： $f(x) = \dfrac{a_0}{2} + \sum\limits_{k=1}^{\infty} a_k \cos kx$ $\left(a_k = \dfrac{2}{\pi}\int_0^{\pi} f(x) \cos kx\, dx\right)$ を利用して展開すればよい。

解答&解説

$$f(x) = \begin{cases} x + \dfrac{\pi}{2} & \left(-\dfrac{\pi}{2} < x \leq 0\right) \\ -x + \dfrac{\pi}{2} & \left(0 < x \leq \dfrac{\pi}{2}\right) \\ 0 & \left(-\pi < x \leq -\dfrac{\pi}{2}, \dfrac{\pi}{2} < x \leq \pi\right) \end{cases} \quad \cdots\cdots① \text{は，区間 } (-\pi, \pi] \text{ において}$$

区分的に滑らかな周期 2π の周期関数で，かつ偶関数である。よって，これは次のようにフーリエ余弦 (コサイン) 級数に展開できる。

$$f(x) = \dfrac{a_0}{2} + \sum_{k=1}^{\infty} a_k \cos kx \quad \cdots\cdots\cdots\cdots\cdots\cdots②$$

a_k ($k = 0, 1, 2, \cdots$) について，

$\cdot\ a_0 = \dfrac{2}{\pi}\int_0^{\pi} f(x)\, dx = \dfrac{2}{\pi}\int_0^{\pi/2}\left(-x + \dfrac{\pi}{2}\right) dx = \dfrac{2}{\pi} \times \dfrac{\pi^2}{8}$

> フーリエ余弦級数
> $a_0 = \dfrac{2}{\pi}\int_0^{\pi} f(x)\, dx$

$\left[\begin{array}{c}\text{}\end{array}\right]$

$$\therefore a_0 = \frac{\pi}{4} \quad \cdots\cdots\cdots\cdots\cdots\cdots\cdots\cdots\cdots\cdots\cdots ③$$

・$k=1, 2, 3, \cdots$ のとき,

$$a_k = \frac{2}{\pi}\int_0^\pi f(x)\cos kx\,dx$$

> フーリエ余弦級数
> $a_k = \dfrac{2}{\pi}\displaystyle\int_0^\pi f(x)\cos kx\,dx$
> ($k=1, 2, 3, \cdots$)

$$= \frac{2}{\pi}\int_0^{\frac{\pi}{2}}\left(-x+\frac{\pi}{2}\right)\cos kx\,dx$$

$$= \frac{2}{\pi}\int_0^{\frac{\pi}{2}}\left(-x+\frac{\pi}{2}\right)\left(\frac{1}{k}\sin kx\right)'dx$$

> 部分積分
> $\displaystyle\int g\cdot h'\,dx = gh - \int g'\cdot h\,dx$

$$= \frac{2}{\pi}\left\{\frac{1}{k}\left[\left(-x+\frac{\pi}{2}\right)\sin kx\right]_0^{\frac{\pi}{2}} - \frac{1}{k}\int_0^{\frac{\pi}{2}}(-1)\cdot\sin kx\,dx\right\}$$

$$= \frac{2}{k\pi}\left(-\frac{1}{k}\right)\left[\cos kx\right]_0^{\frac{\pi}{2}} = -\frac{2}{k^2\pi}\left(\cos\frac{k}{2}\pi - 1\right)$$

$$\therefore a_k = \frac{2}{k^2\pi}\left(1-\cos\frac{k}{2}\pi\right) \quad\cdots\cdots\cdots ④ \quad (k=1,2,3,\cdots)$$

よって，③，④を②に代入すると，$f(x)$ は次のようにフーリエ余弦級数に展開できる。

$$f(x) = \frac{\pi}{8} + \frac{2}{\pi}\sum_{k=1}^\infty \frac{1}{k^2}\left(1-\cos\frac{k}{2}\pi\right)\cos kx \quad\cdots\cdots\cdots ⑤ \quad\cdots\cdots\cdots(答)$$

⑤のフーリエ余弦級数を n 項までの部分和で近似して，$n=5$，100 としたときのグラフを下に示す。

$$f(x) \fallingdotseq \frac{\pi}{8} + \frac{2}{\pi}\sum_{k=1}^n \frac{1}{k^2}\left(1-\cos\frac{k}{2}\pi\right)\cos kx$$

(ⅰ) $n=5$ のとき

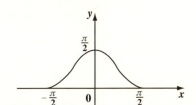

(ⅱ) $n=100$ のとき

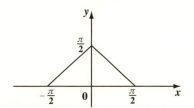

演習問題 8 　●周期 2π の関数 $f(x)$ のフーリエ級数 (Ⅵ)●

次式で表される周期 2π の周期関数 $f(x)$ をフーリエ正弦級数展開せよ。

$$f(x) = \begin{cases} x & \left(-\dfrac{\pi}{2} < x < \dfrac{\pi}{2}\right) \\ 0 & \left(-\pi < x < -\dfrac{\pi}{2}, \dfrac{\pi}{2} < x \leq \pi\right) \end{cases}$$

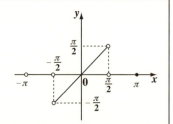

ヒント! 区間 $(-\pi, \pi]$ における周期関数 $f(x)$ は，奇関数 (原点に関して対称なグラフ) なので，これは，フーリエ正弦級数展開の公式：
$f(x) = \sum\limits_{k=1}^{\infty} b_k \sin kx$ $\left(b_k = \dfrac{2}{\pi} \int_0^{\pi} f(x) \sin kx \, dx\right)$ を利用して展開する。

解答＆解説

$$f(x) = \begin{cases} x & \left(-\dfrac{\pi}{2} < x < \dfrac{\pi}{2}\right) \\ 0 & \left(-\pi < x < -\dfrac{\pi}{2}, \dfrac{\pi}{2} < x \leq \pi\right) \end{cases} \quad \cdots\cdots① \text{ は，区間 } (-\pi, \pi] \text{ において}$$

区分的に滑らかな周期 2π の周期関数で，かつ $\boxed{(ア)}$ である。よって，これは次のようにフーリエ正弦 (サイン) 級数に展開できる。

$$f(x) = \sum_{k=1}^{\infty} b_k \boxed{(イ)} \quad \cdots\cdots②$$

ここで，b_k $(k=1, 2, 3, \cdots)$ について，

・$b_k = \dfrac{2}{\pi} \int_0^{\pi} f(x) \boxed{(ウ)} \, dx$ ← フーリエ正弦級数 $b_k = \dfrac{2}{\pi} \int_0^{\pi} f(x) \sin kx \, dx$

$= \dfrac{2}{\pi} \int_0^{\frac{\pi}{2}} x \cdot \left(-\dfrac{1}{k} \cos kx\right)' dx$ ← 部分積分 $\int g \cdot h' \, dx = g \cdot h - \int g' \cdot h \, dx$

$= \dfrac{2}{\pi} \left\{ -\dfrac{1}{k} [x \cos kx]_0^{\frac{\pi}{2}} + \dfrac{1}{k} \int_0^{\frac{\pi}{2}} 1 \cdot \cos kx \, dx \right\}$

よって，

$$b_k = \frac{2}{\pi}\left\{-\frac{1}{k}\cdot\frac{\pi}{2}\cos\frac{k}{2}\pi + \frac{1}{k^2}[\sin kx]_0^{\frac{\pi}{2}}\right\}$$

$$\therefore b_k = -\frac{1}{k}\cdot\cos\frac{k}{2}\pi + \boxed{(エ)} \quad\cdots\cdots\cdots ③ \quad (k=1, 2, 3, \cdots)$$

よって，③を②に代入すると，$f(x)$ は次のようにフーリエ正弦級数展開できる。

$$f(x) = \sum_{k=1}^{\infty}\left(-\frac{1}{k}\cdot\cos\frac{k}{2}\pi + \frac{2}{\pi k^2}\sin\frac{k}{2}\pi\right)\sin kx \quad\cdots\cdots ④ \quad\cdots\cdots\cdots(答)$$

④のフーリエ正弦級数を n 項までの部分和で近似して，$n = 10, 50, 300$ としたときのグラフを下に示す。

$$f(x) \fallingdotseq \sum_{k=1}^{n}\left(-\frac{1}{k}\cdot\cos\frac{k}{2}\pi + \frac{2}{\pi k^2}\sin\frac{k}{2}\pi\right)\sin kx$$

（ⅰ）$n = 10$ のとき　　　　　　　（ⅱ）$n = 50$ のとき

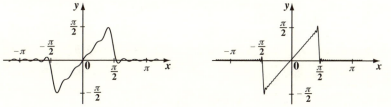

（ⅲ）$n = 300$ のとき

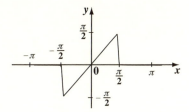

解答　（ア）奇関数　　（イ）$\sin kx$　　（ウ）$\sin kx$　　（エ）$\dfrac{2}{\pi k^2}\sin\dfrac{k}{2}\pi$

演習問題 9 ● 周期 $2L$ の関数 $f(x)$ のフーリエ級数（Ⅰ）●

次式で表される周期 4 の周期関数 $f(x)$ をフーリエ級数展開せよ。

$$f(x) = \begin{cases} x+2 & (-2 < x \leq 0) \\ 2 & (0 < x \leq 2) \end{cases}$$

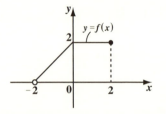

ヒント！ 周期 $2L$ の区分的に滑らかな周期関数 $f(x)$ $(-L < x \leq L)$ は，次のようにフーリエ級数展開できる。$f(x) = \dfrac{a_0}{2} + \sum\limits_{k=1}^{\infty} \left(a_k \cos \dfrac{k\pi}{L} x + b_k \sin \dfrac{k\pi}{L} x \right)$

$\left(a_k = \dfrac{1}{L} \int_{-L}^{L} f(x) \cos \dfrac{k\pi}{L} x \, dx, \quad b_k = \dfrac{1}{L} \int_{-L}^{L} f(x) \sin \dfrac{k\pi}{L} x \, dx \right)$

ただし，a_0 のみは別に，$a_0 = \dfrac{1}{L} \int_{-L}^{L} f(x) dx$ で求める。

解答 & 解説

$f(x) = \begin{cases} x+2 & (-2 < x \leq 0) \\ 2 & (0 < x \leq 2) \end{cases}$ ……① は，区間 $(-2, 2]$ において区分的に

滑らかな<u>周期 4</u> の周期関数より，次のようにフーリエ級数展開できる。

（$L=2$ より，周期 $2L=4$）

$f(x) = \dfrac{a_0}{2} + \sum\limits_{k=1}^{\infty} \left(a_k \cos \dfrac{k\pi}{L} x + b_k \sin \dfrac{k\pi}{L} x \right)$ ……②

(ⅰ) a_k $(k=0, 1, 2, \cdots)$ について，

・$a_0 = \dfrac{1}{2} \int_{-2}^{2} f(x) dx$ 　　$\left(a_0 = \dfrac{1}{L} \int_{-L}^{L} f(x) dx \right)$

$= \dfrac{1}{2} \left(\int_{-2}^{0} (x+2) dx + \int_{0}^{2} 2 \, dx \right) = \dfrac{1}{2} \cdot (2 + 4)$

（a_0 のみ別に求める。）

$\therefore a_0 = \dfrac{1}{2} \times 6 = 3$ ……③

・$k=1, 2, 3, \cdots$ のとき,

$$a_k = \frac{1}{2}\int_{-2}^{2} f(x)\cos\frac{k\pi}{2}x\,dx$$

$$= \frac{1}{2}\left\{\int_{-2}^{0}(x+2)\cos\frac{k\pi}{2}x\,dx + \int_{0}^{2} 2\cos\frac{k\pi}{2}x\,dx\right\}$$

$\int_{-2}^{0}(x+2)\left(\frac{2}{k\pi}\sin\frac{k\pi}{2}x\right)'dx$ →部分積分

$= \frac{2}{k\pi}\left[(x+2)\sin\frac{k\pi}{2}x\right]_{-2}^{0} - \frac{2}{k\pi}\int_{-2}^{0} 1\cdot\sin\frac{k\pi}{2}x\,dx$

$= \left(-\frac{2}{k\pi}\right)^2\left[\cos\frac{k\pi}{2}x\right]_{-2}^{0}$

$= \frac{4}{k^2\pi^2}\{\cos 0 - \cos(-k\pi)\} = \frac{4\{1-(-1)^k\}}{\pi^2 k^2}$

①　$\cos k\pi = (-1)^k$

$2\cdot\frac{2}{k\pi}\left[\sin\frac{k\pi}{2}x\right]_{0}^{2} = 0$
$(\because \sin k\pi = \sin 0 = 0)$

$$\therefore a_k = \frac{1}{2}\cdot\frac{4\{1-(-1)^k\}}{\pi^2 k^2} = \frac{2\{1-(-1)^k\}}{\pi^2 k^2} \cdots\cdots ④ \quad (k=1, 2, 3, \cdots)$$

(ii) b_k $(k=1, 2, 3, \cdots)$ について,

$$b_k = \frac{1}{2}\int_{-2}^{2} f(x)\sin\frac{k\pi}{2}x\,dx$$

$$= \frac{1}{2}\left\{\int_{-2}^{0}(x+2)\sin\frac{k\pi}{2}x\,dx + \int_{0}^{2} 2\cdot\sin\frac{k\pi}{2}x\,dx\right\}$$

$\int_{-2}^{0}(x+2)\left(-\frac{2}{k\pi}\cos\frac{k\pi}{2}x\right)'dx$ →部分積分

$= -\frac{2}{k\pi}\left[(x+2)\cos\frac{k\pi}{2}x\right]_{-2}^{0} + \frac{2}{k\pi}\int_{-2}^{0} 1\cdot\cos\frac{k\pi}{2}x\,dx$

$= -\frac{2}{k\pi}(2-0) + \left(\frac{2}{k\pi}\right)^2\left[\sin\frac{k\pi}{2}x\right]_{-2}^{0}$

$= -\frac{4}{k\pi}$ 　$0\ (\because \sin 0 = \sin(-k\pi) = 0)$

$2\cdot\left(-\frac{2}{k\pi}\right)\left[\cos\frac{k\pi}{2}x\right]_{0}^{2}$

$= -\frac{4}{k\pi}(\cos k\pi - 1)$

$= \frac{4\{1-(-1)^k\}}{k\pi}$

$$\therefore b_k = \frac{1}{2}\cdot\left[-\frac{4}{k\pi} + \frac{4\{1-(-1)^k\}}{k\pi}\right] = \frac{2\cdot(-1)^{k+1}}{\pi k} \cdots\cdots ⑤ \quad (k=1, 2, 3, \cdots)$$

以上 (ⅰ)(ⅱ) より, ③, ④, ⑤ を

$$f(x) = \frac{a_0}{2} + \sum_{k=1}^{\infty}\left(a_k \cos\frac{k\pi}{2}x + b_k \sin\frac{k\pi}{2}x\right) \cdots\cdots ②$$

に代入すると, $f(x)$ は次のようにフーリエ級数展開できる。

$$f(x) = \frac{3}{2} + \sum_{k=1}^{\infty}\left\{\frac{2\{1-(-1)^k\}}{\pi^2 k^2}\cos\frac{k\pi}{2}x + \frac{2(-1)^{k+1}}{\pi k}\sin\frac{k\pi}{2}x\right\} \cdots\cdots ⑥ \cdots\cdots(答)$$

⑥のフーリエ級数を n 項までの部分和で近似して, $n = 5, 30, 200$ としたときのグラフを下に示す。

$$f(x) \doteqdot \frac{3}{2} + \sum_{k=1}^{n}\left\{\frac{2\{1-(-1)^k\}}{\pi^2 k^2}\cos\frac{k\pi}{2}x + \frac{2(-1)^{k+1}}{\pi k}\sin\frac{k\pi}{2}x\right\}$$

(ⅰ) $n = 5$ のとき

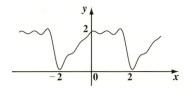

(ⅱ) $n = 30$ のとき

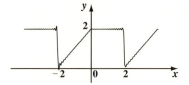

(ⅲ) $n = 200$ のとき

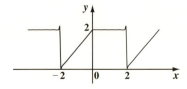

演習問題 10　●周期 $2L$ の関数 $f(x)$ のフーリエ級数 (Ⅱ)●

次式で表される周期 4 の周期関数 $f(x)$ をフーリエ級数展開せよ。

$$f(x) = \begin{cases} x+1 & (-1 < x \leq 0) \\ -x+1 & (0 < x \leq 1) \\ 0 & (-2 < x \leq -1,\ 1 < x \leq 2) \end{cases}$$

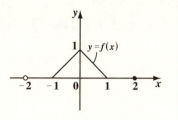

ヒント! 区間 $(-2,\ 2]$ における周期関数 $f(x)$ は、偶関数 (y 軸に関して対称なグラフ) なので、これは次のフーリエ余弦級数の公式により展開できる。

$$f(x) = \frac{a_0}{2} + \sum_{k=1}^{\infty} a_k \cos\frac{k\pi}{L}x \quad \left(a_k = \frac{2}{L}\int_0^L f(x)\cos\frac{k\pi}{L}x\,dx\right)$$

解答 & 解説

$$f(x) = \begin{cases} x+1 & (-1 < x \leq 0) \\ -x+1 & (0 < x \leq 1) \\ 0 & (-2 < x \leq -1,\ 1 < x \leq 2) \end{cases} \quad \cdots\cdots ① $$ は、区間 $(-2,\ 2]$ において

区分的に滑らかな <u>周期 4</u> の周期関数であり、かつ偶関数である。よって、

（$L=2$ より、周期 $2L=4$）

これは次のようにフーリエ余弦 (コサイン) 級数に展開できる。

$$f(x) = \frac{a_0}{2} + \sum_{k=1}^{\infty} a_k \cos\frac{k\pi}{2}x \quad \cdots\cdots ② $$

（公式：$f(x) = \frac{a_0}{2} + \sum_{k=1}^{\infty} a_k \cos\frac{k\pi}{L}x$）

$a_k\ (k=0,1,2,\cdots)$ について、

（公式：$a_0 = \frac{2}{L}\int_0^L f(x)dx$）

$\cdot\ a_0 = \frac{2}{2}\int_0^2 f(x)dx = \int_0^1 (-x+1)dx = \left[-\frac{1}{2}x^2 + x\right]_0^1 = -\frac{1}{2} + 1$

$\therefore a_0 = \frac{1}{2} \quad \cdots\cdots ③$

・$k = 1, 2, 3, \cdots\cdots$ のとき，

公式：$a_k = \dfrac{2}{L}\displaystyle\int_0^L f(x)\cos\dfrac{k\pi}{L}x\,dx$

$$a_k = \dfrac{2}{2}\int_0^2 f(x)\cdot\cos\dfrac{k\pi}{2}x\,dx = \int_0^1 (-x+1)\cos\dfrac{k\pi}{2}x\,dx$$

$$= \int_0^1 (-x+1)\left(\dfrac{2}{k\pi}\sin\dfrac{k\pi}{2}x\right)' dx$$

$$= \dfrac{2}{k\pi}\underbrace{\left[(-x+1)\sin\dfrac{k\pi}{2}x\right]_0^1}_{0\ (\because -1+1=0,\ \sin 0 = 0)} - \dfrac{2}{k\pi}\int_0^1 (-1)\cdot\sin\dfrac{k\pi}{2}x\,dx$$

$$= \dfrac{2}{k\pi}\left(-\dfrac{2}{k\pi}\right)\left[\cos\dfrac{k\pi}{2}x\right]_0^1 = -\dfrac{4}{k^2\pi^2}\left(\cos\dfrac{k\pi}{2} - 1\right)$$

$$\therefore a_k = \dfrac{4}{k^2\pi^2}\left(1 - \cos\dfrac{k\pi}{2}\right) \cdots\cdots ④\quad (k=1,2,3,\cdots)$$

よって，$a_0 = \dfrac{1}{2}$ ……③と④を

$f(x) = \dfrac{a_0}{2} + \displaystyle\sum_{k=1}^{\infty} a_k \cos\dfrac{k\pi}{2}x$ ……②に代入すると，$f(x)$ は次のようにフーリエ余弦級数に展開できる。

$$f(x) = \dfrac{1}{4} + \dfrac{4}{\pi^2}\sum_{k=1}^{\infty}\dfrac{1}{k^2}\left(1 - \cos\dfrac{k\pi}{2}\right)\cos\dfrac{k\pi}{2}x \cdots\cdots ⑤ \cdots\cdots（答）$$

⑤のフーリエ余弦級数を n 項までの部分和で近似して，$n = 3, 90$ としたときのグラフを下に示す。

$$f(x) \fallingdotseq \dfrac{1}{4} + \dfrac{4}{\pi^2}\sum_{k=1}^{n}\dfrac{1}{k^2}\left(1 - \cos\dfrac{k\pi}{2}\right)\cos\dfrac{k\pi}{2}x$$

（ⅰ）$n = 3$ のとき　　　　　　　（ⅱ）$n = 90$ のとき

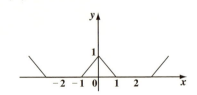

演習問題 11 ● 周期 $2L$ の関数 $f(x)$ のフーリエ級数 (III) ●

次式で表される周期 6 の周期関数 $f(x)$ をフーリエ級数展開せよ。

$$f(x) = \begin{cases} x & (-2 < x < 2) \\ 0 & (-3 < x < -2, \ 2 < x \leqq 3) \end{cases}$$

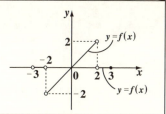

ヒント！ 区間 $(-3, 3]$ における周期関数 $f(x)$ は，奇関数 (原点に関して対称なグラフ) なので，これは次のフーリエ正弦級数の公式により展開できる。

$$f(x) = \sum_{k=1}^{\infty} b_k \sin\frac{k\pi}{L}x \quad \left(b_k = \frac{2}{L}\int_0^L f(x)\sin\frac{k\pi}{L}x\,dx\right)$$

解答 & 解説

$$f(x) = \begin{cases} x & (-2 < x < 2) \\ 0 & (-3 < x < -2, \ 2 < x \leqq 3) \end{cases} \quad \cdots\cdots\text{①}$$

は，区間 $(-3, 3]$ において区分的に滑らかな<u>周期 6</u> の周期関数であり，かつ $\boxed{(ア)}$ である。よって，

($L=3$ より，周期 $2L=6$)

これは次のようにフーリエ正弦 (サイン) 級数に展開できる。

$$f(x) = \sum_{k=1}^{\infty} b_k \sin\frac{k\pi}{3}x \quad \cdots\cdots\cdots\text{②}$$

公式 $f(x) = \sum_{k=1}^{\infty} b_k \sin\frac{k\pi}{L}x$

b_k ($k=1, 2, 3, \cdots$) について，

$$b_k = \frac{2}{3}\int_0^3 f(x)\sin\frac{k\pi}{3}x\,dx$$

公式：$b_k = \frac{2}{L}\int_0^L f(x)\sin\frac{k\pi}{L}x\,dx$

$$= \frac{2}{3}\int_0^2 x\sin\frac{k\pi}{3}x\,dx$$

$$= \frac{2}{3}\int_0^2 x\cdot\left(-\frac{3}{k\pi}\cos\frac{k\pi}{3}x\right)'dx$$

$$= \frac{2}{3}\left(-\frac{3}{k\pi}\left[x\cos\frac{k\pi}{3}x\right]_0^2 + \frac{3}{k\pi}\int_0^2 1\cdot\cos\frac{k\pi}{3}x\,dx\right)$$

$$= \frac{2}{3}\left(-\frac{6}{k\pi}\cos\frac{2k\pi}{3} + \boxed{(イ)}\left[\sin\frac{k\pi}{3}x\right]_0^2\right)$$

よって，

$$b_k = \frac{2}{3}\left(-\frac{6}{k\pi}\cos\frac{2k\pi}{3} + \frac{9}{k^2\pi^2}\sin\frac{2k\pi}{3}\right)$$

$$= \boxed{(ウ)}\cos\frac{2k\pi}{3} + \boxed{(エ)}\sin\frac{2k\pi}{3} \quad\cdots\cdots\cdots ③ \quad (k=1,\ 2,\ 3,\ \cdots)$$

よって，③を $f(x) = \sum\limits_{k=1}^{\infty} b_k \sin\frac{k\pi}{3}x \ \cdots\cdots$ ②に代入すると，

$f(x)$ は次のようにフーリエ正弦級数に展開できる。

$$f(x) = \sum_{k=1}^{\infty}\left(-\frac{4}{k\pi}\cos\frac{2k\pi}{3} + \frac{6}{k^2\pi^2}\sin\frac{2k\pi}{3}\right)\sin\frac{k\pi}{3}x \quad\cdots\cdots\cdots ④ \cdots\cdots\text{(答)}$$

④のフーリエ正弦級数を n 項までの部分和で近似して，$n = 8,\ 40,\ 200$ としたときのグラフを下に示す。

$$f(x) \fallingdotseq \sum_{k=1}^{n}\left(-\frac{4}{k\pi}\cos\frac{2k\pi}{3} + \frac{6}{k^2\pi^2}\sin\frac{2k\pi}{3}\right)\sin\frac{k\pi}{3}x$$

（ⅰ）$n = 8$ のとき　　　　　　（ⅱ）$n = 40$ のとき

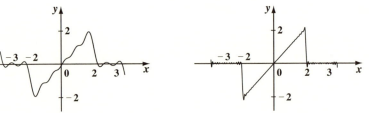

（ⅲ）$n = 200$ のとき

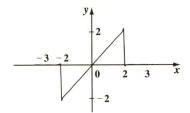

解答　(ア) 奇関数　　(イ) $\dfrac{9}{k^2\pi^2}$　　(ウ) $-\dfrac{4}{k\pi}$　　(エ) $\dfrac{6}{k^2\pi^2}$

演習問題 12　●積分計算●

$\int e^{px}e^{iqx}dx$　（p, q：実数定数，x：実数変数，i：虚数単位）の積分計算から，

$$\begin{cases}\int e^{px}\cos qx\, dx = \dfrac{e^{px}}{p^2+q^2}(p\cos qx + q\sin qx) \cdots\cdots(*1) \text{ と}\\ \int e^{px}\sin qx\, dx = \dfrac{e^{px}}{p^2+q^2}(p\sin qx - q\cos qx) \cdots\cdots(*2)\end{cases}$$

が成り立つことを示せ。（ただし，積分定数は省略した。）

ヒント！ オイラーの公式：$e^{i\theta} = \cos\theta + i\sin\theta$ を利用して解いていこう。

解答＆解説

（i）オイラーの公式：$e^{i\theta} = \cos\theta + i\sin\theta$（$\theta$：実数）より，

$$\int e^{px}e^{iqx}dx = \int e^{px}(\cos qx + i\sin qx)dx$$
$$= \int e^{px}\cos qx\, dx + i\int e^{px}\sin qx\, dx \cdots\cdots① \text{ となる。}$$

（ii）複素定数 α についても $\int e^{\alpha x}dx = \dfrac{1}{\alpha}e^{\alpha x}$（積分定数は省略した）となる。よって，

$$\int e^{px}e^{iqx}dx = \int e^{(p+iq)x}dx = \dfrac{1}{p+iq}e^{(p+iq)x} \quad \boxed{\int e^{\alpha x}dx = \dfrac{1}{\alpha}e^{\alpha x}}$$
$$= \dfrac{p-iq}{(p+iq)(p-iq)}e^{px}e^{iqx} = \dfrac{e^{px}}{p^2+q^2}\cdot(p-iq)(\cos qx + i\sin qx)$$

$\boxed{p^2 - i^2q^2 = p^2 - (-1)\cdot q^2 = p^2+q^2}$　　$\boxed{\text{オイラーの公式}}$

$$= \dfrac{e^{px}}{p^2+q^2}\{(p\cos qx + q\sin qx) + i(p\sin qx - q\cos qx)\}$$
$$= \dfrac{e^{px}}{p^2+q^2}(p\cos qx + q\sin qx) + i\dfrac{e^{px}}{p^2+q^2}(p\sin qx - q\cos qx) \cdots\cdots② \text{ となる。}$$

（i），（ii）より，①と②の実部同士，虚部同士をそれぞれ比較することにより，

$$\int e^{px}\cos qx\, dx = \dfrac{e^{px}}{p^2+q^2}(p\cos qx + q\sin qx) \cdots\cdots(*1)$$
$$\int e^{px}\sin qx\, dx = \dfrac{e^{px}}{p^2+q^2}(p\sin qx - q\cos qx) \cdots\cdots(*2) \text{ が成り立つ。} \cdots\cdots(終)$$

演習問題 13 ● 周期 $2L$ の関数 $f(x)$ のフーリエ級数 (IV) ●

次式で表される周期 4 の周期関数 $f(x)$ をフーリエ級数展開せよ。

$f(x) = e^{\frac{1}{2}x}$ $(-2 < x < 2)$

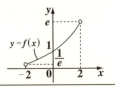

ヒント! 周期 $2L$ の周期関数 $f(x)$ のフーリエ級数展開の公式：
$f(x) = \frac{a_0}{2} + \sum_{k=1}^{\infty}\left(a_k \cos\frac{k\pi}{L}x + b_k \sin\frac{k\pi}{L}x\right)$ を利用する。a_k と b_k を求める際に、前問で証明した $\int e^{px}\cos qx\, dx$ と $\int e^{px}\sin qx\, dx$ の公式も利用しよう。

解答 & 解説

$f(x) = e^{\frac{1}{2}x}$ $(-2 < x < 2)$ ……① は、区間 $(-2, 2)$ において区分的に滑らかな周期 4 の周期関数より、次のようにフーリエ級数に展開できる。

$\boxed{L=2 \text{ より,周期 } 2L=4}$

$f(x) = \frac{a_0}{2} + \sum_{k=1}^{\infty}\left(a_k \cos\frac{k\pi}{2}x + b_k \sin\frac{k\pi}{2}x\right)$ ……②

(i) a_k $(k=0, 1, 2, \cdots)$ について、

$\cdot\ a_0 = \frac{1}{2}\int_{-2}^{2} f(x)dx = \frac{1}{2}\int_{-2}^{2} e^{\frac{1}{2}x}dx$

$\quad = \frac{1}{2}\cdot 2\left[e^{\frac{1}{2}x}\right]_{-2}^{2} = e - e^{-1}$

$\therefore a_0 = e - \frac{1}{e}$ ……③

公式：$a_0 = \frac{1}{L}\int_{-L}^{L} f(x)dx$

$\cdot\ k=1, 2, 3, \cdots$ のとき、

$a_k = \frac{1}{2}\int_{-2}^{2} f(x)\cos\frac{k\pi}{2}x\, dx$

$\quad = \frac{1}{2}\int_{-2}^{2} e^{\frac{1}{2}x}\cos\frac{k\pi}{2}x\, dx$

$\quad = \frac{1}{2}\left[\frac{e^{\frac{1}{2}x}}{\left(\frac{1}{2}\right)^2 + \left(\frac{k\pi}{2}\right)^2}\left(\frac{1}{2}\cos\frac{k\pi}{2}x + \frac{k\pi}{2}\sin\frac{k\pi}{2}x\right)\right]_{-2}^{2}$

公式 (演習問題 12 (P41))
$\int e^{px}\cos qx\, dx = \frac{e^{px}}{p^2+q^2}(p\cos qx + q\sin qx)$

$$a_k = \frac{1}{k^2\pi^2+1}\left[e^{\frac{1}{2}x}\left(\cos\frac{k\pi}{2}x + k\pi\sin\frac{k\pi}{2}x\right)\right]_{-2}^{2}$$

　　　　　　　　　　　　　　　　$\underbrace{\phantom{k\pi\sin\frac{k\pi}{2}x}}_{0\ (\because \sin k\pi = \sin(-k\pi)=0)}$

$$= \frac{1}{k^2\pi^2+1}\{e\underbrace{\cos k\pi}_{(-1)^k} - e^{-1}\underbrace{\cos(-k\pi)}_{\cos k\pi = (-1)^k}\}$$

$$= \frac{1}{k^2\pi^2+1}\{e\cdot(-1)^k - e^{-1}(-1)^k\}$$

$$\therefore a_k = \frac{(e-e^{-1})(-1)^k}{k^2\pi^2+1} \cdots\cdots ④ \quad (k=1,2,3,\cdots)$$

(ii) $b_k\ (k=1,2,3,\cdots)$ について，

$$b_k = \frac{1}{2}\int_{-2}^{2} f(x)\sin\frac{k\pi}{2}x\,dx$$

$$= \frac{1}{2}\int_{-2}^{2} e^{\overset{p}{\boxed{\frac{1}{2}}}x}\sin\overset{q}{\boxed{\frac{k\pi}{2}}}x\,dx$$

公式（演習問題 **12**（**P41**））
$$\int e^{px}\sin qx\,dx$$
$$= \frac{e^{px}}{p^2+q^2}(p\sin qx - q\cos qx)$$

$$= \frac{1}{2}\left[\frac{e^{\frac{1}{2}x}}{\left(\frac{1}{2}\right)^2+\left(\frac{k\pi}{2}\right)^2}\left(\frac{1}{2}\sin\frac{k\pi}{2}x - \frac{k\pi}{2}\cos\frac{k\pi}{2}x\right)\right]_{-2}^{2}$$

$$= \frac{1}{k^2\pi^2+1}\left[e^{\frac{1}{2}x}\left(\underbrace{\sin\frac{k\pi}{2}x}_{0} - k\pi\cos\frac{k\pi}{2}x\right)\right]_{-2}^{2}$$

$$= \frac{1}{k^2\pi^2+1}\{-k\pi e\underbrace{\cos k\pi}_{(-1)^k} + k\pi e^{-1}\underbrace{\cos(-k\pi)}_{(-1)^k}\}$$

$$= \frac{-k\pi}{k^2\pi^2+1}\{e(-1)^k - e^{-1}(-1)^k\}$$

$$\therefore b_k = -\frac{k\pi(e-e^{-1})(-1)^k}{k^2\pi^2+1} \cdots\cdots ⑤ \quad (k=1,2,3,\cdots)$$

以上（ⅰ）（ⅱ）より，③，④，⑤を②に代入すると，$f(x)$ は次のようにフーリエ級数に展開できる。

$$f(x) = \underbrace{\frac{e-e^{-1}}{2}}_{a_0} + \sum_{k=1}^{\infty}\left\{\underbrace{\frac{(e-e^{-1})(-1)^k}{k^2\pi^2+1}}_{a_k}\cos\frac{k\pi}{2}x - \underbrace{\frac{k\pi(e-e^{-1})(-1)^k}{k^2\pi^2+1}}_{b_k}\sin\frac{k\pi}{2}x\right\}$$

$$f(x) = \frac{e^2-1}{2e} + \frac{e^2-1}{e}\sum_{k=1}^{\infty}\frac{(-1)^k}{k^2\pi^2+1}\left(\cos\frac{k\pi}{2}x - k\pi\sin\frac{k\pi}{2}x\right) \quad\cdots\cdots ⑥ \cdots\cdots\cdots (答)$$

⑥のフーリエ級数を n 項までの部分和で近似して，$n = 10$, 50, 300 としたときのグラフを下に示す。

$$f(x) \fallingdotseq \frac{e^2-1}{2e} + \frac{e^2-1}{e}\sum_{k=1}^{n}\frac{(-1)^k}{k^2\pi^2+1}\left(\cos\frac{k\pi}{2}x - k\pi\sin\frac{k\pi}{2}x\right)$$

(ⅰ) $n = 10$ のとき　　　　　　　(ⅱ) $n = 50$ のとき

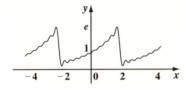 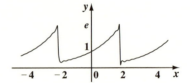

(ⅲ) $n = 300$ のとき

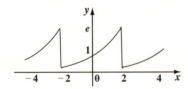

演習問題 14 ● 周期 $2L$ の関数 $f(x)$ のフーリエ級数 (V) ●

次式で表される周期 4 の周期関数
$f(x)$ をフーリエ級数展開せよ。

$f(x) = \begin{cases} e^{-\frac{1}{2}x} & (-2 < x \leq 0) \\ e^{\frac{1}{2}x} & (0 < x \leq 2) \end{cases}$

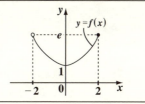

ヒント! 区間 $(-2, 2]$ における周期関数 $f(x)$ は，偶関数 (y 軸に関して対称なグラフ) なので，これはフーリエ余弦 (コサイン) 級数の公式に従って解けばよい。

解答 & 解説

$f(x) = \begin{cases} e^{-\frac{1}{2}x} & (-2 < x \leq 0) \\ e^{\frac{1}{2}x} & (0 < x \leq 2) \end{cases}$ ………① は，区間 $[-2, 2]$ において区分的に

滑らかな<u>周期 4</u> の周期関数であり，かつ (ア) である。よって，これは

$\boxed{L = 2 \text{ より，周期 } 2L = 4}$

次のようにフーリエ余弦 (コサイン) 級数に展開できる。

$f(x) = \dfrac{a_0}{2} + \sum\limits_{k=1}^{\infty} a_k \cos \dfrac{k\pi}{2} x$ …………②

公式: $f(x) = \dfrac{a_0}{2} + \sum\limits_{k=1}^{\infty} a_k \cos \dfrac{k\pi}{L} x$

a_k ($k = 0, 1, 2, \cdots\cdots$) について，

公式: $a_0 = \dfrac{2}{L} \int_0^L f(x) dx$

・$a_0 = \dfrac{2}{2} \int_0^2 f(x) dx = \int_0^2 e^{\frac{1}{2}x} dx = 2 \left[e^{\frac{1}{2}x} \right]_0^2 = 2(e^1 - e^0)$

∴ $a_0 = $ (イ) …………③

公式: $a_k = \dfrac{2}{L} \int_0^L f(x) \cos \dfrac{k\pi}{L} x dx$

・$k = 1, 2, 3, \cdots$ のとき，

$a_k = \dfrac{2}{2} \int_0^2 f(x) \cdot \cos \dfrac{k\pi}{2} x dx$

公式 (演習問題 12 (P41))
$\int e^{px} \cos qx dx$
$= \dfrac{e^{px}}{p^2 + q^2} (p \cos qx + q \sin qx)$

$= \int_0^2 e^{\overset{p}{\frac{1}{2}}x} \cos \overset{q}{\dfrac{k\pi}{2}} x dx$

$= \left[\dfrac{(ウ)}{\left(\dfrac{1}{2}\right)^2 + \left(\dfrac{k\pi}{2}\right)^2} \left(\dfrac{1}{2} \cos \dfrac{k\pi}{2} x + \dfrac{k\pi}{2} \sin \dfrac{k\pi}{2} x \right) \right]_0^2$

よって，

$$a_k = \frac{2}{k^2\pi^2+1}\left[e^{\frac{1}{2}x}\left(\cos\frac{k\pi}{2}x + k\pi\sin\frac{k\pi}{2}x\right)\right]_0^2$$

$\underbrace{k\pi\sin\frac{k\pi}{2}x}_{0\ (\because \sin k\pi = \sin 0 = 0)}$

$$= \frac{2}{k^2\pi^2+1}(e \cdot \underbrace{\cos k\pi}_{(-1)^k} - \underbrace{e^0 \cos 0}_{1\times 1=1})$$

$$\therefore a_k = \frac{\boxed{(\text{エ})}}{k^2\pi^2+1} \quad \cdots\cdots\cdots\cdots ④ \quad (k=1, 2, 3, \cdots)$$

よって，$a_0 = \boxed{(\text{イ})}$ ……③と④を

$f(x) = \dfrac{a_0}{2} + \sum\limits_{k=1}^{\infty} a_k \cos\dfrac{k\pi}{2}x$ ……②に代入すると，

$f(x)$ は次のようにフーリエ・コサイン級数展開できる。

$$f(x) = e - 1 + \sum_{k=1}^{\infty} \frac{2\{(-1)^k e - 1\}}{k^2\pi^2+1}\cos\frac{k\pi}{2}x \quad \cdots\cdots ⑤ \cdots\cdots\cdots\cdots(\text{答})$$

⑤のフーリエ・コサイン級数を n 項までの部分和で近似して，$n=5,\ 30,\ 200$ としたときのグラフを下に示す。

$$f(x) \fallingdotseq e - 1 + \sum_{k=1}^{n} \frac{2\{(-1)^k e - 1\}}{k^2\pi^2+1}\cos\frac{k\pi}{2}x$$

（ⅰ）$n = 5$ のとき　　　　　（ⅱ）$n = 30$ のとき

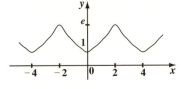 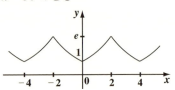

（ⅲ）$n = 200$ のとき

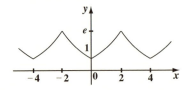

解答　(ア) 偶関数　　(イ) $2(e-1)$　　(ウ) $e^{\frac{1}{2}x}$　　(エ) $2\{(-1)^k e - 1\}$

演習問題 15 ●周期 $2L$ の関数 $f(x)$ のフーリエ級数（Ⅵ）●

次式で表される周期 6 の周期関数 $f(x)$ をフーリエ級数展開せよ。

$$f(x) = \begin{cases} -e^{-\frac{1}{3}x} & (-3 < x < 0) \\ e^{\frac{1}{3}x} & (0 < x < 3) \end{cases}$$

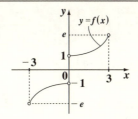

ヒント！ 区間 $(-3, 3)$ における周期関数 $f(x)$ は奇関数（原点に関して対称なグラフ）なので，これはフーリエ正弦（サイン）級数の公式を利用して解けばよい。

解答＆解説

$$f(x) = \begin{cases} -e^{-\frac{1}{3}x} & (-3 < x < 0) \\ e^{\frac{1}{3}x} & (0 < x < 3) \end{cases} \quad \cdots\cdots ①$$

は，区間 $(-3, 3)$ において区分的に滑らかな<u>周期 6</u> の周期関数であり，かつ奇関数である。よって，これは

（$L = 3$ より，周期 $2L = 6$）

次のようにフーリエ・サイン級数に展開できる。

$$f(x) = \sum_{k=1}^{\infty} b_k \sin\frac{k\pi}{3}x \quad \cdots\cdots ②$$

公式：$f(x) = \sum_{k=1}^{\infty} b_k \sin\frac{k\pi}{L}x$

$b_k \ (k = 1, 2, 3, \cdots)$ について，

$$\cdot b_k = \frac{2}{3}\int_0^3 f(x)\sin\frac{k\pi}{3}x\,dx$$

公式：$b_k = \frac{2}{L}\int_0^L f(x)\sin\frac{k\pi}{L}x\,dx$

$$= \frac{2}{3}\int_0^3 e^{\overset{p}{\boxed{\frac{1}{3}}}x}\sin\overset{q}{\boxed{\frac{k\pi}{3}}}x\,dx$$

公式（演習問題 12（P41））
$$\int e^{px}\sin qx\,dx = \frac{e^{px}}{p^2 + q^2}(p\sin qx - q\cos qx)$$

$$= \frac{2}{3}\left[\frac{e^{\frac{1}{3}x}}{\left(\frac{1}{3}\right)^2 + \left(\frac{k\pi}{3}\right)^2}\left(\frac{1}{3}\underbrace{\sin\frac{k\pi}{3}x}_{0 \ (\because \sin k\pi = \sin 0 = 0)} - \frac{k\pi}{3}\cos\frac{k\pi}{3}x\right)\right]_0^3$$

$$= \frac{2k\pi}{k^2\pi^2 + 1}\left[-e^{\frac{1}{3}x}\cos\frac{k\pi}{3}x\right]_0^3$$

47

よって，

$$b_k = \frac{2k\pi}{k^2\pi^2+1}(-\underbrace{e^1 \cos k\pi}_{(-1)^k} + \underbrace{e^0 \cdot \cos 0}_{1 \times 1 = 1})$$

$$\therefore b_k = \frac{2k\pi\{(-1)^{k+1}e+1\}}{k^2\pi^2+1} \quad \cdots\cdots\cdots\cdots\cdots ③ \quad (k=1, 2, 3, \cdots)$$

よって，③を，$f(x) = \sum\limits_{k=1}^{\infty} b_k \sin\dfrac{k\pi}{3}x \cdots\cdots$ ②に代入すると，

$f(x)$ は次のようにフーリエ・サイン級数に展開できる。

$$f(x) = \sum_{k=1}^{\infty} \frac{2k\pi\{(-1)^{k+1}e+1\}}{k^2\pi^2+1} \sin\frac{k\pi}{3}x \cdots\cdots④\cdots\cdots(答)$$

④のフーリエ・サイン級数を n 項までの部分和で近似して，$n=10$，50，300 としたときのグラフを下に示す。

$$f(x) \fallingdotseq \sum_{k=1}^{n} \frac{2k\pi\{(-1)^{k+1}e+1\}}{k^2\pi^2+1} \sin\frac{k\pi}{3}x$$

(ⅰ) $n=10$ のとき

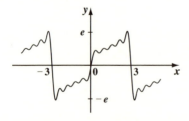

(ⅱ) $n=50$ のとき

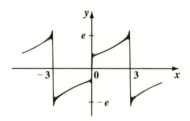

(ⅲ) $n=300$ のとき

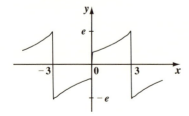

演習問題 16 ● 複素フーリエ級数（I）●

次式で表される周期 2π の周期関数 $f(x)$ をフーリエ級数展開せよ。

$$f(x) = \begin{cases} x & \left(-\dfrac{\pi}{2} < x < \dfrac{\pi}{2}\right) \\ 0 & \left(-\pi < x < -\dfrac{\pi}{2}, \dfrac{\pi}{2} < x \leq \pi\right) \end{cases}$$

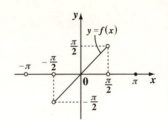

また、この結果が、演習問題 8（P32）で求めた実フーリエ級数展開の結果：

$$f(x) = \sum_{k=1}^{\infty}\left(-\frac{1}{k}\cos\frac{k}{2}\pi + \frac{2}{\pi k^2}\sin\frac{k}{2}\pi\right)\sin kx \ \cdots(*)$$

と一致することを示せ。

ヒント！ $(-L, L]$ で定義された周期 $2L$ の区分的に滑らかな周期関数 $f(x)$ の複素フーリエ級数の公式：$f(x) = \sum\limits_{k=0,\pm 1}^{\pm\infty} c_k e^{i\frac{k\pi}{L}x}$　$\left(c_k = \dfrac{1}{2L}\int_{-L}^{L}f(x)e^{-i\frac{k\pi}{L}x}dx\right)$ を利用する。今回は、$L = \pi$ として解けばよい。複素フーリエ級数においても、c_0 は別に求める。また、実フーリエ級数に変換するには、公式：

$$f(x) = c_0 + \sum_{k=1}^{\infty}\left(c_k e^{i\frac{k\pi}{L}x} + \underbrace{c_{-k}e^{-i\frac{k\pi}{L}x}}_{k に -k を代入したもの}\right)$$

を利用すればよい。頑張ろう！

解答＆解説

区間 $(-\pi, \pi]$ で区分的に滑らかな<u>周期 2π</u> の周期関数 $f(x)$ は、次のように

（$L = \pi$ より、周期 $2L = 2\pi$）

複素フーリエ級数に展開できる。

$$f(x) = \sum_{k=0,\pm 1}^{\pm\infty} c_k e^{ikx} = c_0 + \sum_{k=\pm 1}^{\pm\infty} c_k e^{ikx} \ \cdots\cdots ①$$

（公式：$f(x) = \sum\limits_{k=0,\pm 1}^{\pm\infty} c_k e^{i\frac{k\pi}{L}x}$）

ここで、c_k （$k = 0, \pm 1, \pm 2, \cdots$）について、

（公式：$c_0 = \dfrac{1}{2L}\int_{-L}^{L}f(x)dx$）

$$\cdot c_0 = \frac{1}{2\pi}\int_{-\pi}^{\pi}f(x)dx = \frac{1}{2\pi}\int_{-\frac{\pi}{2}}^{\frac{\pi}{2}}\underbrace{x}_{奇関数}dx = 0 \ \cdots\cdots ②$$

（c_0 のみ別に計算する。）

49

$k = \pm 1, \pm 2, \pm 3, \cdots$ のとき，

$$c_k = \frac{1}{2\pi}\int_{-\pi}^{\pi} f(x)\underbrace{e^{-ikx}}_{(\cos kx - i\sin kx)}dx$$

公式
$$c_k = \frac{1}{2L}\int_{-L}^{L} f(x)e^{-i\frac{k\pi}{L}x}dx$$

$$= \frac{1}{2\pi}\int_{-\frac{\pi}{2}}^{\frac{\pi}{2}} \underset{奇関数}{x}(\underset{偶関数}{\cos kx} - i\underset{奇関数}{\sin kx})dx$$

オイラーの公式
$e^{i\theta} = \cos\theta + i\sin\theta$ （θ：実数) より,
$e^{-i\theta} = \cos(-\theta) + i\sin(-\theta)$
$\quad\quad = \cos\theta - i\sin\theta$

$$= \frac{1}{2\pi}\left(\underset{奇関数}{\int_{-\frac{\pi}{2}}^{\frac{\pi}{2}} x\cos kx\, dx} - i\underset{偶関数}{\int_{-\frac{\pi}{2}}^{\frac{\pi}{2}} x\sin kx\, dx}\right)$$

$$= -\frac{i}{2\pi}\cdot 2\int_0^{\frac{\pi}{2}} x\sin kx\, dx$$

$$= -\frac{i}{\pi}\int_0^{\frac{\pi}{2}} x\left(-\frac{1}{k}\cos kx\right)' dx$$

部分積分
$\int f\cdot g'\, dx$
$= f\cdot g - \int f'\cdot g\, dx$

$$= -\frac{i}{\pi}\left(-\frac{1}{k}\underbrace{[x\cos kx]_0^{\frac{\pi}{2}}}_{\frac{\pi}{2}\cos\frac{k\pi}{2}} + \frac{1}{k}\underbrace{\int_0^{\frac{\pi}{2}} 1\cdot \cos kx\, dx}_{\frac{1}{k}[\sin kx]_0^{\frac{\pi}{2}} = \frac{1}{k}\sin\frac{k\pi}{2}}\right)$$

$\therefore c_k = i\left(\dfrac{1}{2k}\cos\dfrac{k}{2}\pi - \dfrac{1}{\pi k^2}\sin\dfrac{k}{2}\pi\right)$ ……③ ($k = \pm 1, \pm 2, \pm 3, \cdots$)

よって，$c_0 = 0$ … ②と③を，$f(x) = c_0 + \sum\limits_{k=\pm 1}^{\pm \infty} c_k e^{ikx}$ … ①に代入すると，

$f(x)$ は次のように複素フーリエ級数に展開できる。

$f(x) = \sum\limits_{k=\pm 1}^{\pm \infty} i\left(\dfrac{1}{2k}\cos\dfrac{k}{2}\pi - \dfrac{1}{\pi k^2}\sin\dfrac{k}{2}\pi\right)e^{ikx}$ ……④ ……………………(答)

次に，③の両辺の k の代わりに $-k$ を代入すると，

$$c_{-k} = i\left\{-\frac{1}{2k}\underbrace{\cos\left(-\frac{k}{2}\pi\right)}_{\cos\frac{k}{2}\pi} - \frac{1}{\pi(-k)^2}\underbrace{\sin\left(-\frac{k}{2}\pi\right)}_{-\sin\frac{k}{2}\pi}\right\}$$

$$= -i\left(\frac{1}{2k}\cos\frac{k}{2}\pi - \frac{1}{\pi k^2}\sin\frac{k}{2}\pi\right) = -c_k \text{ ……⑤ となる。}$$

ここで，一般に

$$\sum_{k=\pm 1}^{\pm\infty} \alpha_k = \underbrace{\cdots + \alpha_{-3} + \alpha_{-2} + \alpha_{-1}}_{\sum_{k=1}^{\infty} \alpha_{-k}} + \underbrace{\alpha_1 + \alpha_2 + \alpha_3 + \cdots}_{\sum_{k=1}^{\infty} \alpha_k} = \sum_{k=1}^{\infty}(\alpha_k + \alpha_{-k})$$

と変形できる。

よって，④を変形して実数関数によるフーリエ級数に書き換えると，

$$f(x) = \sum_{k=1}^{\infty}(c_k e^{ikx} + \underbrace{c_{-k}}_{-c_k\,(⑤ より)} e^{i(-k)x})$$

　　　$\alpha_k = c_k e^{ikx}$ と考える。

$$\begin{cases} e^{i\theta} = \cos\theta + i\sin\theta \cdots ㋐ \\ e^{-i\theta} = \cos\theta - i\sin\theta \cdots ㋑ \end{cases}$$
㋐ − ㋑ より，
$$e^{i\theta} - e^{-i\theta} = 2i\sin\theta$$

$$= \sum_{k=1}^{\infty} c_k \underbrace{(e^{ikx} - e^{-ikx})}_{2i\sin kx}$$

$$= \sum_{k=1}^{\infty} i\left(\frac{1}{2k}\cos\frac{k}{2}\pi - \frac{1}{\pi k^2}\sin\frac{k}{2}\pi\right) \cdot 2i\sin kx$$

$$= \sum_{k=1}^{\infty} \underbrace{2i^2}_{-2}\left(\frac{1}{2k}\cos\frac{k}{2}\pi - \frac{1}{\pi k^2}\sin\frac{k}{2}\pi\right)\sin kx$$

$$\therefore f(x) = \sum_{k=1}^{\infty}\left(-\frac{1}{k}\cos\frac{k}{2}\pi + \frac{2}{\pi k^2}\sin\frac{k}{2}\pi\right)\sin kx \quad \cdots\cdots (*) \text{ となって，}$$

演習問題 8(P32) の結果と一致する。　　　　　　　　　　　　　　　　　　(終)

演習問題 17 ● 複素フーリエ級数 (II) ●

次式で表される周期 4 の周期関数 $f(x)$ を複素フーリエ級数展開せよ。

$$f(x) = \begin{cases} x+1 & (-1 < x \leq 0) \\ -x+1 & (0 < x \leq 1) \\ 0 & (-2 < x \leq -1, \, 1 < x \leq 2) \end{cases}$$

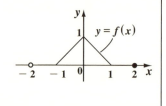

また，この結果が，演習問題 10(P37) で求めた実フーリエ級数展開の結果：$f(x) = \dfrac{1}{4} + \dfrac{4}{\pi^2} \sum_{k=1}^{\infty} \dfrac{1}{k^2}\left(1 - \cos\dfrac{k\pi}{2}\right)\cos\dfrac{k\pi}{2}x$ …… (*) と一致することを示せ。

ヒント！ 複素フーリエ級数の展開公式：$f(x) = c_0 + \sum_{k=\pm 1}^{\pm \infty} c_k e^{i\frac{k\pi}{L}x}$

$\left(c_k = \dfrac{1}{2L}\int_{-L}^{L} f(x) e^{-i\frac{k\pi}{L}x} dx\right)$ を利用して解いていこう。また，実フーリエ級数に変換するためには $f(x) = c_0 + \sum_{k=1}^{\infty}\left(c_k e^{i\frac{k\pi}{L}x} + c_{-k} e^{-i\frac{k\pi}{L}x}\right)$ を利用すればよい。

解答 & 解説

区間 $(-2, 2]$ で区分的に滑らかな<u>周期 4 の周期関数 $f(x)$</u> は，次のように複素フーリエ級数に展開できる。　　$L = 2$ より，周期 $2L = 4$

$$f(x) = c_0 + \sum_{k=\pm 1}^{\pm \infty} c_k e^{i\frac{k\pi}{2}x} \quad \cdots\cdots \text{①}$$

公式：$f(x) = c_0 + \sum_{k=\pm 1}^{\pm \infty} c_k e^{i\frac{k\pi}{L}x}$

ここで，c_k $(k = 0, \pm 1, \pm 2, \cdots)$ について，

公式：$c_0 = \dfrac{1}{2L}\int_{-L}^{L} f(x) dx$

・$c_0 = \dfrac{1}{2 \cdot 2}\int_{-2}^{2} \underline{f(x)} dx = \dfrac{1}{4} \cdot 2 \int_{0}^{2} (-x+1) dx$ ← 偶関数

$= \dfrac{1}{2}\left[-\dfrac{1}{2}x^2 + x\right]_0^1 = \dfrac{1}{2}\left(-\dfrac{1}{2} + 1\right)$

∴ $c_0 = \dfrac{1}{4}$ ………………… ②

● フーリエ級数（Ⅰ）

・$k = \pm 1, \pm 2, \pm 3, \cdots$ のとき，

$$c_k = \frac{1}{2 \cdot 2} \int_{-2}^{2} f(x) e^{-i\frac{k\pi}{2}x} dx$$

公式： $c_k = \frac{1}{2L}\int_{-L}^{L} f(x) e^{-i\frac{k\pi}{L}x} dx$

$$= \frac{1}{4} \cdot \left\{ \int_{-1}^{0} (x+1) e^{-i\frac{k\pi}{2}x} dx + \int_{0}^{1} (-x+1) e^{-i\frac{k\pi}{2}x} dx \right\}$$

$\int_{-1}^{0} (x+1)\left(-\frac{2}{ik\pi} e^{-i\frac{k\pi}{2}x}\right)' dx$

$= \frac{2i}{k\pi}\left\{ \left[(x+1) e^{-i\frac{k\pi}{2}x}\right]_{-1}^{0} - \int_{-1}^{0} 1 \cdot e^{-i\frac{k\pi}{2}x} dx \right\}$

$= \frac{2i}{k\pi}\left\{ 1 - \left(-\frac{2}{ik\pi}\right)\left[e^{-i\frac{k\pi}{2}x}\right]_{-1}^{0} \right\}$

$= \frac{2i}{k\pi}\left\{ 1 + \frac{2}{ik\pi}\left(1 - e^{i\frac{k\pi}{2}}\right) \right\}$

$= \frac{2i}{k\pi} + \frac{4}{k^2\pi^2}\left(1 - e^{i\frac{k\pi}{2}}\right)$

$\int_{0}^{1} (-x+1)\left(-\frac{2}{ik\pi} e^{-i\frac{k\pi}{2}x}\right)' dx$

$= \frac{2i}{k\pi}\left\{ \left[(-x+1) e^{-i\frac{k\pi}{2}x}\right]_{0}^{1} - \int_{0}^{1} (-1) e^{-i\frac{k\pi}{2}x} dx \right\}$

$= \frac{2i}{k\pi}\left\{ -1 + \left(-\frac{2}{ik\pi}\right)\left[e^{-i\frac{k\pi}{2}x}\right]_{0}^{1} \right\}$

$= \frac{2i}{k\pi}\left\{ -1 - \frac{2}{ik\pi}\left(e^{-i\frac{k\pi}{2}} - 1\right) \right\}$

$= -\frac{2i}{k\pi} - \frac{4}{k^2\pi^2}\left(e^{-i\frac{k\pi}{2}} - 1\right)$

α が複素定数のときでも，$\int f(x) e^{\alpha x} dx = \int f(x) \cdot \left(\frac{1}{\alpha} e^{\alpha x}\right)' dx$ として，実数関数のときと同様に部分積分にもち込むことができる。これは，複素指数関数 $e^{\alpha x}$ が複素数平面全体で正則（微分可能）な関数であるからだ。

よって，$c_k = \frac{1}{4}\left\{ \frac{2i}{k\pi} + \frac{4}{k^2\pi^2}\left(1 - e^{i\frac{k\pi}{2}}\right) - \frac{2i}{k\pi} - \frac{4}{k^2\pi^2}\left(e^{-i\frac{k\pi}{2}} - 1\right) \right\}$

$= \frac{1}{k^2\pi^2}\left\{ 2 - \underline{\left(e^{i\frac{k\pi}{2}} + e^{-i\frac{k\pi}{2}}\right)} \right\}$

$\underbrace{}_{2\cos\frac{k\pi}{2}}$

$\begin{cases} e^{i\theta} = \cos\theta + i\sin\theta \cdots ⑦ \\ e^{-i\theta} = \cos\theta - i\sin\theta \cdots ⑦ \end{cases}$

⑦ + ④ より，

$e^{i\theta} + e^{-i\theta} = 2\cos\theta$

$\therefore c_k = \frac{2}{k^2\pi^2}\left(1 - \cos\frac{k\pi}{2}\right) \cdots\cdots ③ \quad (k = \pm 1, \pm 2, \pm 3, \cdots)$

よって，②，③を①に代入すると，$f(x)$ は次のように複素フーリエ級数に展開できる。

$$f(x) = \frac{1}{4} + \sum_{k=\pm 1}^{\pm\infty} \frac{2}{k^2\pi^2}\left(1 - \cos\frac{k\pi}{2}\right) e^{i\frac{k\pi}{2}x} \cdots\cdots ④ \quad\cdots\cdots\cdots\cdots\cdots\cdots\text{(答)}$$

③より, c_{-k} は

$$c_{-k} = \frac{2}{(-k)^2\pi^2}\left\{1 - \underbrace{\cos\left(\frac{-k\pi}{2}\right)}_{\cos\frac{k\pi}{2}}\right\}$$

$$\boxed{c_k = \frac{2}{k^2\pi^2}\left(1 - \cos\frac{k\pi}{2}\right) \quad \cdots\cdots ③ \\ f(x) = \frac{1}{4} + \sum_{k=\pm 1}^{\pm\infty} c_k e^{i\frac{k\pi}{2}x} \quad \cdots\cdots ④'}$$

$$= \frac{2}{k^2\pi^2}\left(1 - \cos\frac{k\pi}{2}\right) = c_k \cdots\cdots ③' \text{ となる}.$$

よって, ④ (または④') を変形して, 実フーリエ級数展開の式に書き換えると,

$$f(x) = \frac{1}{4} + \sum_{k=\pm 1}^{\pm\infty} c_k e^{i\frac{k\pi}{2}x}$$

$$\boxed{\sum_{k=\pm 1}^{\pm\infty} \alpha_k = \sum_{k=1}^{\infty}(\alpha_k + \alpha_{-k})}$$

$$= \frac{1}{4} + \sum_{k=1}^{\infty}\left(c_k e^{i\frac{k\pi}{2}x} + \underbrace{c_{-k}}_{c_k\,(③' より)} e^{-i\frac{k\pi}{2}x}\right)$$

$$= \frac{1}{4} + \sum_{k=1}^{\infty} \underbrace{c_k}_{\frac{2}{k^2\pi^2}(1-\cos\frac{k\pi}{2})\,(③より)}\underbrace{\left(e^{i\frac{k\pi}{2}x} + e^{-i\frac{k\pi}{2}x}\right)}_{2\cos\frac{k\pi}{2}x}$$

$$\boxed{e^{i\theta} + e^{-i\theta} = 2\cos\theta}$$

$$= \frac{1}{4} + \sum_{k=1}^{\infty} \frac{4}{k^2\pi^2}\left(1 - \cos\frac{k\pi}{2}\right)\cos\frac{k\pi}{2}x$$

$$\therefore f(x) = \frac{1}{4} + \frac{4}{\pi^2}\sum_{k=1}^{\infty}\frac{1}{k^2}\left(1 - \cos\frac{k\pi}{2}\right)\cos\frac{k\pi}{2}x \quad \cdots\cdots (*) \text{ となって},$$

演習問題**10**(**P37**)の結果と一致する。 $\cdots\cdots\cdots\cdots\cdots\cdots\cdots\cdots\cdots\cdots\cdots\cdots$(終)

演習問題 18 ● 複素フーリエ級数（Ⅲ）●

次式で表される周期 4 の周期関数 $f(x)$ を複素フーリエ級数展開せよ。

$f(x) = e^{\frac{1}{2}x} \quad (-2 < x < 2)$

また，この結果が演習問題 13 (**P42**) で求めた実フーリエ級数展開の結果：

$f(x) = \dfrac{e^2-1}{2e} + \dfrac{e^2-1}{e} \sum_{k=1}^{\infty} \dfrac{(-1)^k}{k^2\pi^2+1} \left(\cos\dfrac{k\pi}{2}x - k\pi\sin\dfrac{k\pi}{2}x \right) \cdots\cdots(*)$ と一致することを示せ。

ヒント！ 複素フーリエ級数の展開公式：$f(x) = c_0 + \sum_{k=\pm 1}^{\pm\infty} c_k e^{i\frac{k\pi}{L}x}$ と，実フーリエ級数への変換公式：$f(x) = c_0 + \sum_{k=1}^{\infty} \left(c_k e^{i\frac{k\pi}{L}x} + c_{-k} e^{-i\frac{k\pi}{L}x} \right)$ を利用して解こう。

解答＆解説

区間 $(-2, 2)$ で区分的に滑らかな周期 4 の周期関数 $f(x)$ は，次のように複素フーリエ級数に展開できる。（$L=2$ より，周期 $2L=4$）

$f(x) = c_0 + \sum_{k=\pm 1}^{\pm\infty} c_k e^{i\frac{k\pi}{2}x}$ ………①

ここで，$c_k \ (k=0, \pm 1, \pm 2, \cdots)$ について， （公式：$c_0 = \dfrac{1}{2L}\int_{-L}^{L} f(x)dx$）

・$c_0 = \dfrac{1}{2\cdot 2}\int_{-2}^{2} f(x)dx = \dfrac{1}{4}\int_{-2}^{2} e^{\frac{1}{2}x}dx = \dfrac{1}{4}\cdot 2\left[e^{\frac{1}{2}x}\right]_{-2}^{2} = \dfrac{1}{2}(e - e^{-1})$

∴ $c_0 = \boxed{(ア)}$ ………②

・$k = \pm 1, \pm 2, \pm 3, \cdots$ のとき， （公式：$c_k = \dfrac{1}{2L}\int_{-L}^{L} f(x) e^{-i\frac{k\pi}{L}x} dx$）

$c_k = \dfrac{1}{2\cdot 2}\int_{-2}^{2} f(x) e^{-i\frac{k\pi}{2}x} dx = \dfrac{1}{4}\int_{-2}^{2} e^{\frac{1}{2}x - i\frac{k\pi}{2}x} dx$

$= \dfrac{1}{4}\int_{-2}^{2} e^{\frac{1-ik\pi}{2}x} dx$

$= \dfrac{1}{4} \cdot \dfrac{2}{1-ik\pi}\left[e^{\frac{1-ik\pi}{2}x}\right]_{-2}^{2}$

55

よって，

$$c_k = \frac{1}{2(1-ik\pi)}\{e^{1-ik\pi} - e^{-(1-ik\pi)}\}$$

$$= \frac{1+ik\pi}{2\underbrace{(1-ik\pi)(1+ik\pi)}_{1-i^2k^2\pi^2 = 1+k^2\pi^2}}(e \cdot \underbrace{e^{-ik\pi}}_{\cos k\pi - i\sin k\pi} - e^{-1} \cdot \underbrace{e^{ik\pi}}_{\cos k\pi + i\sin k\pi})$$

$$= \frac{1+ik\pi}{2(k^2\pi^2+1)}\{e(\underbrace{\cos k\pi}_{(-1)^k} - \underbrace{i\sin k\pi}_{0}) - e^{-1}(\underbrace{\cos k\pi}_{(-1)^k} + \underbrace{i\sin k\pi}_{0})\}$$

$$= \frac{1+ik\pi}{2(k^2\pi^2+1)}(-1)^k(e - e^{-1})$$

$$\therefore c_k = \frac{e^2-1}{2e} \cdot \frac{(-1)^k}{k^2\pi^2+1}\boxed{(イ)} \cdots\cdots ③ \quad (k = \pm 1, \pm 2, \pm 3, \cdots)$$

よって，$c_0 = \boxed{(ア)}$ ……②と③を，$f(x) = c_0 + \sum_{k=\pm 1}^{\pm \infty} c_k e^{i\frac{k\pi}{2}x}$ ……①に代入すると，$f(x)$ は次のように複素フーリエ級数に展開できる。

$$f(x) = \frac{e^2-1}{2e} + \frac{e^2-1}{2e}\sum_{k=\pm 1}^{\pm \infty}\frac{(-1)^k}{k^2\pi^2+1}(1+ik\pi)e^{i\frac{k\pi}{2}x} \cdots\cdots ④ \cdots\cdots\cdots\cdots\cdots\text{(答)}$$

次に，③より，$\boxed{\dfrac{1}{(-1)^k} = \dfrac{(-1)^k}{(-1)^{2k}} = (-1)^k}$

$$c_{-k} = \frac{e^2-1}{2e}\frac{(-1)^{-k}}{(-k)^2\pi^2+1}\boxed{(ウ)} = \frac{e^2-1}{2e} \cdot \frac{(-1)^k}{k^2\pi^2+1}\boxed{(ウ)} \cdots\cdots ③'$$

となる。

よって，④を変形して，実フーリエ級数展開の式に書き換えると，

$$f(x) = \frac{e^2-1}{2e} + \sum_{k=1}^{\infty}(\underbrace{c_k e^{i\frac{k\pi}{2}x}}_{\frac{e^2-1}{2e} \cdot \frac{(-1)^k}{k^2\pi^2+1}(1+ik\pi)} + \underbrace{c_{-k} e^{-i\frac{k\pi}{2}x}}_{\frac{e^2-1}{2e} \cdot \frac{(-1)^k}{k^2\pi^2+1}(1-ik\pi)})$$

$$= \frac{e^2-1}{2e} + \frac{e^2-1}{2e}\sum_{k=1}^{\infty}\frac{(-1)^k}{k^2\pi^2+1}\{(1+ik\pi)e^{i\frac{k\pi}{2}x} + (1-ik\pi)e^{-i\frac{k\pi}{2}x}\}$$

よって，
$$f(x) = \frac{e^2-1}{2e} + \frac{e^2-1}{2e}\sum_{k=1}^{\infty}\frac{(-1)^k}{k^2\pi^2+1}\{\underbrace{e^{i\frac{k\pi}{2}x}+e^{-i\frac{k\pi}{2}x}}_{2\cos\frac{k\pi}{2}x} + ik\pi(\underbrace{e^{i\frac{k\pi}{2}x}-e^{-i\frac{k\pi}{2}x}}_{2i\sin\frac{k\pi}{2}x})\}$$

$$\begin{cases} e^{i\theta} = \cos\theta + i\sin\theta \\ e^{-i\theta} = \cos\theta - i\sin\theta \end{cases} \text{より,} \quad e^{i\theta}+e^{-i\theta}=2\cos\theta, \quad e^{i\theta}-e^{-i\theta}=2i\sin\theta$$

$$= \frac{e^2-1}{2e} + \frac{e^2-1}{2\!\!\!/e}\sum_{k=1}^{\infty}\frac{(-1)^k}{k^2\pi^2+1}\cdot \!\!\!/2\left(\cos\frac{k\pi}{2}x - \boxed{(\text{エ})}\right)$$

$$\therefore f(x) = \frac{e^2-1}{2e} + \frac{e^2-1}{e}\sum_{k=1}^{\infty}\frac{(-1)^k}{k^2\pi^2+1}\left(\cos\frac{k\pi}{2}x - \boxed{(\text{エ})}\right) \cdots\cdots(*) \text{ となって,}$$

演習問題 **13**（**P42**）の結果と一致する。……………………………………(終)

解答 （ア）$\dfrac{e^2-1}{2e}$　　（イ）$(1+ik\pi)$　　（ウ）$(1-ik\pi)$　　（エ）$k\pi\sin\dfrac{k\pi}{2}x$

演習問題 19 　●無限級数の和（Ⅰ）●

$f(x) = \begin{cases} 0 & (-\pi < x \leq 0) \\ \sin x & (0 < x \leq \pi) \end{cases}$

で定義される周期 2π の
周期関数 $f(x)$ は，次のように
フーリエ級数展開される。

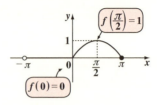

$f(x) = \dfrac{1}{\pi} + \dfrac{1}{2}\sin x - \sum\limits_{k=2}^{\infty} \dfrac{1+(-1)^k}{\pi(k^2-1)} \cos kx$ ……① (演習問題 5 (P24))

(1) $f(0) = 0$ を用いて，無限級数の和 $\sum\limits_{k=1}^{\infty} \dfrac{1}{4k^2-1}$ を求めよ。

(2) $f\left(\dfrac{\pi}{2}\right) = 1$ を用いて，無限級数の和 $\sum\limits_{k=1}^{\infty} \dfrac{(-1)^k}{4k^2-1}$ を求めよ。

ヒント！ 周期関数 $f(x)$ のフーリエ級数展開の式①を利用すると，(1) は $f(0) = 0 = \dfrac{1}{\pi} - \dfrac{1}{\pi}\sum\limits_{k=2}^{\infty} \dfrac{1+(-1)^k}{k^2-1}$ となり，(2) は $f\left(\dfrac{\pi}{2}\right) = 1 = \dfrac{1}{\pi} + \dfrac{1}{2} - \dfrac{1}{\pi}\sum\limits_{k=2}^{\infty} \dfrac{1+(-1)^k}{k^2-1}\cos\dfrac{k\pi}{2}$ となる。これから与えられた無限級数の和を求めることができる。

解答＆解説

(1) $x = 0$ のとき，$f(0) = 0$ であり，$f(x)$ のフーリエ級数展開の式①に $x = 0$ を代入すると，

$f(0) = 0 = \dfrac{1}{\pi} + \dfrac{1}{2}\underbrace{\sin 0}_{0} - \sum\limits_{k=2}^{\infty} \dfrac{1+(-1)^k}{\pi(k^2-1)}\underbrace{\cos 0}_{1}$

より，

$\dfrac{1}{\pi}\sum\limits_{k=2}^{\infty} \dfrac{1+(-1)^k}{k^2-1} = \dfrac{1}{\pi}$ 　　よって，$\sum\limits_{k=2}^{\infty} \dfrac{1+(-1)^k}{k^2-1} = 1$ ……② となる。

②より，

$\underbrace{\dfrac{2}{2^2-1}}_{k=2} + \underbrace{\dfrac{0}{\cancel{3^2-1}}}_{k=3} + \underbrace{\dfrac{2}{4^2-1}}_{k=4} + \underbrace{\dfrac{0}{\cancel{5^2-1}}}_{k=5} + \underbrace{\dfrac{2}{6^2-1}}_{k=6} + \underbrace{\dfrac{0}{\cancel{7^2-1}}}_{k=7} + \underbrace{\dfrac{2}{8^2-1}}_{k=8\text{ のとき}} + \cdots = 1$

$2\left(\dfrac{1}{2^2-1} + \dfrac{1}{4^2-1} + \dfrac{1}{6^2-1} + \dfrac{1}{8^2-1} + \cdots\right) = 1$

よって，求める無限級数の和は，

$$\sum_{k=1}^{\infty} \frac{1}{(2k)^2-1} = \sum_{k=1}^{\infty} \frac{1}{4k^2-1} = \frac{1}{2}$$ である。……………………………………(答)

(2) $x = \frac{\pi}{2}$ のとき，$f\left(\frac{\pi}{2}\right) = 1$ であり，$f(x)$ のフーリエ級数展開の式①に $x = \frac{\pi}{2}$ を代入すると，

$$f\left(\frac{\pi}{2}\right) = 1 = \frac{1}{\pi} + \frac{1}{2}\underbrace{\sin\frac{\pi}{2}}_{1} - \sum_{k=2}^{\infty} \frac{1+(-1)^k}{\pi(k^2-1)} \cos\frac{k\pi}{2}$$ より，

$$\frac{1}{\pi}\sum_{k=2}^{\infty} \frac{1+(-1)^k}{k^2-1} \cos\frac{k\pi}{2} = \frac{1}{\pi} - \frac{1}{2}$$

よって，$\sum_{k=2}^{\infty} \frac{1+(-1)^k}{k^2-1} \cos\frac{k\pi}{2} = 1 - \frac{\pi}{2}$ ……③ となる。

③の左辺を展開すると， $\boxed{k = 3, 5, 7, \cdots \text{のとき}, \cos\frac{k\pi}{2} = 0 \text{ より，略して示した．}}$

$$\frac{2}{2^2-1}\underbrace{\cos\pi}_{(-1)} + \frac{2}{4^2-1}\underbrace{\cos 2\pi}_{1} + \frac{2}{6^2-1}\underbrace{\cos 3\pi}_{(-1)} + \frac{2}{8^2-1}\underbrace{\cos 4\pi}_{1} + \cdots = 1 - \frac{\pi}{2}$$

$$2\left(\frac{-1}{2^2-1} + \frac{1}{4^2-1} + \frac{-1}{6^2-1} + \frac{1}{8^2-1} + \cdots\right) = 1 - \frac{\pi}{2}$$

$$\frac{-1}{2^2-1} + \frac{1}{4^2-1} + \frac{-1}{6^2-1} + \frac{1}{8^2-1} + \cdots = \frac{1}{2} - \frac{\pi}{4}$$

よって，求める無限級数の和は，

$$\sum_{k=1}^{\infty} \frac{(-1)^k}{(2k)^2-1} = \sum_{k=1}^{\infty} \frac{(-1)^k}{4k^2-1} = \frac{1}{2} - \frac{\pi}{4}$$ である。……………………………(答)

演習問題 20　●無限級数の和（II）●

$f(x) = \begin{cases} x+1 & (-1 < x \leq 0) \\ -x+1 & (0 < x \leq 1) \\ 0 & (-2 < x \leq -1,\ 1 < x \leq 2) \end{cases}$

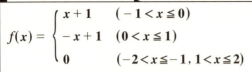

で定義される周期 4 の周期関数 $f(x)$ は次のようにフーリエ級数展開される。

$f(x) = \dfrac{1}{4} + \dfrac{4}{\pi^2} \sum_{k=1}^{\infty} \dfrac{1}{k^2}\left(1 - \cos\dfrac{k\pi}{2}\right)\cos\dfrac{k\pi}{2}x$ ……① (演習問題 10 (P37))

このとき，$f(1) = 0$ を用いて，無限級数の和 $\displaystyle\sum_{k=1}^{\infty} \dfrac{1}{(2k-1)^2} = \dfrac{\pi^2}{8}$ となることを示せ。

ヒント！ ①の両辺に $x=1$ を代入して，無限級数の和の値を求めよう。

解答＆解説

①の両辺に $x=1$ を代入すると，$f(1)=0$ より，

$f(1) = \boxed{0 = \dfrac{1}{4} + \dfrac{4}{\pi^2}\sum_{k=1}^{\infty}\dfrac{1}{k^2}\left(1-\cos\dfrac{k\pi}{2}\right)\cdot\cos\dfrac{k\pi}{2}}$ となる。よって，

$-\dfrac{\pi^2}{16} = \sum_{k=1}^{\infty}\dfrac{1}{k^2}\left(1-\cos\dfrac{k\pi}{2}\right)\cdot\cos\dfrac{k\pi}{2}$

$= \underbrace{\dfrac{1}{1^2}(1-0)\cdot 0}_{k=1} + \underbrace{\dfrac{1}{2^2}(1+1)\cdot(-1)}_{k=2}$

$k=1, 2, 3, 4$ のとき，$\cos\dfrac{k\pi}{2} = 0, -1, 0, 1$ 以下，これの繰り返し。

$+ \underbrace{\dfrac{1}{3^2}(1-0)\cdot 0}_{k=3} + \underbrace{\dfrac{1}{4^2}(1-1)\cdot 1}_{k=4} + \underbrace{\dfrac{1}{5^2}(1-0)\cdot 0}_{k=5} + \underbrace{\dfrac{1}{6^2}(1+1)\cdot(-1)}_{k=6} + \underbrace{\dfrac{1}{7^2}(1-0)\cdot 0}_{k=7\text{のとき}} + \cdots$

$= -\dfrac{2}{2^2} - \dfrac{2}{6^2} - \dfrac{2}{10^2} - \dfrac{2}{14^2} - \dfrac{2}{18^2} - \cdots$

$k=2, 6, 10, 14, 18, \cdots$ のときのみの項が残る。

$-\dfrac{\pi^2}{16} = -\dfrac{2}{2^2}\left(\dfrac{1}{1^2} + \dfrac{1}{3^2} + \dfrac{1}{5^2} + \dfrac{1}{7^2} + \dfrac{1}{9^2} + \cdots\right)$ となるので，

無限級数の和 $\displaystyle\sum_{k=1}^{\infty}\dfrac{1}{(2k-1)^2}$ は，

$\displaystyle\sum_{k=1}^{\infty}\dfrac{1}{(2k-1)^2} = \dfrac{1}{1^2} + \dfrac{1}{3^2} + \dfrac{1}{5^2} + \dfrac{1}{7^2} + \cdots = \dfrac{\pi^2}{16}\times 2 = \dfrac{\pi^2}{8}$ となる。……………(終)

演習問題 21 ● 無限級数の和（Ⅲ）●

$$f(x) = \begin{cases} -x-1 & (-1 < x < 0) \\ -x+1 & (0 < x \leq 1) \\ 0 & (-2 < x \leq -1, 1 < x \leq 2) \end{cases}$$

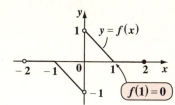

で定義される周期4の周期関数 $f(x)$ は，
次のようにフーリエ級数展開されることを示せ。

$$f(x) = \sum_{k=1}^{\infty} \left(\frac{2}{k\pi} - \frac{4}{k^2\pi^2} \sin\frac{k\pi}{2} \right) \sin\frac{k\pi}{2} x \quad \cdots\cdots ①$$

次に，$f(1) = 0$ を用いて、無限級数の和 $\sum_{k=1}^{\infty} \frac{(-1)^{k+1}}{2k-1} = \frac{\pi}{4}$ となること
を示せ。ただし，$\sum_{k=1}^{\infty} \frac{1}{(2k-1)^2} = \frac{\pi^2}{8}$ は用いてもよいものとする。

ヒント！ $f(x)$ は奇関数なので，フーリエ・サイン級数に展開することができる。次に①の両辺に $x=1$ を代入して，$f(1)=0$ より与えられた無限級数の和を求めればよい。

解答＆解説

$f(x)$ は，区間 $(-2, 2)$ において区分的に滑らかな周期4の周期関数であり，かつ
　　　　　　　　　　　　　　　　　　$L=2$ より，周期 $2L=4$
奇関数である。よって、これは次のようにフーリエ・サイン級数に展開できる。

$$f(x) = \sum_{k=1}^{\infty} b_k \sin\frac{k\pi}{2} x \quad \cdots\cdots ①'$$

公式： $f(x) = \sum_{k=1}^{\infty} b_k \sin\frac{k\pi}{L} x$

$b_k \ (k=1, 2, 3, \cdots)$ について，

公式： $b_k = \frac{2}{L} \int_0^L f(x) \sin\frac{k\pi}{L} x \, dx$

$$b_k = \frac{2}{2} \int_0^2 f(x) \cdot \sin\frac{k\pi}{2} x \, dx$$

$$= \int_0^1 (-x+1) \cdot \sin\frac{k\pi}{2} x \, dx = \int_0^1 (-x+1) \cdot \left(-\frac{2}{k\pi} \cos\frac{k\pi}{2} x \right)' dx$$

$$= -\frac{2}{k\pi} \left[(-x+1)\cos\frac{k\pi}{2} x \right]_0^1 + \frac{2}{k\pi} \int_0^1 (-1) \cdot \cos\frac{k\pi}{2} x \, dx$$

部分積分
$\int fg' \, dx$
$= fg - \int f' \cdot g \, dx$

$$= \frac{2}{k\pi} \underset{1}{\cos 0} - \left(\frac{2}{k\pi} \right)^2 \left[\sin\frac{k\pi}{2} x \right]_0^1$$

よって,
$$b_k = \frac{2}{k\pi} - \frac{4}{k^2\pi^2}\sin\frac{k\pi}{2} \quad \cdots\cdots ② \quad (k = 1, 2, 3, \cdots)$$

②を $f(x) = \sum_{k=1}^{\infty} b_k \sin\frac{k\pi}{2}x \quad \cdots\cdots ①'$ に代入すると,

$f(x)$ は次のようにフーリエ・サイン級数に展開できる。

$$f(x) = \sum_{k=1}^{\infty}\left(\frac{2}{k\pi} - \frac{4}{k^2\pi^2}\sin\frac{k\pi}{2}\right)\sin\frac{k\pi}{2}x \quad \cdots\cdots ① \quad \cdots\cdots\cdots\cdots\cdots(終)$$

①のフーリエ・サイン級数を n 項までの部分和で近似して, $n = 10, 50, 300$ としたときのグラフを下に示す。

$$f(x) \fallingdotseq \sum_{k=1}^{n}\left(\frac{2}{k\pi} - \frac{4}{k^2\pi^2}\sin\frac{k\pi}{2}\right)\sin\frac{k\pi}{2}x$$

（ⅰ）$n = 10$ のとき　　　　　　　（ⅱ）$n = 50$ のとき

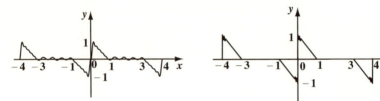

（ⅲ）$n = 300$ のとき

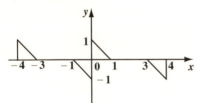

次に, ①の両辺に $x = 1$ を代入すると, $f(1) = 0$ より,

$$f(1) = 0 = \sum_{k=1}^{\infty}\left(\frac{2}{k\pi} - \frac{4}{k^2\pi^2}\sin\frac{k\pi}{2}\right)\sin\frac{k\pi}{2}$$ となる。よって,

● フーリエ級数（Ⅰ）

$$0 = \frac{2}{\pi} \sum_{k=1}^{\infty} \frac{1}{k} \cdot \sin\frac{k\pi}{2} - \frac{4}{\pi^2} \sum_{k=1}^{\infty} \frac{1}{k^2} \sin^2\frac{k\pi}{2}$$

$$= \frac{2}{\pi}\left\{\frac{1}{1} \times 1 + \frac{1}{2}\times 0 + \frac{1}{3}\times(-1) + \frac{1}{4}\times 0 + \right.$$

$$\left. \frac{1}{5}\times 1 + \frac{1}{6}\times 0 + \frac{1}{7}\times(-1) + \frac{1}{8}\times 0 + \cdots\right\}$$

$$-\frac{4}{\pi^2}\left\{\frac{1}{1^2}\times 1^2 + \frac{1}{2^2}\times 0^2 + \frac{1}{3^2}\times(-1)^2 + \frac{1}{4^2}\times 0^2 + \right.$$

$$\left. \frac{1}{5^2}\times 1^2 + \frac{1}{6^2}\times 0^2 + \frac{1}{7^2}\times(-1)^2 + \frac{1}{8^2}\times 0^2 + \cdots\right\}$$

> $k=1,2,3,4$ のとき, $\sin\frac{k\pi}{2} = 1, 0, -1, 0$ 以下, これの繰り返し

$$\therefore \ 0 = \frac{2}{\pi}\left(\frac{1}{1} - \frac{1}{3} + \frac{1}{5} - \frac{1}{7} + \cdots\right) - \frac{4}{\pi^2}\underline{\left(\frac{1}{1^2} + \frac{1}{3^2} + \frac{1}{5^2} + \frac{1}{7^2} + \cdots\right)}$$

> $\dfrac{\pi^2}{8}\left(= \sum_{k=1}^{\infty}\dfrac{1}{(2k-1)^2}\right)$

ここで, 上式に $\dfrac{1}{1^2} + \dfrac{1}{3^2} + \dfrac{1}{5^2} + \dfrac{1}{7^2} + \cdots = \dfrac{\pi^2}{8}$ を代入して,

$$\frac{2}{\pi}\left(\frac{1}{1} - \frac{1}{3} + \frac{1}{5} - \frac{1}{7} + \cdots\right) = \frac{4}{\pi^2} \times \frac{\pi^2}{8} = \frac{1}{2}$$

$$\therefore \ \sum_{k=1}^{\infty}\frac{(-1)^{k+1}}{2k-1} = \frac{1}{1} - \frac{1}{3} + \frac{1}{5} - \frac{1}{7} + \cdots = \frac{\pi}{4} \quad \text{である。} \ \cdots\cdots\cdots\cdots\text{(終)}$$

参考

フーリエ解析で頻出の無限級数の和の公式を下にまとめて示す。

(ⅰ) $\dfrac{1}{1} - \dfrac{1}{3} + \dfrac{1}{5} - \dfrac{1}{7} + \cdots = \dfrac{\pi}{4}$ (ⅱ) $\dfrac{1}{1^2} + \dfrac{1}{3^2} + \dfrac{1}{5^2} + \dfrac{1}{7^2} + \cdots = \dfrac{\pi^2}{8}$

(ⅲ) $\dfrac{1}{1^2} + \dfrac{1}{2^2} + \dfrac{1}{3^2} + \dfrac{1}{4^2} + \cdots = \dfrac{\pi^2}{6}$ (ⅳ) $\dfrac{1}{1^2} - \dfrac{1}{2^2} + \dfrac{1}{3^2} - \dfrac{1}{4^2} + \cdots = \dfrac{\pi^2}{12}$

(ⅴ) $\dfrac{1}{1^4} + \dfrac{1}{2^4} + \dfrac{1}{3^4} + \dfrac{1}{4^4} + \cdots = \dfrac{\pi^4}{90}$

演習問題 22 ● 無限級数の和 (Ⅳ) ●

$$f(x) = \begin{cases} \dfrac{1}{2}x^2 - \dfrac{\pi^2}{8} & \left(-\dfrac{\pi}{2} < x \leq \dfrac{\pi}{2}\right) \\ 0 & \left(-\pi < x \leq -\dfrac{\pi}{2}, \dfrac{\pi}{2} < x \leq \pi\right) \end{cases}$$

で定義される周期 2π の周期関数 $f(x)$ を
フーリエ・コサイン級数に展開せよ。また
$f\left(\dfrac{\pi}{2}\right) = 0$ より，無限級数の和の公式：$\dfrac{1}{1^2} + \dfrac{1}{2^2} + \dfrac{1}{3^2} + \cdots = \dfrac{\pi^2}{6}$ を示せ。

ヒント！ フーリエ・コサイン級数の公式 $f(x) = \dfrac{a_0}{2} + \sum\limits_{k=1}^{\infty} a_k \cos kx$ を利用して展開した後，これに $x = \dfrac{\pi}{2}$ を代入して，$f\left(\dfrac{\pi}{2}\right) = 0$ から，無限級数の和を求めよう。

解答&解説

$f(x)$ は区間 $(-\pi, \pi)$ において区分的に滑らかな周期 2π の周期関数であり，かつ偶関数である。よって，これは次のようにフーリエ・コサイン級数に展開できる。

$$f(x) = \dfrac{a_0}{2} + \sum_{k=1}^{\infty} a_k \cos kx \quad \cdots\cdots\text{①}$$

a_k $(k = 1, 2, 3, \cdots)$ について，

$\cdot a_0 = \dfrac{2}{\pi}\int_0^{\pi} f(x)dx = \dfrac{2}{\pi}\int_0^{\frac{\pi}{2}}\left(\dfrac{1}{2}x^2 - \dfrac{\pi^2}{8}\right)dx = \dfrac{1}{\pi}\int_0^{\frac{\pi}{2}}\left(x^2 - \dfrac{\pi^2}{4}\right)dx$

$\quad = \dfrac{1}{\pi}\left[\dfrac{1}{3}x^3 - \dfrac{\pi^2}{4}x\right]_0^{\frac{\pi}{2}} = \dfrac{1}{\pi}\left(\dfrac{\pi^3}{24} - \dfrac{\pi^3}{8}\right) = \dfrac{1}{\pi} \times \left(-\dfrac{\pi^3}{12}\right)$

$\therefore a_0 = -\dfrac{\pi^2}{12} \quad \cdots\cdots\cdots\cdots\cdots\cdots\cdots\text{②}$

$\cdot k = 1, 2, 3, \cdots$ のとき，

$a_k = \dfrac{2}{\pi}\int_0^{\pi} f(x) \cos kx\, dx = \dfrac{2}{\pi}\int_0^{\frac{\pi}{2}}\left(\dfrac{1}{2}x^2 - \dfrac{\pi^2}{8}\right)\cos kx\, dx$

$\quad = \dfrac{1}{\pi}\int_0^{\frac{\pi}{2}}\left(x^2 - \dfrac{\pi^2}{4}\right)\left(\dfrac{1}{k}\sin kx\right)' dx \qquad \text{これから，}$

64

$$a_k = \frac{1}{\pi}\left\{\frac{1}{k}\left[\left(x^2 - \frac{\pi^2}{4}\right)\sin kx\right]_0^{\frac{\pi}{2}} - \frac{1}{k}\int_0^{\frac{\pi}{2}} 2x\sin kx\, dx\right\}$$

$$= -\frac{2}{k\pi}\int_0^{\frac{\pi}{2}} x \cdot \left(-\frac{1}{k}\cos kx\right)' dx$$

$$= -\frac{2}{k\pi}\left(-\frac{1}{k}[x\cos kx]_0^{\frac{\pi}{2}} + \frac{1}{k}\int_0^{\frac{\pi}{2}} 1 \cdot \cos kx\, dx\right)$$

$$= \frac{2}{k^2\pi} \cdot \frac{\pi}{2}\cos\frac{k\pi}{2} - \frac{2}{k^2\pi} \cdot \frac{1}{k}[\sin kx]_0^{\frac{\pi}{2}}$$

$$\therefore a_k = \frac{1}{k^2}\cos\frac{k\pi}{2} - \frac{2}{k^3\pi}\sin\frac{k\pi}{2} \quad \cdots\cdots\cdots\cdots ③ \quad (k = 1, 2, 3, \cdots)$$

よって，②，③を①に代入すると，$f(x)$ は次のようにフーリエ・コサイン級数に展開される。

$$f(x) = -\frac{\pi^2}{24} + \sum_{k=1}^{\infty}\left(\frac{1}{k^2}\cos\frac{k\pi}{2} - \frac{2}{\pi k^3}\sin\frac{k\pi}{2}\right)\cos kx \cdots\cdots ④ \cdots\cdots (答)$$

次に，④の両辺に $x = \frac{\pi}{2}$ を代入すると，

$$f\left(\frac{\pi}{2}\right) = 0 = -\frac{\pi^2}{24} + \sum_{k=1}^{\infty}\left(\frac{1}{k^2}\cos\frac{k\pi}{2} - \frac{2}{\pi k^3}\sin\frac{k\pi}{2}\right)\cos\frac{k\pi}{2} \quad \text{より，}$$

$$\frac{\pi^2}{24} = \sum_{k=1}^{\infty}\frac{1}{k^2}\cos^2\frac{k\pi}{2} - \frac{1}{\pi}\sum_{k=1}^{\infty}\frac{1}{k^3} \cdot 2\sin\frac{k\pi}{2}\cos\frac{k\pi}{2}$$

$k = 1, 2, 3, 4, 5, 6, \cdots$ のとき，$0, 1, 0, 1, 0, 1, \cdots$

$\sin k\pi = 0$

$f\left(\frac{\pi}{2}\right) = 0$

よって，$\dfrac{\pi^2}{24} = \dfrac{0}{1^2} + \dfrac{1}{2^2} + \dfrac{0}{3^2} + \dfrac{1}{4^2} + \dfrac{0}{5^2} + \dfrac{1}{6^2} + \dfrac{0}{7^2} + \dfrac{1}{8^2} + \dfrac{0}{9^2} + \dfrac{1}{10^2} + \cdots$

$\dfrac{1}{2^2}\cdot\dfrac{1}{1^2}$, $\dfrac{1}{2^2}\cdot\dfrac{1}{2^2}$, $\dfrac{1}{2^2}\cdot\dfrac{1}{3^2}$, $\dfrac{1}{2^2}\cdot\dfrac{1}{4^2}$, $\dfrac{1}{2^2}\cdot\dfrac{1}{5^2}$

$$\frac{1}{4}\left(\frac{1}{1^2} + \frac{1}{2^2} + \frac{1}{3^2} + \frac{1}{4^2} + \frac{1}{5^2} + \cdots\right) = \frac{\pi^2}{24}$$

∴ 次の無限級数の和の公式：

$$\sum_{k=1}^{\infty}\frac{1}{k^2} = \frac{1}{1^2} + \frac{1}{2^2} + \frac{1}{3^2} + \frac{1}{4^2} + \frac{1}{5^2} + \cdots = \frac{\pi^2}{6} \text{ が成り立つ。} \cdots\cdots\cdots\cdots (終)$$

講義 2 フーリエ級数（Ⅱ） *methods & formulae*

§1. フーリエの定理

次のフーリエの定理（各点収束の定理）は，リーマン・ルベーグの補助定理を用いて証明できる。

フーリエの定理

$f(x)$ が，区間 $-\pi < x \leq \pi$ で定義された周期 2π の区分的に滑らかな周期関数であるとき，このフーリエ級数：

（"$-\pi < x \leq \pi$ で，$f(x)$, $f'(x)$ 共に区分的に連続な" という意味）

$$\frac{a_0}{2} + \sum_{k=1}^{\infty}(a_k \cos kx + b_k \sin kx) \quad \left[\text{または} \sum_{k=0,\pm 1}^{\pm\infty} c_k e^{ikx}\right] \text{は、}$$

$\begin{cases}(\text{i}) \text{ 連続点では, } f(x) \text{ に収束し,} \\ (\text{ii}) \text{ 不連続点では, その点の左右両側の極限値の相加平均に収束する。}\end{cases}$

すなわち，次式が成り立つ。

$$\frac{a_0}{2} + \sum_{k=1}^{\infty}(a_k \cos kx + b_k \sin kx) = \begin{cases} f(x) & (x \text{ で連続}) \\ \dfrac{f(x+0)+f(x-0)}{2} & (x \text{ で不連続}) \end{cases}$$

さらに，この式は点 x での連続, 不連続に関わらず, 次のようにまとめて表すことが出来る。

$$\frac{a_0}{2} + \sum_{k=1}^{\infty}(a_k \cos kx + b_k \sin kx) = \frac{f(x+0)+f(x-0)}{2}$$

リーマン・ルベーグの補助定理

$f(x)$ が，閉区間 $a \leq x \leq b$ で区分的に連続な関数であるとき，次の式が成り立つ。これを，リーマン・ルベーグの補助定理（$R\text{-}L$ の補助定理）という。

(ⅰ) $\displaystyle\lim_{\alpha \to \infty}\int_a^b f(x) \cdot \sin \alpha x\, dx = 0$ (ⅱ) $\displaystyle\lim_{\alpha \to \infty}\int_a^b f(x) \cdot \cos \alpha x\, dx = 0$

§2. 正規直交関数系とパーシヴァルの等式

(1) 一様収束

周期 2π の区分的に滑らかな周期関数 $f(x)$ のフーリエ級数の部分和を

$$P_n(x) = \frac{a_0}{2} + \sum_{k=1}^{n}(a_k \cos kx + b_k \sin kx) = \sum_{k=0,\pm1}^{\pm n} c_k e^{ikx}$$

とおく。そして，

$$\forall \varepsilon, \ \exists N \quad \text{s.t.} \quad n \geq N \implies |P_n(x) - f(x)| < \varepsilon$$

このとき $\displaystyle\lim_{n\to\infty} P_n(x) = f(x)$ となる。

> "正の数 ε をどんなに小さくしても，$n \geq N$ ならば $|P_n(x) - f(x)| < \varepsilon$ が成り立つような，そんな自然数 N が存在するとき，$\displaystyle\lim_{n\to\infty} P_n(x) = f(x)$ となる。"の意味。

ここで，この N の値が，x の値によらず，ε の値のみによって決まる場合，フーリエ級数は $f(x)$ に "**一様収束**" するという。

各点収束と一様収束

(ⅰ) 区分的に滑らかな周期関数 $f(x)$ に対して，
そのフーリエ級数は各点収束する。(一様収束はしない。)

(ⅱ) 区分的に滑らかで，かつ連続な周期関数 $f(x)$ に対して，
そのフーリエ級数は一様収束する。(当然，各点収束もする。)

一般に，無限級数 $\sum_{k=1}^{\infty} v_k(x)$ がある定義域で関数 $g(x)$ に一様収束することは，次の "**ワイエルシュトラスの M 判定法**" によって示すことができる。

「定義域のすべての x に対して，$|v_k(x)| \leq M_k (k=1, 2, 3, \cdots)$ が成り立ち，かつ $\sum_{k=1}^{\infty} M_k$ が収束するならば，$\sum_{k=1}^{\infty} v_k(x)$ はこの定義域で $g(x)$ に一様収束する。」

(2) 平均収束

周期 2π の区分的に滑らかな周期関数 $f(x)$ のフーリエ級数の部分和

$$P_n(x) = \frac{a_0}{2} + \sum_{k=1}^{n}(a_k \cos kx + b_k \sin kx) = \sum_{k=0,\pm1}^{\pm n} c_k e^{ikx}$$

について，

$$\lim_{n\to\infty} \int_{-\pi}^{\pi} \{f(x) - P_n(x)\}^2 dx = 0$$

> もし，$f(x)$ が $-L < x \leq L$ で定義された周期 $2L$ の関数なら，
> $$\lim_{n\to\infty} \int_{-L}^{L} \{f(x) - P_n(x)\}^2 dx = 0$$
> となる。

のとき，周期関数 $f(x)$ に対して，そのフーリエ級数は "**平均収束**" するという。

そして，

- 区分的に滑らかで，かつ連続な周期関数 $f(x)$ に対して，（フーリエ級数が一様収束する関数）
  そのフーリエ級数は平均収束する。

さらに，

- 区分的に滑らかな周期関数 $f(x)$ に対しても，（フーリエ級数が各点収束する関数）
  そのフーリエ級数は平均収束する。

(3) 正規直交関数系によるフーリエ級数

区間 $[-\pi, \pi]$ において，1，$\cos kx$，$\sin kx$ ($k=1, 2, 3, \cdots$) をそれぞれのノルム（大きさ）で割った関数系を $\{u_k(x)\}$ とおくと，

$$\{u_k(x)\} = \left\{ \frac{1}{\sqrt{2\pi}}, \frac{\cos x}{\sqrt{\pi}}, \frac{\sin x}{\sqrt{\pi}}, \frac{\cos 2x}{\sqrt{\pi}}, \frac{\sin 2x}{\sqrt{\pi}}, \cdots\cdots \right\} \quad \text{となり，}$$

これは "正規直交関数系" になり，$u_m(x)$ と $u_n(x)$ の内積は，

$$(u_m(x), u_n(x)) = \int_{-\pi}^{\pi} u_m(x) u_n(x) dx = \begin{cases} 1 & (m=n \text{ のとき}) \\ 0 & (m \neq n \text{ のとき}) \end{cases} \quad \text{となる。}$$

正規直交関数系によるフーリエ級数

$-\pi < x \leq \pi$ で定義された周期 2π の区分的に滑らかな周期関数 $f(x)$ は，不連続点を除けば，正規直交関数系 $\{u_k(x)\}$ により，次のようにフーリエ級数で表すことができる。

$$f(x) = \sum_{k=0}^{\infty} \alpha_k u_k(x)$$

フーリエ係数 $\alpha_k = \int_{-\pi}^{\pi} f(x) \cdot u_k(x) dx \quad (k=0, 1, 2, \cdots)$

参考

α_k と，これまでの三角関数によるフーリエ級数の係数 a_k，b_k との関係も示しておこう。

$$\frac{a_0}{2} + \sum_{k=1}^{\infty} (a_k \cos kx + b_k \sin kx) = \underbrace{\frac{\sqrt{2\pi}a_0}{2}}_{\alpha_0} \underbrace{\frac{1}{\sqrt{2\pi}}}_{u_0(x)} + \sum_{k=1}^{\infty} \left(\underbrace{\sqrt{\pi} a_k}_{\alpha_{2k-1}} \underbrace{\frac{\cos kx}{\sqrt{\pi}}}_{u_{2k-1}(x)} + \underbrace{\sqrt{\pi} b_k}_{\alpha_{2k}} \underbrace{\frac{\sin kx}{\sqrt{\pi}}}_{u_{2k}(x)} \right)$$

$\therefore \alpha_0 = \sqrt{\frac{\pi}{2}} a_0$，$\alpha_{2k-1} = \sqrt{\pi} a_k$，$\alpha_{2k} = \sqrt{\pi} b_k$ ($k=1, 2, 3, \cdots$) となる。

(4) ベッセルの不等式とパーシヴァルの等式

周期 2π の区分的に滑らかな周期関数 $f(x)$ のフーリエ級数は，

$$f(x) = \sum_{k=0}^{\infty} \alpha_k u_k(x) \quad \left(\begin{array}{l} \text{ただし，} \{u_k(x)\}:\text{正規直交関数系} \\ \alpha_k = \int_{-\pi}^{\pi} f(x) \cdot u_k(x) dx \quad (k = 0, 1, 2, \cdots) \end{array} \right)$$

と表せた。この近似式として，右辺の N 項までの部分和で $f(x)$ は近似的に，$f(x) \fallingdotseq \sum_{k=0}^{N} \alpha_k u_k(x)$ と表すことができる。

ここで，$f(x)$ と $\sum_{k=0}^{N} \alpha_k u_k(x)$ の 2 乗誤差を 1 周期 $[-\pi, \pi]$ に渡って x で積分して，これを I_N とおくと，

$I_N = \int_{-\pi}^{\pi} \{f(x) - \sum_{k=0}^{N} \alpha_k u_k(x)\}^2 dx = \|f(x)\|^2 - 2\sum_{k=0}^{N} \alpha_k^2 \geqq 0$ であり，これは $N \to \infty$ でも成り立つ。よって，ベッセルの不等式：$\|f(x)\|^2 \geqq \sum_{k=0}^{\infty} \alpha_k^2$ が導ける。さらに $f(x)$ に対して，フーリエ級数 $\sum_{k=0}^{\infty} \alpha_k u_k(x)$ は平均収束するので，$\lim_{N \to \infty} I_N = 0$ となる。よって，パーシヴァルの等式：$\|f(x)\|^2 = \sum_{k=0}^{\infty} \alpha_k^2$ が導ける。このパーシヴァルの等式を利用することにより，様々な無限級数の和の値を求めることができる。

(5) ギブスの現象

区分的に滑らかな周期関数 $f(x)$ をフーリエ級数に展開するとき，その不連続点で上下にツノが残る。これを，**ギブスの現象**という。

一般に，不連続部におけるギブスの現象（ツノ）の大きさは，左右両極限の差の約 **9%** となることが知られている。

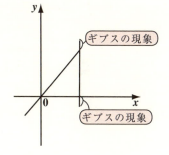

§3. フーリエ級数の項別微分と項別積分

周期 2π の区分的に滑らかな周期関数 $f(x)$ と，そのフーリエ級数について，項別微分と項別積分の条件を下に示す。

フーリエ級数の項別微分と項別積分

周期 2π の区分的に滑らかな周期関数 $f(x)$ が，

$$f(x) = \frac{a_0}{2} + \sum_{k=1}^{\infty}(a_k \cos kx + b_k \sin kx) \quad \cdots\cdots ①$$

のように，フーリエ級数展開されているとき，

(Ⅰ) $f(x)$ が区分的に滑らかで，かつ連続であれば，①の右辺は項別に微分できて，それは $f'(x)$ のフーリエ級数に一致する。

$$\therefore f'(x) = \sum_{k=1}^{\infty}(-ka_k \sin kx + kb_k \cos kx) \quad \cdots\cdots ②$$

(Ⅱ) $f(x)$ は区分的に滑らかであるので，①の右辺は積分区間 $[-\pi, x]$ で項別に積分できて，それは $\int_{-\pi}^{x} f(t)\,dt$ のフーリエ級数と一致する。 （x と区別するため，積分変数を t とした。）

$$\therefore \int_{-\pi}^{x} f(t)\,dt = \frac{a_0}{2}(x+\pi) + \sum_{k=1}^{\infty} \frac{1}{k}\{a_k \sin kx - b_k(\cos kx - \cos k\pi)\} \quad \cdots\cdots ③$$

(Ⅰ) ①の両辺を x で微分すると②が導ける。

(Ⅱ) ①の両辺の変数 x を t で表し，これらを区間 $[-\pi, x]$ で積分すると，

$$\int_{-\pi}^{x} f(t)\,dt = \int_{-\pi}^{x} \left\{\frac{a_0}{2} + \sum_{k=1}^{\infty}(a_k \cos kt + b_k \sin kt)\right\} dt$$

$$= \int_{-\pi}^{x} \frac{a_0}{2}\,dt + \sum_{k=1}^{\infty}\left(a_k \int_{-\pi}^{x} \cos kt\,dt + b_k \int_{-\pi}^{x} \sin kt\,dt\right)$$

（項別積分）

$\left[\dfrac{a_0}{2}t\right]_{-\pi}^{x} = \dfrac{a_0}{2}(x+\pi)$ 　　$\dfrac{1}{k}[\sin kt]_{-\pi}^{x} = \dfrac{1}{k}\sin kx$ 　　$-\dfrac{1}{k}[\cos kt]_{-\pi}^{x} = -\dfrac{1}{k}(\cos kx - \cos k\pi)$

$$\therefore \int_{-\pi}^{x} f(t)\,dt = \frac{a_0}{2}(x+\pi) + \sum_{k=1}^{\infty} \frac{1}{k}\{a_k \sin kx - b_k(\cos kx - \cos k\pi)\} \quad \cdots\cdots ③$$

が導ける。

§4. デルタ関数と単位階段関数

ディラックのデルタ関数 $\delta(x-a)$ と単位階段関数 $u(x-a)$ (a：実数定数) の定義と、これらの基本公式を以下に示す。

デルタ関数と単位階段関数

(Ⅰ) ディラックのデルタ関数 $\delta(x-a)$

(ⅰ) $\delta(x-a) = \begin{cases} \infty & (x = a \text{ のとき}) \\ 0 & (x \neq a \text{ のとき}) \end{cases}$

(ⅱ) $\int_{-\infty}^{\infty} \delta(x-a)dx = 1$

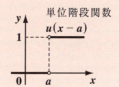
ディラックの
デルタ関数
$\delta(x-a)$

これは正の数 ε を使って、$\int_{a-\varepsilon}^{a+\varepsilon} \delta(x-a)dx = 1$ としてもいいね。要は、a をまたいで積分すれば、1 となるからだ。

(Ⅱ) 単位階段関数

(ⅰ) $u(x-a) = \begin{cases} 0 & (x < a \text{ のとき}) \\ 1 & (a < x \text{ のとき}) \end{cases}$

(ⅱ) $u(x-a) = \int_{-\infty}^{x} \delta(t-a)dt$

(Ⅲ) デルタ関数と単位階段関数の性質

(ⅰ) $\dfrac{d}{dx}u(x-a) = \delta(x-a)$

(ⅱ) $\int_{-\infty}^{\infty} f(x)\delta(x-a)dx = f(a)$

(ⅲ) $x\delta(x-a) = a\delta(x-a)$

(ⅳ) $f(x)\delta(x-a) = f(a)\delta(x-a)$ （ただし、a は定数）

周期 2π のデルタ関数 $\delta(x-2k\pi)$ (k：整数) の無限和 $\sum_{k=-\infty}^{\infty} \delta(x-2k\pi)$ は、次のようにフーリエ級数に展開できる。

$$\sum_{k=-\infty}^{\infty} \delta(x-2k\pi) = \frac{1}{2\pi} + \frac{1}{\pi}\sum_{k=1}^{\infty} \cos kx$$

演習問題 23 ● R-L の補助定理 ●

$f(x)$ が閉区間 $[a, b]$ で区分的に連続のとき,次の等式が成り立つことを示せ。
$$\lim_{\alpha \to \infty} \int_a^b f(x)\cos\alpha x\, dx = 0 \quad \cdots\cdots (*)$$

ヒント! $f(x)$ を区間 $[a, b]$ で連続と考えてよいので,この区間で $|f(x)| \leq M$(定数)となる。さらに区間 $[a, b]$ を n 等分して,$\alpha \to \infty$ のとき $\left|\int_a^b f(x)\cos\alpha x\, dx\right|$ が 0 に収束することを示せばよい。$(*)$ は,リーマン・ルベーグの補助定理と呼ばれる。

解答&解説

$f(x)$ は,区間 $[a, b]$ で区分的に連続なので,これを連続な小区間に分けて考えてもよい。よって,初めから $f(x)$ は $[a, b]$ で連続であるものとする。すると,
$f(x)$ は区間 $[a, b]$ で有界なので,
$\quad |f(x)| \leq M \quad \cdots\cdots ①\quad (M:\text{正の定数})$

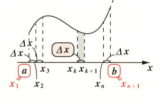

ここで,右図に示すように,区間 $[a, b]$ を
$a = x_1 < x_2 < x_3 < \cdots < x_k < x_{k+1} < \cdots < x_n < x_{n+1} = b$
となるように,$x_1, x_2, \cdots, x_k, x_{k+1}, \cdots, x_n, x_{n+1}$ で等間隔に n 等分し,
(a)   (b)

$\Delta x = x_{k+1} - x_k \quad \cdots\cdots ② \qquad n \cdot \Delta x = b - a \quad \cdots\cdots ③ \quad$ とおく。

ここで,$(*)$ の定積分の絶対値について,

$$\left|\int_a^b f(x)\cos\alpha x\, dx\right| = \left|\sum_{k=1}^n \int_{x_k}^{x_{k+1}} \underbrace{f(x)}_{\{f(x)-f(x_k)\}+f(x_k)}\cos\alpha x\, dx\right|$$

$$\leq \sum_{k=1}^n \left|\int_{x_k}^{x_{k+1}} [\{f(x)-f(x_k)\}+f(x_k)]\cos\alpha x\, dx\right|$$

$$\leq \sum_{k=1}^n \left[\left|\int_{x_k}^{x_{k+1}}\{f(x)-f(x_k)\}\cos\alpha x\, dx\right| + \left|\int_{x_k}^{x_{k+1}} \underbrace{f(x_k)}_{\text{定数}}\cos\alpha x\, dx\right|\right]$$

$$\leq \sum_{k=1}^n \left\{\int_{x_k}^{x_{k+1}} |f(x)-f(x_k)|\, \underbrace{|\cos\alpha x|}_{\text{1 以下}}\, dx + \underbrace{|f(x_k)|}_{M \text{ 以下}}\left|\int_{x_k}^{x_{k+1}}\cos\alpha x\, dx\right|\right\}$$

よって，正の数 α に対して，

$$\left|\int_a^b f(x)\cos\alpha x\, dx\right| \leq \sum_{k=1}^{n}\left\{\int_{x_k}^{x_{k+1}}|f(x)-f(x_k)|\,dx + M\left|\int_{x_k}^{x_{k+1}}\cos\alpha x\, dx\right|\right\}$$

$$\left|\frac{1}{\alpha}[\sin\alpha x]_{x_k}^{x_{k+1}}\right| = \frac{1}{\alpha}|\sin\alpha x_{k+1}-\sin\alpha x_k| \leq \frac{1}{\alpha}(|\sin\alpha x_{k+1}|+|\sin\alpha x_k|) \leq \frac{2}{\alpha}$$

（1 以下，1 以下）

$$\leq \sum_{k=1}^{n}\left\{\int_{x_k}^{x_{k+1}}|f(x)-f(x_k)|\,dx + \frac{2M}{\alpha}\right\} \quad \cdots\cdots ④ \quad となる。$$

（ε 以下）

ここで，$f(x)$ は連続関数なので，分割数 n をある大きな自然数 N 以上にとれば，

$|f(x)-f(x_k)| \leq \varepsilon$（正の定数）とすることができる。よって④は，

$$\left|\int_a^b f(x)\cos\alpha x\, dx\right| \leq \sum_{k=1}^{n}\left(\int_{x_k}^{x_{k+1}}\varepsilon\, dx + \frac{2M}{\alpha}\right) \quad （ただし，n \geq N とする。）$$

$$\varepsilon\int_{x_k}^{x_{k+1}}1\cdot dx = \varepsilon[x]_{x_k}^{x_{k+1}} = \varepsilon(x_{k+1}-x_k) = \varepsilon\Delta x \quad （② より）$$

$$= \varepsilon\sum_{k=1}^{n}\Delta x + \sum_{k=1}^{n}\frac{2M}{\alpha} = \varepsilon(b-a) + \frac{2Mn}{\alpha} \quad \cdots\cdots ⑤ \quad となる。$$

（$n\cdot\Delta x = b-a$（③より））　（$n\cdot\frac{2M}{\alpha}$（$\because \frac{2M}{\alpha}$ は定数））

ここで，$\frac{2Mn}{\alpha} \leq \varepsilon$，すなわち $\frac{2Mn}{\varepsilon} \leq \alpha$ となるように正の数 α を取ることができる。よって⑤は，

$$\left|\int_a^b f(x)\cos\alpha x\, dx\right| \leq \varepsilon(b-a) + \varepsilon = \varepsilon(b-a+1) \quad \cdots\cdots ⑥ \quad となる。$$

（正の定数）

ここで，どんなに小さな ε に対しても，$\alpha\to\infty$ とすれば⑥は成り立つ。

$$\therefore \lim_{\alpha\to\infty}\int_a^b f(x)\cos\alpha x\, dx = 0$$

以上より，$\displaystyle\lim_{\alpha\to\infty}\int_a^b f(x)\cos\alpha x\, dx = 0 \quad \cdots\cdots (*)$ は成り立つ。 $\cdots\cdots$（終）

この $R\text{-}L$ の補助定理を用いることにより，フーリエの定理（各点収束の定理）を証明することができる。（「フーリエ解析キャンパス・ゼミ」参照）

演習問題 24 　●一様収束（I）●

$$f(x) = \begin{cases} 0 & (-\pi < x \leq 0) \\ \sin x & (0 < x \leq \pi) \end{cases} \quad \cdots\cdots ①$$

で定義される周期 2π の周期関数 $f(x)$ は次のようなフーリエ級数に展開される。

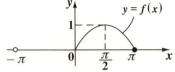

$$f(x) = \frac{1}{\pi} + \frac{1}{2}\sin x - \sum_{k=2}^{\infty} \frac{1+(-1)^k}{\pi(k^2-1)}\cos kx \quad \cdots\cdots ② \quad (演習問題 5(P24))$$

②のフーリエ級数が①の $f(x)$ に一様収束することを，ワイエルシュトラスの M 判定法により示せ。ただし，無限級数の和の公式：
$\frac{1}{1^2} + \frac{1}{2^2} + \frac{1}{3^2} + \frac{1}{4^2} + \cdots\cdots = \frac{\pi^2}{6}$ は使ってよいものとする。

ヒント！ 一般に，区間 (a, b) において無限級数の和 $\sum_{k=1}^{\infty} v_k(x)$ が関数 $g(x)$ に一様収束することは，次のワイエルシュトラスの M 判定法によって示すことができる。

「区間 (a, b) において，$|v_k(x)| \leq M_k \ (k=1, 2, 3, \cdots)$ をみたす M_k が存在し，かつ $\sum_{k=1}^{\infty} M_k$ が収束するとき，$\sum_{k=1}^{\infty} v_k(x)$ は関数 $g(x)$ に一様収束する。」

解答&解説

$f(x)$ は，区間 $(-\pi, \pi]$ において区分的に滑らかで，かつ連続な周期 2π の周期関数であり，これは次のようにフーリエ級数に展開できる。

$$f(x) = \frac{1}{\pi} + \underbrace{\frac{1}{2}\sin x + \sum_{k=2}^{\infty} \frac{-1-(-1)^k}{\pi(k^2-1)}\cos kx}_{} \quad \cdots\cdots ②$$

これを $\sum_{k=1}^{\infty} v_k(x)$ とおいて，この無限級数が $g(x)\left(= f(x) - \frac{1}{\pi}\right)$ に一様収束することを示す。

ここで，$\sum_{k=1}^{\infty} v_k(x) = \frac{1}{2}\sin x + \sum_{k=2}^{\infty} \frac{-1-(-1)^k}{\pi(k^2-1)}\cos kx$，すなわち，

・$k=1$ のとき，　　　　　$v_1(x) = \frac{1}{2}\sin x \quad \cdots\cdots ③$

・$k=2, 3, 4, \cdots$ のとき，$v_k(x) = -\frac{1+(-1)^k}{\pi(k^2-1)}\cos kx \quad \cdots\cdots ④$ とおいて，

まず，無限級数 $\sum_{k=1}^{\infty} v_k(x)$ が，関数 $g(x) = f(x) - \dfrac{1}{\pi}$ に一様収束することを，ワイエルシュトラスの M 判定法により示す。

(i) $k = 2, 3, 4, \cdots$ のとき，④より，

$$|v_k(x)| = \left|-\dfrac{1+(-1)^k}{\pi(k^2-1)} \cos kx\right| \leq \dfrac{1}{\pi} \cdot \dfrac{1 \cdot \boxed{|(-1)^k|}}{k^2-1} |\cos kx|$$

$$\leq \dfrac{1}{\pi} \cdot \dfrac{1+1}{k^2-1} \cdot 1 \leq \dfrac{2}{\pi} \cdot \dfrac{1}{\frac{3}{4}k^2}$$

1 以下

$k \geq 2$ より，$k^2 - 4 \geq 0$
$\dfrac{1}{4}k^2 - 1 \geq 0$，$k^2 - 1 \geq \dfrac{3}{4}k^2$
分母を小さくすると，数は大きくなる。

よって，$M_k = \dfrac{8}{3\pi} \cdot \dfrac{1}{k^2}$ $(k = 1, 2, 3, \cdots)$ とおくと，

$|v_k(x)| \leq M_k$ ……⑤ $(k = 2, 3, 4, \cdots)$ となる。

(ii) $k = 1$ のとき，③より，

$|v_1(x)| = \left|\dfrac{1}{2} \sin x\right| \leq \dfrac{1}{2} \leq \dfrac{8}{3\pi} \cdot \dfrac{1}{1^2} = M_1$ ……⑥ となる。

以上 (i)(ii) の⑤，⑥より，

$|v_k(x)| \leq M_k$ $\left(M_k = \dfrac{8}{3\pi} \cdot \dfrac{1}{k^2}\ (k = 1, 2, 3, \cdots)\right)$ であり，

この M_k の無限級数の和は

$$\sum_{k=1}^{\infty} M_k = \dfrac{8}{3\pi} \sum_{k=1}^{\infty} \dfrac{1}{k^2} = \dfrac{8}{3\pi} \underbrace{\left(\dfrac{1}{1^2} + \dfrac{1}{2^2} + \dfrac{1}{3^2} + \dfrac{1}{4^2} + \cdots\right)}_{\dfrac{\pi^2}{6}\ (無限級数の和の公式)}$$

$= \dfrac{8}{3\pi} \cdot \dfrac{\pi^2}{6} = \dfrac{4\pi}{9}$ となって収束する。

これから，ワイエルシュトラスの M 判定法により，

$\sum_{k=1}^{\infty} v_k(x) = \dfrac{1}{2} \sin x - \sum_{k=2}^{\infty} \dfrac{1+(-1)^k}{\pi(k^2-1)} \cos kx$ は $g(x) = f(x) - \dfrac{1}{\pi}$ に一様収束する。

よって，②の右辺のフーリエ級数：$\dfrac{1}{\pi} + \dfrac{1}{2} \sin x - \sum_{k=2}^{\infty} \dfrac{1+(-1)^k}{\pi(k^2-1)} \cos kx$ は，

①の周期関数 $f(x)$ に一様収束する。……………………………………（終）

演習問題 25　　●一様収束(Ⅱ)●

$$f(x) = \begin{cases} x + \dfrac{\pi}{2} & \left(-\dfrac{\pi}{2} < x \leq 0\right) \\ -x + \dfrac{\pi}{2} & \left(0 < x \leq \dfrac{\pi}{2}\right) \\ 0 & \left(-\pi < x \leq -\dfrac{\pi}{2},\ \dfrac{\pi}{2} < x \leq \pi\right) \end{cases} \quad \cdots\cdots ①$$

で定義される周期 2π の周期関数 $f(x)$ は
次のようなフーリエ級数に展開される。

$$f(x) = \dfrac{\pi}{8} + \sum_{k=1}^{\infty} \dfrac{2}{\pi k^2}\left(1 - \cos\dfrac{k\pi}{2}\right)\cos kx \quad \cdots\cdots ② \;(\text{演習問題 7(P30)})$$

②のフーリエ級数が①の $f(x)$ に一様収束することを，ワイエルシュトラスの M 判定法により示せ。ただし，無限級数の和の公式：
$\dfrac{1}{1^2} + \dfrac{1}{2^2} + \dfrac{1}{3^2} + \dfrac{1}{4^2} + \cdots\cdots = \dfrac{\pi^2}{6}$ は，使ってよいものとする。

ヒント！　まず，$g(x) = f(x) - \dfrac{\pi}{8}$，$v_k(x) = \dfrac{2}{\pi k^2}\left(1 - \cos\dfrac{k\pi}{2}\right)\cos kx$ とおき，$|v_k(x)| \leq M_k$ をみたす k の式 M_k を求め，$\sum_{k=1}^{\infty} M_k$ が収束することを示せばよい。

解答＆解説

$f(x)$ は，区間 $(-\pi, \pi]$ において区分的に滑らかで，かつ連続な周期 2π の周期関数であり，これは次のようにフーリエ級数展開できる。

$$f(x) = \dfrac{\pi}{8} + \underline{\sum_{k=1}^{\infty} \dfrac{2}{\pi k^2}\left(1 - \cos\dfrac{k\pi}{2}\right)\cos kx} \quad \cdots\cdots ②$$

これを，$\sum_{k=1}^{\infty} v_k(x)$ とおいて，この無限級数が，$g(x) = f(x) - \dfrac{\pi}{8}$ に一様収束することを示す。

ここで，$g(x) = f(x) - \dfrac{\pi}{8} \quad \cdots\cdots ③$ とおき，さらに，

$v_k(x) = \dfrac{2}{\pi k^2}\left(1 - \cos\dfrac{k\pi}{2}\right)\cos kx \quad \cdots\cdots ④ \;(k = 1, 2, 3, \cdots)$ とおいて，

まず，無限級数 $\sum_{k=1}^{\infty} v_k(x)$ が，関数 $g(x)\left(= f(x) - \dfrac{\pi}{8}\right)$ に一様収束することを，
ワイエルシュトラスの M 判定法により示す。

●フーリエ級数（Ⅱ）

$$|v_k(x)| = \left|\frac{2}{\pi} \cdot \frac{1}{k^2}\left(1 - \cos\frac{k\pi}{2}\right) \cdot \cos kx\right|$$

　　・$|a-b| \leq |a|+|b|$
　　・$|\cos\theta| \leq 1$

$$\leq \frac{2}{\pi} \cdot \frac{1}{k^2}\left(1 + \left|\cos\frac{k\pi}{2}\right|\right) \cdot |\cos kx|$$

　　　　　　　　　　1以下　　　1以下

$$\leq \frac{2}{\pi} \cdot \frac{1}{k^2}(1+1) \cdot 1 = \frac{4}{\pi} \cdot \frac{1}{k^2}$$

よって，$M_k = \dfrac{4}{\pi} \cdot \dfrac{1}{k^2}$　$(k=1,2,3,\cdots)$ とおくと，

$|v_k(x)| \leq M_k$ ……⑤ $\left(M_k = \dfrac{4}{\pi} \cdot \dfrac{1}{k^2}\right)$ であり，

この M_k の無限級数の和は，

$$\sum_{k=1}^{\infty} M_k = \frac{4}{\pi}\sum_{k=1}^{\infty}\frac{1}{k^2} = \frac{4}{\pi}\left(\frac{1}{1^2} + \frac{1}{2^2} + \frac{1}{3^2} + \frac{1}{4^2} + \cdots\right)$$

　　　　　　　　　　　　　$\dfrac{\pi^2}{6}$（無限級数の和の公式）

$$= \frac{4}{\pi} \cdot \frac{\pi^2}{6} = \frac{2}{3}\pi　 となって収束する。$$

これから，ワイエルシュトラスの M 判定法により，

$\sum_{k=1}^{\infty} v_k(x) = \sum_{k=1}^{\infty}\dfrac{2}{\pi k^2}\left(1-\cos\dfrac{k\pi}{2}\right)\cos kx$ は，$g(x)\left(=f(x)-\dfrac{\pi}{8}\right)$ に一様収束する。

よって，②の右辺のフーリエ級数：$\dfrac{\pi}{8} + \sum_{k=1}^{\infty}\dfrac{2}{\pi k^2}\left(1-\cos\dfrac{k\pi}{2}\right)\cos kx$ は，

①の周期関数 $f(x)$ に一様収束する。……………………………………（終）

演習問題 26 　　●一様収束（Ⅲ）●

$$f(x) = \begin{cases} e^{-\frac{1}{2}x} & (-2 < x \leq 0) \\ e^{\frac{1}{2}x} & (0 < x \leq 2) \end{cases} \quad \cdots\cdots ①$$

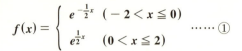

で定義される周期 4 の周期関数 $f(x)$ は次のようなフーリエ級数に展開される。

$$f(x) = e - 1 + \sum_{k=1}^{\infty} \frac{2\{(-1)^k e - 1\}}{k^2 \pi^2 + 1} \cos \frac{k\pi}{2} x \quad \cdots\cdots ② \quad （演習問題 14 (P45)）$$

②のフーリエ級数が，①の $f(x)$ に一様収束することをワイエルシュトラスの M 判定法により示せ。ただし，無限級数の和の公式：
$\frac{1}{1^2} + \frac{1}{2^2} + \frac{1}{3^2} + \frac{1}{4^2} + \cdots\cdots = \frac{\pi^2}{6}$ は使ってよいものとする。

ヒント！ まず，$g(x) = f(x) - e + 1$，$v_k(x) = \frac{2\{(-1)^k e - 1\}}{k^2 \pi^2 + 1} \cos \frac{k\pi}{2} x$ とおき，$|v_k(x)| \leq M_k$ をみたす k の式 M_k を求め，$\sum_{k=1}^{\infty} M_k$ が収束することを示そう。

解答&解説

$f(x)$ は，区間 $(-2, 2]$ において区分的に滑らかで，かつ連続な周期 4 の周期関数であり，これは次のようにフーリエ級数展開できる。

$$f(x) = e - 1 + \sum_{k=1}^{\infty} \frac{2\{(-1)^k e - 1\}}{k^2 \pi^2 + 1} \cos \frac{k\pi}{2} x \quad \cdots\cdots ②$$

これを，$\sum_{k=1}^{\infty} v_k(x)$ とおいて，この無限級数が，$g(x) = f(x) - e + 1$ に一様収束することを示す。

ここで，$g(x) = \boxed{(ア)} \quad \cdots\cdots ③$ とおき，

$v_k(x) = \frac{2\{(-1)^k e - 1\}}{k^2 \pi^2 + 1} \cos \frac{k\pi}{2} x \cdots\cdots ④ \quad (k = 1, 2, 3, \cdots)$ とおいて，

まず，無限級数 $\sum_{k=1}^{\infty} v_k(x)$ が関数 $g(x) = f(x) - e + 1$ に一様収束することを，

$\boxed{(イ) }$ により示す。

$$|v_k(x)| = \left| 2\frac{(-1)^k e - 1}{k^2\pi^2 + 1} \cos\frac{k\pi}{2}x \right|$$

$$= 2\frac{|(-1)^k e - 1|}{k^2\pi^2 + 1} \left|\cos\frac{k\pi}{2}x\right|$$

$$\leqq 2 \cdot \frac{|(-1)^k e| + 1}{k^2\pi^2 + 1} \left|\cos\frac{k\pi}{2}x\right|$$

(上の分子の $(-1)^k e$ 部分: e)
(1以下)

・$|a - b| \leqq |a| + |b|$
・$|\cos\theta| \leqq 1$

分母の $k^2\pi^2 + 1$ を $k^2\pi^2$ に小さくすると数は大きくなる。

$$\leqq \frac{2(e+1)}{k^2\pi^2 + 1} \cdot 1 \leqq \frac{2(e+1)}{k^2\pi^2}$$

よって, $M_k = \boxed{(ウ)}$ $(k = 1, 2, 3, \cdots)$ とおくと,

$$V_k(x) \leqq M_k \quad \cdots\cdots ⑤ \quad \left(M_k = \frac{2(e+1)}{\pi^2} \cdot \frac{1}{k^2}\right) \text{ であり,}$$

この M_k の無限級数の和は,

$$\sum_{k=1}^{\infty} M_k = \frac{2(e+1)}{\pi^2} \sum_{k=1}^{\infty} \frac{1}{k^2} = \frac{2(e+1)}{\pi^2}\left(\frac{1}{1^2} + \frac{1}{2^2} + \frac{1}{3^2} + \frac{1}{4^2} + \cdots\right)$$

$\parallel$
$\frac{\pi^2}{6}$ (無限級数の和の公式)

$$= \frac{2(e+1)}{\pi^2} \cdot \frac{\pi^2}{6} = \frac{e+1}{3} \text{ となって収束する。}$$

これから, ワイエルシュトラスの M 判定法により, $\sum_{k=1}^{\infty} v_k(x)$ は,
$g(x)(= f(x) - e + 1)$ に一様収束する。

よって, ②の右辺のフーリエ級数: $e - 1 + \sum_{k=1}^{\infty} \frac{2\{(-1)^k e - 1\}}{k^2\pi^2 + 1} \cos\frac{k\pi}{2}x$ は

①の周期関数 $\boxed{(エ)}$ に一様収束する。 $\cdots\cdots\cdots\cdots\cdots\cdots\cdots\cdots\cdots\cdots\cdots\cdots\cdots\cdots$ (終)

解答 (ア) $f(x) - e + 1$　　(イ) ワイエルシュトラスの M 判定法

(ウ) $\frac{2(e+1)}{\pi^2} \cdot \frac{1}{k^2}$　　(エ) $f(x)$

演習問題 27 ●パーシヴァルの等式 (I)●

周期 2π の周期関数 $f(x) = \begin{cases} \dfrac{1}{2}x + \dfrac{\pi}{2} & (-\pi < x \leq 0) \\ \dfrac{1}{2}x & (0 < x \leq \pi) \end{cases}$ をフーリエ級数で展開

すると, $f(x) = \dfrac{\pi}{4} + \sum_{k=1}^{\infty} \dfrac{-1-(-1)^k}{2k}\sin kx$ ……① (P18) となる。これから,

パーシヴァルの等式を用いて, $\dfrac{1}{1^2} + \dfrac{1}{2^2} + \dfrac{1}{3^2} + \dfrac{1}{4^2} + \cdots = \dfrac{\pi^2}{6}$ ……(*) が成り

立つことを示せ。

ヒント! ①を正規直交関数系 $\{u_k(x)\} = \left\{\dfrac{1}{\sqrt{2\pi}}, \dfrac{\cos x}{\sqrt{\pi}}, \dfrac{\sin x}{\sqrt{\pi}}, \dfrac{\cos 2x}{\sqrt{\pi}}, \dfrac{\sin 2x}{\sqrt{\pi}}, \ldots\right\}$

で展開して, パーシヴァルの等式 $\|f(x)\|^2 = \sum_{k=0}^{\infty} \alpha_k^2$ を用いれば, (*)の無限級数

の和の公式が導ける。

解答&解説

周期関数 $f(x)$ を, 正規直交関数系 $\{u_k(x)\} =$
$\left\{\underbrace{\dfrac{1}{\sqrt{2\pi}}}_{u_0(x)}, \underbrace{\dfrac{\cos x}{\sqrt{\pi}}}_{u_1(x)}, \underbrace{\dfrac{\sin x}{\sqrt{\pi}}}_{u_2(x)}, \underbrace{\dfrac{\cos 2x}{\sqrt{\pi}}}_{u_3(x)}, \underbrace{\dfrac{\sin 2x}{\sqrt{\pi}}}_{u_4(x)}, \ldots\right\}$

を使って展開すると, ①より

$f(x) = \underbrace{\dfrac{\sqrt{2\pi}\,\pi}{4}}_{\alpha_0} \cdot \underbrace{\dfrac{1}{\sqrt{2\pi}}}_{u_0(x)} + \sum_{k=1}^{\infty} \underbrace{\dfrac{\sqrt{\pi}\{-1-(-1)^k\}}{2k}}_{\alpha_{2k}} \cdot \underbrace{\dfrac{\sin kx}{\sqrt{\pi}}}_{u_{2k}(x)}$

> 今回, $\alpha_{2k-1} = 0$
> $(k = 1, 2, 3, \cdots)$ である。

ここで, $u_k(x)$ の係数を α_k $(k = 1, 2, 3, \cdots)$ とおいて, パーシヴァルの公式:

$\|f(x)\|^2 = \sum_{k=0}^{\infty} \alpha_k^2$ ……② が成り立つ。

(i) $\|f(x)\|^2 = \int_{-\pi}^{\pi}\{f(x)\}^2\,dx = \int_{-\pi}^{0}\left(\dfrac{1}{2}x + \dfrac{\pi}{2}\right)^2 dx + \int_{0}^{\pi}\left(\dfrac{1}{2}x\right)^2 dx = \dfrac{\pi^3}{6}$ ……③

> $x + \pi = t$ とおくと, $\int_{0}^{\pi}\left(\dfrac{1}{2}t\right)^2 dt = \dfrac{1}{4}\left[\dfrac{1}{3}t^3\right]_0^{\pi} = \dfrac{\pi^3}{12}$ $\dfrac{1}{4}\left[\dfrac{1}{3}x^3\right]_0^{\pi} = \dfrac{\pi^3}{12}$

(ii) $\sum_{k=0}^{\infty} \alpha_k{}^2 = \underbrace{\left(\dfrac{\sqrt{2\pi}\,\pi}{4}\right)^2}_{\alpha_0{}^2} + \sum_{k=1}^{\infty} \underbrace{\left[\dfrac{\sqrt{\pi}\{-1-(-1)^k\}}{2k}\right]^2}_{\alpha_{2k}{}^2}$

$= \dfrac{\pi^3}{8} + \dfrac{\pi}{4}\sum_{k=1}^{\infty} \dfrac{1+2(-1)^k+\boxed{(-1)^{2k}}}{k^2}$ ①

$= \dfrac{\pi^3}{8} + \dfrac{\pi}{4}\sum_{k=1}^{\infty} \dfrac{2\{1+(-1)^k\}}{k^2}$

$= \dfrac{\pi^3}{8} + \dfrac{\pi}{2}\left\{\underbrace{\sum_{k=1}^{\infty}\dfrac{1}{k^2}}_{\frac{1}{1^2}+\frac{1}{2^2}+\frac{1}{3^2}+\frac{1}{4^2}+\frac{1}{5^2}+\frac{1}{6^2}+\cdots} + \underbrace{\sum_{k=1}^{\infty}\dfrac{(-1)^k}{k^2}}_{-\frac{1}{1^2}+\frac{1}{2^2}-\frac{1}{3^2}+\frac{1}{4^2}-\frac{1}{5^2}+\frac{1}{6^2}-\cdots}\right\}$

$= \dfrac{\pi^3}{8} + \dfrac{\pi}{2} \cdot 2\left(\dfrac{1}{2^2}+\dfrac{1}{4^2}+\dfrac{1}{6^2}+\dfrac{1}{8^2}+\cdots\right)$

$\boxed{\dfrac{1}{2^2\cdot 1^2}+\dfrac{1}{2^2\cdot 2^2}+\dfrac{1}{2^2\cdot 3^2}+\dfrac{1}{2^2\cdot 4^2}+\cdots = \dfrac{1}{4}\left(\dfrac{1}{1^2}+\dfrac{1}{2^2}+\dfrac{1}{3^2}+\dfrac{1}{4^2}+\cdots\right)}$

$\therefore \sum_{k=0}^{\infty} \alpha_k{}^2 = \underline{\dfrac{\pi^3}{8} + \dfrac{\pi}{4}\left(\dfrac{1}{1^2}+\dfrac{1}{2^2}+\dfrac{1}{3^2}+\dfrac{1}{4^2}+\cdots\right)}$ ……④

以上 (i)(ii) より, ③, ④を②に代入して,

$\underset{\sim}{\dfrac{\pi^3}{6}} = \underline{\dfrac{\pi^3}{8} + \dfrac{\pi}{4}\left(\dfrac{1}{1^2}+\dfrac{1}{2^2}+\dfrac{1}{3^2}+\dfrac{1}{4^2}+\cdots\right)}$ より,

$\dfrac{1}{1^2}+\dfrac{1}{2^2}+\dfrac{1}{3^2}+\dfrac{1}{4^2}+\cdots = \dfrac{4}{\pi}\left(\dfrac{\pi^3}{6} - \dfrac{\pi^3}{8}\right) = \dfrac{4}{\pi} \cdot \dfrac{\pi^3}{24}$

$\therefore \dfrac{1}{1^2}+\dfrac{1}{2^2}+\dfrac{1}{3^2}+\dfrac{1}{4^2}+\cdots = \dfrac{\pi^2}{6}$ ……(∗) が成り立つ。…………………(終)

演習問題 28 ● パーシヴァルの等式 (Ⅱ) ●

周期 2π の周期関数 $f(x) = \begin{cases} \dfrac{1}{2}x + \dfrac{\pi}{2} & (-\pi < x \leq 0) \\ \dfrac{\pi}{2} & (0 < x \leq \pi) \end{cases}$ をフーリエ級数

に展開すると,

$f(x) = \dfrac{3\pi}{8} + \sum_{k=1}^{\infty} \left\{ \dfrac{1-(-1)^k}{2\pi k^2} \cos kx + \dfrac{(-1)^{k+1}}{2k} \sin kx \right\} \cdots$ ① (P21) となる。これ

から, パーシヴァルの等式を用いて, $\dfrac{1}{1^4} + \dfrac{1}{3^4} + \dfrac{1}{5^4} + \dfrac{1}{7^4} + \cdots = \dfrac{\pi^4}{90}$ ……(*) が

成り立つことを示せ。$\dfrac{1}{1^2} + \dfrac{1}{2^2} + \dfrac{1}{3^2} + \cdots = \dfrac{\pi^2}{6}$ ……(*)' は用いてもよい。

ヒント! ①を正規直交関数系 $\{u_k(x)\}$ のフーリエ級数に書き換えて, パーシヴァルの等式: $\|f(x)\|^2 = \sum_{k=0}^{\infty} \alpha_k^2$ を用いて, (*)の式を導けばよい。

解答&解説

周期関数 $f(x)$ を, 正規直交関数系 $\{u_k(x)\} =$

$\left\{ \underbrace{\dfrac{1}{\sqrt{2\pi}}}_{u_0(x)}, \underbrace{\dfrac{\cos x}{\sqrt{\pi}}}_{u_1(x)}, \underbrace{\dfrac{\sin x}{\sqrt{\pi}}}_{u_2(x)}, \underbrace{\dfrac{\cos 2x}{\sqrt{\pi}}}_{u_3(x)}, \underbrace{\dfrac{\sin 2x}{\sqrt{\pi}}}_{u_4(x)}, \cdots \right\}$

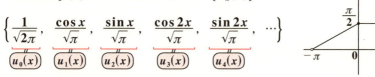

を使って展開すると, ①より,

$f(x) = \underbrace{\dfrac{3\sqrt{2\pi}\pi}{8}}_{\alpha_0} \cdot \underbrace{\dfrac{1}{\sqrt{2\pi}}}_{u_0(x)} + \sum_{k=1}^{\infty} \left\{ \underbrace{\dfrac{1-(-1)^k}{2\sqrt{\pi}k^2}}_{\alpha_{2k-1}} \cdot \underbrace{\dfrac{\cos kx}{\sqrt{\pi}}}_{u_{2k-1}(x)} + \underbrace{\dfrac{\sqrt{\pi}(-1)^{k+1}}{2k}}_{\alpha_{2k}} \cdot \underbrace{\dfrac{\sin kx}{\sqrt{\pi}}}_{u_{2k}(x)} \right\}$

ここで, $u_k(x)$ の係数を α_k ($k = 1, 2, 3, \cdots$) とおくと, パーシヴァルの等式:

$\|f(x)\|^2 = \sum_{k=0}^{\infty} \alpha_k^2$ ……② が成り立つ。

(ⅰ) $\|f(x)\|^2 = \int_{-\pi}^{\pi} \{f(x)\}^2 dx = \int_{-\pi}^{0} \left(\dfrac{1}{2}x + \dfrac{\pi}{2} \right)^2 dx + \int_{0}^{\pi} \left(\dfrac{\pi}{2} \right)^2 dx$

$\boxed{x + \pi = t \text{ とおくと } \int_{0}^{\pi} \left(\dfrac{1}{2}t \right)^2 dt = \dfrac{1}{4} \left[\dfrac{1}{3}t^3 \right]_{0}^{\pi} = \dfrac{\pi^3}{12}} \quad \boxed{\dfrac{\pi^2}{4} \int_{0}^{\pi} 1 \cdot dx = \dfrac{\pi^2}{4} [x]_{0}^{\pi} = \dfrac{\pi^3}{4}}$

82

●フーリエ級数（Ⅱ）

$$\therefore \|f(x)\|^2 = \frac{\pi^3}{12} + \frac{\pi^3}{4} = \frac{1+3}{12}\pi^3 = \frac{1}{3}\pi^3 \quad \cdots\cdots ③$$

(ⅱ) $\sum_{k=0}^{\infty} \alpha_k^2 = \alpha_0^2 + \sum_{k=1}^{\infty}(\alpha_{2k-1}^2 + \alpha_{2k}^2)$

$$= \left(\frac{3\pi\sqrt{\pi}}{4\sqrt{2}}\right)^2 + \sum_{k=1}^{\infty}\left[\left\{\frac{1-(-1)^k}{2\sqrt{\pi}\,k^2}\right\}^2 + \left\{\frac{\sqrt{\pi}\,(-1)^{k+1}}{2k}\right\}^2\right]$$

$$= \frac{9\pi^3}{32} + \sum_{k=1}^{\infty}\left\{\underbrace{\frac{1-2(-1)^k+(-1)^{2k}}{4\pi k^4}}_{2-2(-1)^k} + \frac{\pi \overbrace{(-1)^{2k+2}}^{1}}{4k^2}\right\}$$

$$= \frac{9\pi^3}{32} + \frac{1}{2\pi}\sum_{k=1}^{\infty}\frac{1-(-1)^k}{k^4} + \frac{\pi}{4}\underbrace{\sum_{k=1}^{\infty}\frac{1}{k^2}}_{\boxed{\frac{1}{1^2}+\frac{1}{2^2}+\frac{1}{3^2}+\cdots=\frac{\pi^2}{6}\,((*)'\text{より})}}$$

$$= \frac{9\pi^3}{32} + \frac{1}{2\pi}\left\{\underbrace{\sum_{k=1}^{\infty}\frac{1}{k^4}}_{\frac{1}{1^4}+\frac{1}{2^4}+\frac{1}{3^4}+\frac{1}{4^4}+\frac{1}{5^4}+\frac{1}{6^4}+\cdots} - \underbrace{\sum_{k=1}^{\infty}\frac{(-1)^k}{k^4}}_{\left(-\frac{1}{1^4}+\frac{1}{2^4}-\frac{1}{3^4}+\frac{1}{4^4}-\frac{1}{5^4}+\frac{1}{6^4}-\cdots\right)}\right\} + \frac{\pi}{4}\times\frac{\pi^2}{6}$$

$$= \underbrace{\frac{9\pi^3}{32} + \frac{\pi^3}{24}}_{\boxed{\frac{(27+4)\pi^3}{96}=\frac{31}{96}\pi^3}} + \frac{1}{2\pi}\times 2\left(\frac{1}{1^4}+\frac{1}{3^4}+\frac{1}{5^4}+\frac{1}{7^4}+\cdots\right)$$

$$\therefore \sum_{k=0}^{\infty}\alpha_k^2 = \underline{\underline{\frac{31}{96}\pi^3 + \frac{1}{\pi}\left(\frac{1}{1^4}+\frac{1}{3^4}+\frac{1}{5^4}+\frac{1}{7^4}+\cdots\right)}} \quad \cdots\cdots ④$$

以上 (ⅰ)(ⅱ) より，③, ④を②に代入すると，

$$\frac{1}{3}\pi^3 = \underline{\underline{\frac{31}{96}\pi^3 + \frac{1}{\pi}\left(\frac{1}{1^4}+\frac{1}{3^4}+\frac{1}{5^4}+\frac{1}{7^4}+\cdots\right)}} \quad \text{より，}$$

$$\frac{1}{1^4}+\frac{1}{3^4}+\frac{1}{5^4}+\frac{1}{7^4}+\cdots = \left(\frac{1}{3}-\frac{31}{96}\right)\pi^4 = \frac{32-31}{96}\pi^4$$

$$\therefore \frac{1}{1^4}+\frac{1}{3^4}+\frac{1}{5^4}+\frac{1}{7^4}+\cdots = \frac{\pi^4}{96} \quad \cdots\cdots(*) \quad \text{が成り立つ。} \quad \cdots\cdots\cdots\cdots(終)$$

参考

$\dfrac{1}{1^4}+\dfrac{1}{3^4}+\dfrac{1}{5^4}+\dfrac{1}{7^4}+\cdots=\dfrac{\pi^4}{96}$ ……($*$)から,さらに

公式:$\dfrac{1}{1^4}+\dfrac{1}{2^4}+\dfrac{1}{3^4}+\dfrac{1}{4^4}+\cdots=\dfrac{\pi^4}{90}$ …($**$)を次のように導くことができる。

$S=\dfrac{1}{1^4}+\dfrac{1}{2^4}+\dfrac{1}{3^4}+\dfrac{1}{4^4}+\dfrac{1}{5^4}+\dfrac{1}{6^4}+\cdots$ ……㋐ とおくと,

$\dfrac{1}{2^4}+\dfrac{1}{4^4}+\dfrac{1}{6^4}+\dfrac{1}{8^4}+\cdots = \dfrac{1}{2^4\cdot 1^4}+\dfrac{1}{2^4\cdot 2^4}+\dfrac{1}{2^4\cdot 3^4}+\dfrac{1}{2^4\cdot 4^4}+\cdots$

$\quad = \dfrac{1}{2^4}\left(\dfrac{1}{1^4}+\dfrac{1}{2^4}+\dfrac{1}{3^4}+\dfrac{1}{4^4}+\cdots\right)$

$\quad = \dfrac{1}{16}S$ ……㋑ となる。よって,㋐と㋑を列記すると,

$\begin{cases} S = \dfrac{1}{1^4}+\dfrac{1}{2^4}+\dfrac{1}{3^4}+\dfrac{1}{4^4}+\dfrac{1}{5^4}+\dfrac{1}{6^4}+\dfrac{1}{7^4}+\dfrac{1}{8^4}+\cdots \quad \text{……㋐} \\ \dfrac{1}{16}S = \quad\quad\ \dfrac{1}{2^4}\quad\ +\dfrac{1}{4^4}\quad\ +\dfrac{1}{6^4}\quad\ +\dfrac{1}{8^4}+\cdots \quad \text{……㋑} \end{cases}$

となる。よって,㋐-㋑を求めると,

$\dfrac{15}{16}S = \dfrac{1}{1^4}+\dfrac{1}{3^4}+\dfrac{1}{5^4}+\dfrac{1}{7^4}+\cdots = \dfrac{\pi^4}{96}$ \quad (($*$)より)

$\therefore S = \dfrac{1}{1^4}+\dfrac{1}{2^4}+\dfrac{1}{3^4}+\dfrac{1}{4^4}+\cdots = \dfrac{\pi^4}{96}\times\dfrac{16}{15}=\dfrac{\pi^4}{90}$ …($**$)が成り立つ。

演習問題 29　●パーシヴァルの等式(Ⅲ)●

周期 2π の周期関数 $f(x) = \begin{cases} 0 & (-\pi < x < 0) \\ \cos x & (0 < x < \pi) \end{cases}$ をフーリエ級数に展開

すると，$f(x) = \dfrac{1}{2}\cos x + \sum\limits_{k=2}^{\infty} \dfrac{k\{1+(-1)^k\}}{\pi(k^2-1)} \sin kx \cdots$ ①(P27) となる。これから，

パーシヴァルの等式を用いて，$\sum\limits_{k=1}^{\infty} \dfrac{k^2}{(4k^2-1)^2} = \dfrac{\pi^2}{64} \cdots (*)$ が成り立つことを示せ。

ヒント! ①を正規直交関数系 $\{u_k(x)\}$ のフーリエ級数に書き換えて，パーシヴァルの等式：$\|f(x)\|^2 = \sum\limits_{k=0}^{\infty} \alpha_k^2$ を利用すれば，(*) の等式を導ける。

解答&解説

周期関数 $f(x)$ を，正規直交関数系 $\{u_k(x)\} =$

$\left\{ \dfrac{1}{\sqrt{2\pi}},\ \dfrac{\cos x}{\sqrt{\pi}},\ \dfrac{\sin x}{\sqrt{\pi}},\ \dfrac{\cos 2x}{\sqrt{\pi}},\ \dfrac{\sin 2x}{\sqrt{\pi}},\ \ldots \right\}$

を使って展開すると，①より，

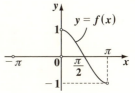

$f(x) = \underbrace{\dfrac{\sqrt{\pi}}{2}}_{\alpha_1} \cdot \underbrace{\dfrac{\cos x}{\sqrt{\pi}}}_{u_1(x)} + \sum\limits_{k=2}^{\infty} \underbrace{\dfrac{k\{1+(-1)^k\}}{\sqrt{\pi}(k^2-1)}}_{\alpha_{2k}} \cdot \underbrace{\dfrac{\sin kx}{\sqrt{\pi}}}_{u_{2k}(x)}$

　今回は，$\alpha_0 = 0$, $\alpha_{2k-1} = 0$ $(k = 2, 3, 4, \ldots)$ である。

ここで，$u_k(x)$ の係数を α_k $(k = 0, 1, 2, \ldots)$ とおくと，$\boxed{(ア)}$ の等式：

$\|f(x)\|^2 = \sum\limits_{k=0}^{\infty} \alpha_k^2 \cdots\cdots$ ② が成り立つ。

(i) $\|f(x)\|^2 = \int_{-\pi}^{\pi} \{f(x)\}^2 dx = \cancel{\int_{-\pi}^{0} 0\ dx} + \int_{0}^{\pi} \underbrace{\cos^2 x\ dx}_{\frac{1}{2}(1+\cos 2x)}$　2倍角の公式

$= \dfrac{1}{2}\int_{0}^{\pi}(1+\cos 2x)dx = \dfrac{1}{2}\left[x + \underbrace{\cancel{\dfrac{1}{2}\sin 2x}}_{0\ (\because \sin 2\pi = \sin 0 = 0)}\right]_{0}^{\pi}$

$\therefore \|f(x)\|^2 = \boxed{(イ)}\ \cdots\cdots$ ③

(ii) $\sum_{k=0}^{\infty} \alpha_k{}^2 = \alpha_1{}^2 + \sum_{k=2}^{\infty} \alpha_{2k}{}^2$

$= \left(\dfrac{\sqrt{\pi}}{2}\right)^2 + \sum_{k=2}^{\infty} \left[\dfrac{k\{1+(-1)^k\}}{\sqrt{\pi}\,(k^2-1)}\right]^2$

$\begin{array}{|l|} \hline \alpha_1 = \dfrac{\sqrt{\pi}}{2} \\ \alpha_{2k} = \dfrac{k\{1+(-1)^k\}}{\sqrt{\pi}\,(k^2-1)} \\ (k=2,3,4,\cdots) \\ \hline \end{array}$

$= \dfrac{\pi}{4} + \dfrac{1}{\pi} \sum_{k=2}^{\infty} \dfrac{k^2\{1+2(-1)^k+\overbrace{(-1)^{2k}}^{1}\}}{(k^2-1)^2}$

$= \dfrac{\pi}{4} + \dfrac{2}{\pi} \sum_{k=2}^{\infty} \dfrac{k^2\{1+(-1)^k\}}{(k^2-1)^2}$

$= \dfrac{\pi}{4} + \dfrac{2}{\pi} \left\{ \underline{\sum_{k=2}^{\infty} \dfrac{k^2}{(k^2-1)^2}} + \underline{\sum_{k=2}^{\infty} \dfrac{k^2(-1)^k}{(k^2-1)^2}} \right\}$

$\boxed{\dfrac{2^2}{(2^2-1)^2} + \dfrac{\cancel{3^2}}{(3^2-1)^2} + \dfrac{4^2}{(4^2-1)^2} + \dfrac{\cancel{5^2}}{(5^2-1)^2} + \cdots \quad \dfrac{2^2}{(2^2-1)^2} - \dfrac{\cancel{3^2}}{(3^2-1)^2} + \dfrac{4^2}{(4^2-1)^2} - \dfrac{\cancel{5^2}}{(5^2-1)^2} + \cdots}$

$= \dfrac{\pi}{4} + \dfrac{4}{\pi} \left\{ \dfrac{2^2}{(2^2-1)^2} + \dfrac{4^2}{(4^2-1)^2} + \dfrac{6^2}{(6^2-1)^2} + \cdots \right\}$

$= \dfrac{\pi}{4} + \dfrac{4}{\pi} \sum_{k=1}^{\infty} \dfrac{\boxed{(ウ)}}{\{(2k)^2-1\}^2}$

$\therefore \sum_{k=0}^{\infty} \alpha_k{}^2 = \dfrac{\pi}{4} + \boxed{(エ)} \sum_{k=1}^{\infty} \dfrac{k^2}{(4k^2-1)^2} \quad \cdots\cdots ④$

以上 (i)(ii) より, $\|f(x)\|^2 = \boxed{(イ)}$ $\cdots$③ と ④ を $\|f(x)\|^2 = \sum_{k=0}^{\infty} \alpha_k{}^2 \cdots$② に

代入して,

$\dfrac{\pi}{2} = \dfrac{\pi}{4} + \boxed{(エ)} \sum_{k=1}^{\infty} \dfrac{k^2}{(4k^2-1)^2}$

$\therefore \sum_{k=1}^{\infty} \dfrac{k^2}{(4k^2-1)^2} = \left(\dfrac{\pi}{2} - \dfrac{\pi}{4}\right) \times \dfrac{\pi}{16} = \dfrac{\pi}{4} \times \dfrac{\pi}{16} = \dfrac{\pi^2}{64} \cdots\cdots(*)$ が成り立つ。

$\cdots\cdots\cdots$ (終)

解答 (ア) パーシヴァル　　(イ) $\dfrac{\pi}{2}$　　(ウ) $(2k)^2$ (または, $4k^2$)　　(エ) $\dfrac{16}{\pi}$

演習問題 30 ●パーシヴァルの等式 (IV)●

周期 2π の周期関数 $f(x) = \begin{cases} x & \left(-\frac{\pi}{2} < x < \frac{\pi}{2}\right) \\ 0 & \left(-\pi < x \leq -\frac{\pi}{2}, \frac{\pi}{2} < x \leq \pi\right) \end{cases}$ を

正規直交系 $u_k(x) = \dfrac{\sin kx}{\sqrt{\pi}}$ $(k = 1, 2, 3, \cdots)$ でフーリエ級数に展開する

と，$f(x) = \sum\limits_{k=1}^{\infty} \alpha_k u_k(x) = \sum\limits_{k=1}^{\infty} \left(-\dfrac{\sqrt{\pi}}{k} \cos \dfrac{k\pi}{2} + \dfrac{2}{\sqrt{\pi} k^2} \sin \dfrac{k\pi}{2} \right) \dfrac{\sin kx}{\sqrt{\pi}}$ ……①

(P32) となる。

このとき，パーシヴァルの等式：$\|f(x)\|^2 = \sum\limits_{k=1}^{\infty} \alpha_k^2$ ……(∗) が成り立つことを

確認せよ。ただし，$\dfrac{1}{1^2} + \dfrac{1}{2^2} + \dfrac{1}{3^2} + \dfrac{1}{4^2} + \cdots = \dfrac{\pi^2}{6}$ と

$\dfrac{1}{1^4} + \dfrac{1}{3^4} + \dfrac{1}{5^4} + \dfrac{1}{7^4} + \cdots = \dfrac{\pi^4}{96}$ を用いてもよい。

ヒント! 今回の問題では，与えられた無限級数の和の公式を利用して，これまでの問題とは逆に，パーシヴァルの等式が成り立つことを示せばよい。

解答&解説

周期関数 $f(x)$ は奇関数なので，正規直交関数系

$\{u_k(x)\} = \left\{ \dfrac{\sin x}{\sqrt{\pi}}, \dfrac{\cos 2x}{\sqrt{\pi}}, \dfrac{\sin 2x}{\sqrt{\pi}}, \cdots \right\}$

を使って展開すると，

$f(x) = \sum\limits_{k=1}^{\infty} \alpha_k u_k(x)$ ……①

$\alpha_k = -\dfrac{\sqrt{\pi}}{k} \cos \dfrac{k\pi}{2} + \dfrac{2}{\sqrt{\pi} k^2} \sin \dfrac{k\pi}{2}$ ……② となる。このとき，

パーシヴァルの等式：$\|f(x)\|^2 = \sum\limits_{k=1}^{\infty} \alpha_k^2$ ……(∗) が成り立つことを示す。

(i) $\|f(x)\|^2 = \displaystyle\int_{-\pi}^{\pi} \{f(x)\}^2 dx = \int_{-\frac{\pi}{2}}^{\frac{\pi}{2}} \underline{x^2} dx = 2\int_{0}^{\frac{\pi}{2}} x^2 dx = 2 \cdot \dfrac{1}{3}[x^3]_0^{\frac{\pi}{2}}$

（偶関数）

$$\therefore \|f(x)\|^2 = \frac{2}{3}\left(\frac{\pi}{2}\right)^3 = \underline{\frac{\pi^3}{12}} \quad \cdots\cdots ③$$

(ⅱ) 次に，$\sum_{k=1}^{\infty} \alpha_k^2$ を求めると，

$$\boxed{\alpha_k = -\frac{\sqrt{\pi}}{k}\cos\frac{k\pi}{2} + \frac{2}{\sqrt{\pi}\,k^2}\sin\frac{k\pi}{2}}$$

$$\sum_{k=1}^{\infty} \alpha_k^2 = \sum_{k=1}^{\infty}\left(-\frac{\sqrt{\pi}}{k}\cos\frac{k\pi}{2} + \frac{2}{\sqrt{\pi}\,k^2}\sin\frac{k\pi}{2}\right)^2$$

$$= \sum_{k=1}^{\infty}\left(\frac{\pi}{k^2}\cos^2\frac{k\pi}{2} - \frac{2}{k^3}\cdot 2\sin\frac{k\pi}{2}\cos\frac{k\pi}{2} + \frac{4}{\pi k^4}\sin^2\frac{k\pi}{2}\right)$$

$$\boxed{\sin k\pi = 0 \ (k=1,2,3,\cdots)}$$

$$= \pi\sum_{k=1}^{\infty}\frac{1}{k^2}\cos^2\frac{k\pi}{2} + \frac{4}{\pi}\sum_{k=1}^{\infty}\frac{1}{k^4}\sin^2\frac{k\pi}{2}$$

$\boxed{\begin{array}{l}k=1,2,3,4,5,6,\cdots \text{のとき}\\ 0,1,0,1,0,1,\cdots\end{array}}$ $\boxed{\begin{array}{l}k=1,2,3,4,5,6,\cdots \text{のとき}\\ 1,0,1,0,1,0,\cdots\end{array}}$

$$= \pi\left(\frac{1}{2^2}+\frac{1}{4^2}+\frac{1}{6^2}+\cdots\right) + \frac{4}{\pi}\left(\frac{1}{1^4}+\frac{1}{3^4}+\frac{1}{5^4}+\cdots\right)$$

$\boxed{\frac{1}{2^2}\left(\frac{1}{1^2}+\frac{1}{2^2}+\frac{1}{3^2}+\cdots\right) = \frac{1}{4}\times\frac{\pi^2}{6} \\ \qquad\qquad\qquad\quad\text{(公式より)}}$ $\boxed{\frac{\pi^4}{96}\,(\text{公式より})}$

$$= \pi \times \frac{\pi^2}{24} + \frac{4}{\pi}\times\frac{\pi^4}{96} = \frac{\pi^3}{24} + \frac{\pi^3}{24}$$

$$\therefore \sum_{k=1}^{\infty}\alpha_k^2 = \underline{\frac{\pi^3}{12}} \quad\cdots\cdots\cdots\cdots\cdots\cdots ④$$

以上 (ⅰ)(ⅱ) の③，④よりパーシヴァルの等式：

$\underline{\|f(x)\|^2} = \sum_{k=1}^{\infty}\alpha_k^2$ ……(＊) が成り立つことが確認できた。 …………(終)

演習問題 31　　●ギブスの現象●

周期 2π の周期関数 $f(x) = \begin{cases} \frac{1}{2}x + \frac{\pi}{2} & (-\pi < x < 0) \\ \frac{1}{2}x & (0 < x < \pi) \end{cases}$ をフーリエ級数に展開すると，$f(x) = \frac{\pi}{4} - \sum_{k=1}^{\infty} \frac{(-1)^k + 1}{2k} \sin kx$ （P18）となる。

これから，$f_{2N}(x) = \frac{\pi}{4} - \sum_{k=1}^{2N} \frac{(-1)^k + 1}{2k} \sin kx$ ……① （N：自然数）とおく。

ここで，x が正で最小の値 $x = p$ のとき $f_{2N}(x)$ は極小値 $f_{2N}(p)$ をとるものとする。このとき，p と $f_{2N}(p)$ を N を用いて表せ。

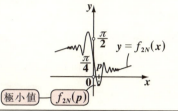

ヒント！ これは，ギブスの現象を調べる問題である。$\lim_{N \to \infty} f_{2N}(p)$ を求めることにより，ギブスのツノの大きさを評価できる。この大きさは，左右両極限値の差 $\left(本問では，\frac{\pi}{2} - 0 = \frac{\pi}{2}\right)$ の約 9% であることが知られている。このことについても，数値計算の結果を示そう。

解答＆解説

周期関数 $f(x)$ のフーリエ級数の近似式として

$f_{2N}(x) = \frac{\pi}{4} - \sum_{k=1}^{2N} \underline{\frac{(-1)^k + 1}{2k}} \sin kx$ ……①

これは，$k = 1, 3, 5, \cdots, 2N-1$ のときは 0，$k = 2, 4, 6, \cdots, 2N$ のときのみ 0 以外の値をとる。

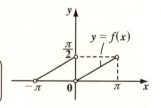

とおくと，

$f_{2N}(x) = \frac{\pi}{4} - \left(\underbrace{\frac{2}{4} \sin 2x}_{k=2} + \underbrace{\frac{2}{8} \sin 4x}_{k=4} + \underbrace{\frac{2}{12} \sin 6x}_{k=6} + \cdots + \underbrace{\frac{2}{4N} \sin 2Nx}_{k=2N \text{ のとき}} \right)$ より，

$$f_{2N}(x) = \frac{\pi}{4} - \left(\frac{\sin 2x}{2} + \frac{\sin 4x}{4} + \frac{\sin 6x}{6} + \cdots + \frac{\sin 2Nx}{2N} \right) \cdots\cdots ①´$$

となる。ここで，$f_{2N}(x)$ を x で微分すると，

$$f'_{2N}(x) = -(\cos 2x + \cos 4x + \cos 6x + \cdots + \cos 2Nx) \cdots\cdots ②$$

> ここで，$f'_{2N}(x) = 0$ をみたす最小の正の数 $x = p$ を見つけるために，②の両辺に $2\sin x$ をかけると，うまくいく。
>
> $2\sin x \cos 2kx = \underline{\sin(1+2k)x + \sin(1-2k)x}$
> $\qquad\qquad\quad\; = \sin(2k+1)x - \sin(2k-1)x$
>
> となるからだ。
>
> 積→和の公式：$2\sin\alpha\cos\beta = \sin(\alpha+\beta) + \sin(\alpha-\beta)$

②の両辺に $2\sin x$ をかけて，まとめると，

$$2\sin x \, f'_{2N}(x) = -2\sin x(\cos 2x + \cos 4x + \cos 6x + \cdots + \cos 2Nx)$$
$$= -(2\sin x \cos 2x + 2\sin x \cos 4x + 2\sin x \cos 6x + \cdots + 2\sin x \cos 2Nx)$$
$$\qquad\qquad \underbrace{\sin 3x - \sin x}\; \underbrace{\sin 5x - \sin 3x}\; \underbrace{\sin 7x - \sin 5x}\; \underbrace{\sin(2N+1)x - \sin(2N-1)x}$$
$$= -\{\sin(2N+1)x - \sin x\}$$
$$\quad\; \underbrace{2\cos(N+1)x \cdot \sin Nx}$$

差→積の公式：$\sin A - \sin B = 2\cos\dfrac{A+B}{2}\sin\dfrac{A-B}{2}$

よって，$\sin x \neq 0$ のとき，

$$f'_{2N}(x) = -\frac{\sin Nx \cdot \cos(N+1)x}{\sin x} \cdots\cdots ②´\; となる。$$

よって，$f_{2N}(x)$ が極値をとるときの正の値 x を求めると，
$f'_{2N}(x) = 0$ より，（ⅰ）$\sin Nx = 0$，または（ⅱ）$\cos(N+1)x = 0$
（ⅰ）$\sin Nx = 0$ のとき，$Nx = l\pi$

$$\therefore x = \frac{l}{N}\pi \cdots\cdots ③ \; (l = 1, 2, 3, \cdots)$$

（ⅱ）$\cos(N+1)x = 0$ のとき，$(N+1)x = \dfrac{\pi}{2} + m\pi$

$$\therefore x = \frac{2m+1}{2(N+1)}\pi \cdots\cdots ④ \; (m = 0, 1, 2, \cdots)$$

③, ④より $f'_{2N}(x) = 0$ をみたす最小の x の値 p は,

$p = \dfrac{\pi}{2(N+1)}$ ……⑤ である。……………………(答)

（④で $m=0$ のとき x は最小値 p をとる。）

よって，$x = p$ のとき，この前後で，$\sin Nx > 0$, $\sin x > 0$ より,
$f'_{2N}(x)$ の符号は負から正に変わる。よって，f_{2N} は $x = p$ で極小値

$$f_{2N}(p) = f_{2N}\left(\dfrac{\pi}{2(N+1)}\right)$$

$$= \dfrac{\pi}{4} - \left(\dfrac{1}{2}\sin\dfrac{\pi}{N+1} + \dfrac{1}{4}\sin\dfrac{2\pi}{N+1} + \dfrac{1}{6}\sin\dfrac{3\pi}{N+1} + \cdots + \dfrac{1}{2N}\sin\dfrac{N\pi}{N+1}\right)$$

$$= \dfrac{\pi}{4} - \sum_{k=1}^{N}\dfrac{1}{2k}\sin\dfrac{k\pi}{N+1}$$ ……⑥ をとる。……………………(答)

参考

⑥より，$\displaystyle\lim_{N\to\infty}f_{2N}(p) = \lim_{N\to\infty}\left(\dfrac{\pi}{4} - \sum_{k=1}^{N}\dfrac{1}{2k}\sin\dfrac{k\pi}{N+1}\right)$ としたとき，ギブスのツノの大きさを評価することができる。ここでは，N の十分大きい値として $N = 10^7$ を採用して，数値を計算した結果

$f_{2\times 10^7}(p) = -0.14057$ が得られ，

$N \to \infty$ のとき，$f_\infty(p)$ がほぼこの値に収束することが分かる。よって，この絶対値を左右両端の極限値の差 $\left(\dfrac{\pi}{2}\right)$ で割ると

$\dfrac{0.14057}{\frac{\pi}{2}} \fallingdotseq 0.0895$ となる

ので，この両極限値の差の約 **9%** のツノが原点 **O** より下に突き出ていることが確認できた。

$\left(\begin{array}{l} y = f(x) \text{ は点 }\left(0, \dfrac{\pi}{4}\right) \text{ に関して対称より，点 }\left(0, \dfrac{\pi}{2}\right) \text{ より上にも同様に}\\ \text{約 } 0.14057 \text{ のギブスのツノが出ることが分かる。} \end{array}\right)$

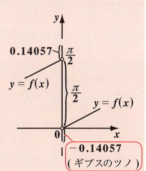

演習問題 32 ● フーリエ級数の項別微分・積分（Ⅰ）●

周期 2π の周期関数 $f(x) = \begin{cases} 0 & (-\pi < x \leq 0) \\ \sin x & (0 < x \leq \pi) \end{cases}$ をフーリエ級数に

展開すると，$f(x) = \dfrac{1}{\pi} + \dfrac{1}{2}\sin x - \sum_{k=2}^{\infty} \dfrac{1+(-1)^k}{\pi(k^2-1)} \cos kx \cdots$ ① となる。

また， 演習問題5(P24)

周期 2π の周期関数 $g(x) = \begin{cases} 0 & (-\pi < x < 0) \\ \cos x & (0 < x < \pi) \end{cases}$ をフーリエ級数に

展開すると，$g(x) = \dfrac{1}{2}\cos x + \sum_{k=2}^{\infty} \dfrac{k\{1+(-1)^k\}}{\pi(k^2-1)} \sin kx \cdots$ ② となる。

演習問題6(P27)

(1) ①の両辺を x で微分することにより，②が導けることを示せ。

(2) ②の両辺を積分区間 $[-\pi, x]$ で積分することにより，①が導けることを示せ。ただし，$\sum_{k=1}^{\infty} \dfrac{1}{4k^2-1} = \dfrac{1}{2}$（演習問題19(P58)）を用いてもよい。

ヒント! (1) $f'(x) = g(x)$ はすぐに導ける。(2) では無限級数の和の公式：
$\sum_{k=1}^{\infty} \dfrac{1}{4k^2-1} = \dfrac{1}{2}$ を利用する。これはもちろん，
$\sum_{k=1}^{N} \dfrac{1}{4k^2-1} = \dfrac{1}{2} \sum_{k=1}^{N} \left(\dfrac{1}{2k-1} - \dfrac{1}{2k+1} \right) = \dfrac{1}{2} \left(1 - \dfrac{1}{2N+1} \right)$
から，$N \to \infty$ としても求められる公式である。

解答&解説

(1) $f(x)$ は，区分的に滑らかで，かつ連続な周期関数なので，このフーリエ級数を項別に微分できる。ここで，$f'(x) = g(x)$ より，①の両辺を x で微分すると，

$g(x) = f'(x) = \left\{ \cancel{\dfrac{1}{\pi}} + \dfrac{1}{2}\sin x - \sum_{k=2}^{\infty} \dfrac{1+(-1)^k}{\pi(k^2-1)} \cos kx \right\}'$

$= \dfrac{1}{2} \underbrace{(\sin x)'}_{\cos x} - \sum_{k=2}^{\infty} \dfrac{1+(-1)^k}{\pi(k^2-1)} \underbrace{(\cos kx)'}_{-k\sin kx}$

$\therefore g(x) = \dfrac{1}{2}\cos x + \sum_{k=2}^{\infty} \dfrac{k\{1+(-1)^k\}}{\pi(k^2-1)} \sin kx$ となって，②が導ける。……（終）

(2) $g(x)$ は区分的に滑らかな周期関数なので，このフーリエ級数は項別に積分できる。

まず，$g(x)$ を区間 $[-\pi, x]$ で積分すると，

$$\begin{cases} \cdot -\pi < x \leq 0 \text{ のとき，} \int_{-\pi}^{x} g(t)dt = 0 \\ \cdot 0 < x \leq \pi \text{ のとき，} \int_{-\pi}^{x} g(t)dt = \int_{-\pi}^{0} 0 \, dt + \int_{0}^{x} \cos t \, dt = [\sin t]_{0}^{x} = \sin x \end{cases}$$

（積分変数を t とした。）

$$\therefore \int_{-\pi}^{x} g(t)dt = f(x) = \begin{cases} 0 & (-\pi < x \leq 0) \\ \sin x & (0 < x \leq \pi) \end{cases} \quad \cdots\cdots ③ \text{ となる。}$$

よって，②の両辺を積分区間 $[-\pi, x]$ で積分すると，

$$\underbrace{\int_{-\pi}^{x} g(t)dt}_{f(x) \text{（③より）}} = \int_{-\pi}^{x} \left\{ \frac{1}{2}\cos t + \sum_{k=2}^{\infty} \frac{k\{1+(-1)^k\}}{\pi(k^2-1)} \sin kt \right\} dt$$

（積分変数を t とおいた。）

$$f(x) = \frac{1}{2} \underbrace{\int_{-\pi}^{x} \cos t \, dt}_{[\sin t]_{-\pi}^{x} = \sin x - \sin(-\pi)} + \sum_{k=2}^{\infty} \frac{k\{1+(-1)^k\}}{\pi(k^2-1)} \underbrace{\int_{-\pi}^{x} \sin kt \, dt}_{-\frac{1}{k}[\cos kt]_{-\pi}^{x} = -\frac{1}{k}\{\cos kx - \cos(-k\pi)\}} \text{ より，}$$

$\cos k\pi = (-1)^k$

$$f(x) = \frac{1}{2}\sin x - \sum_{k=2}^{\infty} \frac{1+(-1)^k}{\pi(k^2-1)} \{\cos kx - (-1)^k\}$$

$$= \frac{1}{2}\sin x - \sum_{k=2}^{\infty} \frac{1+(-1)^k}{\pi(k^2-1)} \cos kx + \sum_{k=2}^{\infty} \frac{(-1)^k + \overbrace{(-1)^{2k}}^{1}}{\pi(k^2-1)}$$

$$= \frac{1}{2}\sin x - \sum_{k=2}^{\infty} \frac{1+(-1)^k}{\pi(k^2-1)} \cos kx + \frac{1}{\pi}\sum_{k=2}^{\infty} \frac{(-1)^k + 1}{k^2-1}$$

これは，$k = 3, 5, 7, 9, \cdots$ のとき 0 となるので，

$$\frac{2}{2^2-1} + \frac{2}{4^2-1} + \frac{2}{6^2-1} + \frac{2}{8^2-1} + \cdots = 2\sum_{k=1}^{\infty} \frac{1}{(2k)^2-1} = 2\underbrace{\sum_{k=1}^{\infty} \frac{1}{4k^2-1}}_{\frac{1}{2} \text{（公式より）}} = 2 \times \frac{1}{2} = 1$$

$$\therefore f(x) = \frac{1}{\pi} + \frac{1}{2}\sin x - \sum_{k=2}^{\infty} \frac{1+(-1)^k}{\pi(k^2-1)} \cos kx \text{ となって，①が導ける。} \cdots\cdots(終)$$

演習問題 33 ●フーリエ級数の項別微分・積分 (Ⅱ)●

周期 2π の周期関数 $f(x) = \begin{cases} \dfrac{1}{2}x^2 - \dfrac{\pi^2}{8} & \left(-\dfrac{\pi}{2} < x \leq \dfrac{\pi}{2}\right) \\ 0 & \left(-\pi < x \leq -\dfrac{\pi}{2},\ \dfrac{\pi}{2} < x \leq \pi\right) \end{cases}$ を

フーリエ級数展開すると,

$f(x) = -\dfrac{\pi^2}{24} + \sum\limits_{k=1}^{\infty}\left(\dfrac{1}{k^2}\cos\dfrac{k\pi}{2} - \dfrac{2}{\pi k^3}\sin\dfrac{k\pi}{2}\right)\cos kx$ ……① となる。

また, 〔演習問題22（P64）〕

周期 2π の周期関数 $g(x) = \begin{cases} x & \left(-\dfrac{\pi}{2} < x < \dfrac{\pi}{2}\right) \\ 0 & \left(-\pi < x < -\dfrac{\pi}{2},\ \dfrac{\pi}{2} < x \leq \pi\right) \end{cases}$ を

フーリエ級数展開すると,

$g(x) = \sum\limits_{k=1}^{\infty}\left(-\dfrac{1}{k}\cos\dfrac{k\pi}{2} + \dfrac{2}{\pi k^2}\sin\dfrac{k\pi}{2}\right)\sin kx$ ……② となる。
〔演習問題8（P32）〕

(1) ①の両辺を x で微分することにより, ②が導けることを示せ。

(2) $g(x)$ は区分的に滑らかな周期関数なので, ②の両辺を積分区間 $[-\pi, x]$ で積分することにより, ①を導ける。このことを利用して, 無限級数の和の公式:$\dfrac{1}{1^3} - \dfrac{1}{3^3} + \dfrac{1}{5^3} - \dfrac{1}{7^3} + \cdots = \dfrac{\pi^3}{32}$ …(*) が成り立つことを示せ。ただし, $\dfrac{1}{1^2} - \dfrac{1}{2^2} + \dfrac{1}{3^2} - \dfrac{1}{4^2} + \cdots = \dfrac{\pi^2}{12}$ は用いてもよいものとする。

ヒント! (1)の $f'(x) = g(x)$ は容易に導ける。(2)では, ②の両辺を区間 $[-\pi, x]$ で積分して, ①となることを用いて, 新たな無限級数の公式を導くことができる。

解答＆解説

(1) $f(x)$ は, 区分的に滑らかで, かつ連続な周期関数なので, このフーリエ級数を項別に微分できる。ここで, $f'(x) = g(x)$ より, ①の両辺を x で微分すると,

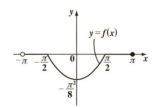

$$g(x) = f'(x) = \left\{ -\frac{\pi^2}{24} + \sum_{k=1}^{\infty} \left(\frac{1}{k^2}\cos\frac{k\pi}{2} - \frac{2}{\pi k^3}\sin\frac{k\pi}{2} \right)\cos kx \right\}'$$

$$= \sum_{k=1}^{\infty} \left(\frac{1}{k^2}\cos\frac{k\pi}{2} - \frac{2}{\pi k^3}\sin\frac{k\pi}{2} \right)\underline{(\cos kx)'}$$

$\underline{}$ $-k\sin kx$

$$\therefore\ g(x) = \sum_{k=1}^{\infty} \left(-\frac{1}{k}\cos\frac{k\pi}{2} + \frac{2}{\pi k^2}\sin\frac{k\pi}{2} \right)\sin kx$$ となって，②が導ける。

………(終)

(2) $y = g(x)$ は区分的に滑らかな周期関数なので，

このフーリエ級数は項別に積分できる。

まず，$g(x)$ を区間 $[-\pi, x]$ で積分すると，

・ $-\pi < x \leq -\dfrac{\pi}{2}$ のとき，

$$\int_{-\pi}^{x} g(t)dt = \int_{-\pi}^{x} 0\,dt = 0$$

・ $-\dfrac{\pi}{2} < x \leq \dfrac{\pi}{2}$ のとき，

$$\int_{-\pi}^{x} g(t)dt = \int_{-\pi}^{-\frac{\pi}{2}} 0\,dt + \int_{-\frac{\pi}{2}}^{x} t\,dt = \frac{1}{2}[t^2]_{-\frac{\pi}{2}}^{x} = \frac{1}{2}x^2 - \frac{\pi^2}{8}$$

・ $\dfrac{\pi}{2} < x \leq \pi$ のとき，

$$\int_{-\pi}^{x} g(t)dt = \int_{-\pi}^{-\frac{\pi}{2}} 0\,dt + \underbrace{\int_{-\frac{\pi}{2}}^{\frac{\pi}{2}} t\,dt}_{\text{奇関数}} + \int_{\frac{\pi}{2}}^{x} 0\,dt = 0$$

$$\therefore \int_{-\pi}^{x} g(t)dt = f(x) = \begin{cases} \dfrac{1}{2}x^2 - \dfrac{\pi^2}{8} & \left(-\dfrac{\pi}{2} < x \leq \dfrac{\pi}{2}\right) \\ 0 & \left(-\pi < x \leq -\dfrac{\pi}{2},\ \dfrac{\pi}{2} < x \leq \pi\right) \end{cases} \quad\cdots\cdots\text{③}$$

となる。よって，②の右辺は項別に積分できるので，②の両辺を積分区間 $[-\pi, x]$ で積分すると，その結果は①と一致する。

$$\underline{\int_{-\pi}^{x} g(t)dt} = \int_{-\pi}^{x} \left\{ \sum_{k=1}^{\infty} \left(-\frac{1}{k} \cos\frac{k\pi}{2} + \frac{2}{\pi k^2} \sin\frac{k\pi}{2} \right) \sin kt \right\} dt \quad \boxed{\text{積分変数を } t \text{ にした。}}$$

$\boxed{f(x) \text{ (③より)}}$

$$f(x) = \sum_{k=1}^{\infty} \left\{ \left(-\frac{1}{k} \cos\frac{k\pi}{2} + \frac{2}{\pi k^2} \sin\frac{k\pi}{2} \right) \underbrace{\int_{-\pi}^{x} \sin kt\, dt} \right\}$$

$\boxed{-\frac{1}{k}[\cos kt]_{-\pi}^{x} = -\frac{1}{k}(\cos kx - \cos(-k\pi))}$

$\boxed{\cos k\pi = (-1)^k}$

$$f(x) = \sum_{k=1}^{\infty} \left(\frac{1}{k^2} \cos\frac{k\pi}{2} - \frac{2}{\pi k^3} \sin\frac{k\pi}{2} \right) \{\cos kx - (-1)^k\}$$

$$= -\sum_{k=1}^{\infty} \left\{ \frac{(-1)^k}{k^2} \cos\frac{k\pi}{2} - \frac{2(-1)^k}{\pi k^3} \sin\frac{k\pi}{2} \right\} + \sum_{k=1}^{\infty} \left(\frac{1}{k^2} \cos\frac{k\pi}{2} - \frac{2}{\pi k^3} \sin\frac{k\pi}{2} \right) \cos kx$$

$\boxed{\frac{\pi^2}{24}}$ 　　……④

ここで，$f(x) = -\dfrac{\pi^2}{24} + \sum\limits_{k=1}^{\infty} \left(\dfrac{1}{k^2} \cos\dfrac{k\pi}{2} - \dfrac{2}{\pi k^3} \sin\dfrac{k\pi}{2} \right) \cos kx$……① より，

①と④を比較して，

$$\sum_{k=1}^{\infty} \frac{(-1)^k}{k^2} \cos\frac{k\pi}{2} - \frac{2}{\pi} \sum_{k=1}^{\infty} \frac{(-1)^k}{k^3} \sin\frac{k\pi}{2} = \frac{\pi^2}{24} \text{……⑤} \quad \text{となる。}$$

$\boxed{k = 2, 4, 6, \cdots \text{のときの項は } 0 \text{ より，} \\ = -\dfrac{1}{1^3}\cdot 1 - \dfrac{1}{3^3}\cdot(-1) - \dfrac{1}{5^3}\cdot 1 - \dfrac{1}{7^3}\cdot(-1) - \cdots = -\left(\dfrac{1}{1^3} - \dfrac{1}{3^3} + \dfrac{1}{5^3} - \dfrac{1}{7^3} + \cdots \right)}$

$\boxed{k = 1, 3, 5, \cdots \text{のときの項は } 0 \text{ より，} \\ = \dfrac{1}{2^2}\cdot(-1) + \dfrac{1}{4^2}\cdot 1 + \dfrac{1}{6^2}\cdot(-1) + \dfrac{1}{8^2}\cdot 1 + \cdots = -\dfrac{1}{2^2}\left(\dfrac{1}{1^2} - \dfrac{1}{2^2} + \dfrac{1}{3^2} - \dfrac{1}{4^2} + \cdots \right)}$

$\boxed{\dfrac{\pi^2}{12} \text{ (公式より)}}$

$-\dfrac{1}{4}\cdot\dfrac{\pi^2}{12} + \dfrac{2}{\pi}\cdot\left(\dfrac{1}{1^3} - \dfrac{1}{3^3} + \dfrac{1}{5^3} - \dfrac{1}{7^3} + \cdots \right) = \dfrac{\pi^2}{24}$

$\boxed{\text{これは公式：} \\ \dfrac{1}{1^2} + \dfrac{1}{2^2} + \dfrac{1}{3^2} + \cdots = \dfrac{\pi^2}{6} \text{ から導ける。}}$

$\therefore \dfrac{1}{1^3} - \dfrac{1}{3^3} + \dfrac{1}{5^3} - \dfrac{1}{7^3} + \cdots = \dfrac{\pi}{2}\left(\dfrac{\pi^2}{24} + \dfrac{\pi^2}{48} \right)$

$\qquad\qquad\qquad = \dfrac{\pi}{2} \times \dfrac{3\pi^2}{48} = \dfrac{\pi^3}{32}$　となる。　……………………(終)

演習問題 34 ● デルタ関数・単位階段関数 ●

次の関数を求めて，グラフを図示せよ。ただし，$\delta(x-a)$ はデルタ関数、また $u(x-a)$ は単位階段関数を表す。

(1) $\dfrac{d}{dx}u(x-1)$ (2) $\dfrac{d}{dx}\{u(x+\pi)+u(x-\pi)\}$

(3) $\displaystyle\int_{-\infty}^{x}\delta(x-1)dx$ (4) $\displaystyle\int_{-\infty}^{x}\{\delta(x+1)-\delta(x-1)\}dx$

ヒント!
$\delta(x-a)=\begin{cases}\infty & (x=a \text{ のとき}) \\ 0 & (x\neq a \text{ のとき})\end{cases}$, $u(x-a)=\begin{cases}1 & (a<x \text{ のとき}) \\ 0 & (x<a \text{ のとき})\end{cases}$ であり、
公式 $\dfrac{d}{dx}u(x-a)=\delta(x-a)$、また $\displaystyle\int_{-\infty}^{x}\delta(x-a)dx=u(x-a)$ が成り立つ。

解答&解説

(1) $\dfrac{d}{dx}u(x-1)=\delta(x-1)=\begin{cases}\infty & (x=1 \text{ のとき}) \\ 0 & (x\neq 1 \text{ のとき})\end{cases}$

公式：$\dfrac{d}{dx}u(x-a)=\delta(x-a)$

(2) $\dfrac{d}{dx}\{u(x+\pi)+u(x-\pi)\}=\delta(x+\pi)+\delta(x-\pi)$
$\qquad\qquad\qquad\qquad\quad =\delta(x-(-\pi))+\delta(x-\pi)$

(3) $\displaystyle\int_{-\infty}^{x}\delta(x-1)dx=u(x-1)=\begin{cases}0 & (x<1 \text{ のとき}) \\ 1 & (1<x \text{ のとき})\end{cases}$

公式：$\displaystyle\int_{-\infty}^{x}\delta(x-a)dx=u(x-a)$

(4) $\displaystyle\int_{-\infty}^{x}\{\delta(x+1)-\delta(x-1)\}dx=u(x+1)-u(x-1)$
$\qquad\qquad\qquad\qquad\qquad =u(x-(-1))-u(x-1)$

$\begin{cases}0 & (x<-1) \\ 1 & (-1<x)\end{cases}$ $\begin{cases}0 & (x<1) \\ 1 & (1<x)\end{cases}$

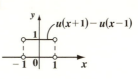

演習問題 35　　●デルタ関数●

次の式の値を求めよ。ただし，$\delta(x-a)$ はデルタ関数を表す。

(1) $\sin x \cdot \delta\left(x - \dfrac{\pi}{6}\right)$　　(2) $\tan x \cdot \delta\left(x + \dfrac{\pi}{3}\right)$　　(3) $e^x \cdot \delta(x-2)$

(4) $\displaystyle\int_{-\infty}^{\infty} \cos x \cdot \delta\left(x + \dfrac{\pi}{4}\right) dx$　　(5) $\displaystyle\int_{-\infty}^{\infty} \log x \cdot \delta(x - e^2) dx$

ヒント! (1), (2), (3) は，公式：$f(x) \cdot \delta(x-a) = f(a) \cdot \delta(x-a)$ を使い，(4), (5) では，公式：$\displaystyle\int_{-\infty}^{\infty} f(x)\delta(x-a)dx = f(a)$ を用いればよい。

解答＆解説

公式：$f(x) \cdot \delta(x-a) = f(a) \cdot \delta(x-a)$

(1) $\sin x \cdot \delta\left(x - \dfrac{\pi}{6}\right) = \sin\dfrac{\pi}{6} \cdot \delta\left(x - \dfrac{\pi}{6}\right)$

　　$= \dfrac{1}{2} \cdot \delta\left(x - \dfrac{\pi}{6}\right)$ ……………………………（答）

(2) $\tan x \cdot \delta\left(x - \left(-\dfrac{\pi}{3}\right)\right) = \tan\left(-\dfrac{\pi}{3}\right) \cdot \delta\left(x - \left(-\dfrac{\pi}{3}\right)\right)$

　　$= -\sqrt{3} \cdot \delta\left(x + \dfrac{\pi}{3}\right)$ ……………………（答）

(3) $e^x \cdot \delta(x-2) = e^2 \cdot \delta(x-2)$ ……………………………（答）

公式：$\displaystyle\int_{-\infty}^{\infty} f(x) \cdot \delta(x-a)dx = f(a)$

(4) $\displaystyle\int_{-\infty}^{\infty} \cos x \cdot \delta\left(x - \left(-\dfrac{\pi}{4}\right)\right) dx$

　　$= \cos\left(-\dfrac{\pi}{4}\right) = \cos\dfrac{\pi}{4} = \dfrac{1}{\sqrt{2}}$ ………………（答）

(5) $\displaystyle\int_{-\infty}^{\infty} \log x \cdot \delta(x - e^2) dx$

　　$= \log e^2 = 2\log e = 2$ ……………………………………（答）

　　　　　　　　①

演習問題 36　●デルタ関数のフーリエ級数展開●

次式で表される周期 2π の周期関数 $f_r(x)$ について，次の問いに答えよ。

$$f_r(x) = \begin{cases} \dfrac{1}{r^2}x + \dfrac{1}{r} & (-r < x \leq 0) \\ -\dfrac{1}{r^2}x + \dfrac{1}{r} & (0 < x \leq r) \\ 0 & (-\pi < x \leq -r,\ r < x \leq \pi) \end{cases}$$

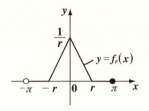

(ただし，r は $0 < r < \pi$ をみたす定数とする。)

(1) $f_r(x)$ を，フーリエ・コサイン級数に展開せよ。

(2) (1)の結果に対して，極限 $\lim_{r \to +0} f_r(x)$ を求めることにより，次のデルタ関数のフーリエ級数展開の公式を導け。

$$\sum_{k=-\infty}^{\infty} \delta(x - 2k\pi) = \frac{1}{2\pi} + \frac{1}{\pi} \sum_{k=1}^{\infty} \cos kx \quad \cdots\cdots(*)$$

ヒント! (1) 区分的に滑らかな周期 2π の周期関数 $f_r(x)$ は偶関数なので，フーリエ・コサイン級数 $f_r(x) = \dfrac{a_0}{2} + \sum_{k=1}^{\infty} a_k \cos kx$ $\left(a_k = \dfrac{2}{\pi} \int_0^{\pi} f_r(x) \cos kx\, dx\right)$ の形に展開できる。(2) $y = f_r(x)$ と x 軸 $(-\pi < x \leq \pi)$ とで囲まれる三角形の面積は，r の値に関わらず常に $1\left(= \dfrac{1}{2} \times 2r \times \dfrac{1}{r}\right)$ なので，$r \to +0$ の極限をとると，$f_r(x)$ はデルタ関数 $\delta(x)$ になる。ただし，$f_r(x)$ は周期 2π の周期関数なので，デルタ関数も周期 2π の関数として，$\sum_{k=-\infty}^{\infty} \delta(x - 2k\pi)$ で表すことになる。

解答&解説

(1) $f_r(x)$ は，区間 $[-\pi, \pi]$ において区分的に滑らかな周期 2π の周期関数で，かつ偶関数である。よって，これは次のようにフーリエ・コサイン級数に展開できる。

$$f_r(x) = \frac{a_0}{2} + \sum_{k=1}^{\infty} a_k \cos kx \quad \cdots\cdots① \quad \left(a_k = \frac{2}{\pi} \int_0^{\pi} f_r(x) \cos kx\, dx\right)$$

a_k $(k = 0, 1, 2, \cdots)$ について，

$$a_0 = \frac{2}{\pi}\int_0^\pi f_r(x)dx = \frac{2}{\pi}\left\{\int_0^r \left(-\frac{1}{r^2}x + \frac{1}{r}\right)dx + \int_r^\pi 0\,dx\right\}$$

$$\left[\quad \underset{0\quad r}{\triangle}\; \substack{\frac{1}{r}\\ \frac{1}{2}} \quad + \quad \overline{\quad r \quad \pi \quad}\;\right]$$

$$\therefore a_0 = \frac{2}{\pi} \times \frac{1}{2} = \frac{1}{\pi} \quad \cdots\cdots ②$$

・$k = 1, 2, 3, \cdots$ のとき，

$$a_k = \frac{2}{\pi}\int_0^\pi f_r(x)\cos kx\,dx$$

$$= \frac{2}{\pi}\left\{\int_0^r \left(-\frac{1}{r^2}x + \frac{1}{r}\right)\cos kx\,dx + \int_r^\pi 0 \cdot \cos kx\,dx\right\}$$

$$= \frac{2}{\pi}\left(-\frac{1}{r^2}\right)\int_0^r (x - r) \cdot \left(\frac{1}{k}\sin kx\right)' dx \quad \longrightarrow \quad \boxed{\substack{\text{部分積分}\\ \displaystyle\int fg'\,dx = fg - \int f'g\,dx}}$$

$$= -\frac{2}{\pi r^2}\left\{\frac{1}{k}\bigl[(x-r)\sin kx\bigr]_0^r - \frac{1}{k}\int_0^r 1 \cdot \sin kx\,dx\right\}$$

$$= \frac{2}{\pi r^2} \cdot \left(-\frac{1}{k^2}\right)\bigl[\cos kx\bigr]_0^r = -\frac{2}{\pi r^2 k^2}(\cos kr - 1)$$

$$\therefore a_k = \frac{2(1 - \cos kr)}{\pi k^2 r^2} \quad \cdots\cdots ③ \quad (k = 1, 2, 3, \cdots)$$

よって，②，③を $f_r(x) = \dfrac{a_0}{2} + \displaystyle\sum_{k=1}^\infty a_k \cos kx$ ……① に代入すると，

$f_r(x)$ は次のようにフーリエ・コサイン級数に展開できる。

$$f_r(x) = \frac{1}{2\pi} + \frac{2}{\pi}\sum_{k=1}^\infty \frac{1 - \cos kr}{k^2 r^2}\cos kx \quad \cdots\cdots ④ \cdots\cdots\cdots\cdots\cdots (答)$$

(2) ④について，$r \to +0$ の極限をとると，

$$\lim_{r\to+0} f_r(x) = \lim_{r\to+0}\left(\frac{1}{2\pi} + \frac{2}{\pi}\sum_{k=1}^\infty \frac{1 - \cos kr}{k^2 r^2}\cos kx\right) \quad \text{より，}$$

$$\lim_{r\to+0} f_r(x) = \frac{1}{2\pi} + \frac{2}{\pi}\sum_{k=1}^\infty \left(\lim_{r\to+0} \frac{1 - \cos kr}{k^2 r^2}\right)\cdot \cos kx \quad \cdots\cdots ⑤ \text{ となる。}$$

極限をとる操作と $\sum$ 計算の順序を入れ替えられるものとした。

ここで，k はある正の整数(自然数)より，

$kr = \theta$ とおくと，$r \to +0$ のとき $\theta \to +0$ となる。よって，

$$\lim_{r \to +0} \frac{1-\cos kr}{k^2 r^2} = \lim_{\theta \to +0} \frac{1-\cos\theta}{\theta^2} = \frac{1}{2} \quad \cdots\cdots ⑥ \text{ となる。}$$

これは関数の極限の公式であり，

$$\lim_{\theta \to +0} \frac{1-\cos\theta}{\theta^2} = \lim_{\theta \to +0} \frac{(1-\cos\theta)(1+\cos\theta)}{\theta^2 (1+\cos\theta)} = \lim_{\theta \to +0} \left(\frac{\sin\theta}{\theta}\right)^2 \cdot \frac{1}{1+\cos\theta} = 1^2 \times \frac{1}{1+1} = \frac{1}{2}$$

（$1-\cos^2\theta = \sin^2\theta$）

と求めてもよいし，ロピタルの定理を用いて，

$$\lim_{\theta \to +0} \frac{(1-\cos\theta)'}{(\theta^2)'} = \lim_{\theta \to +0} \frac{\sin\theta}{2\theta} = \lim_{\theta \to +0} \frac{1}{2} \cdot \frac{\sin\theta}{\theta} = \frac{1}{2} \cdot 1 = \frac{1}{2} \quad \text{と求めてもよい。}$$

よって，⑥を⑤に代入し，また，$\displaystyle\lim_{r \to +0} f_r(x) = \sum_{k=-\infty}^{\infty} \delta(x-2k\pi)$ であるので，

デルタ関数のフーリエ級数展開の公式

$$\sum_{k=-\infty}^{\infty} \delta(x-2k\pi) = \frac{1}{2\pi} + \frac{2}{\pi} \sum_{k=1}^{\infty} \frac{1}{2} \cos kx$$

$$= \frac{1}{2\pi} + \frac{1}{\pi} \sum_{k=1}^{\infty} \cos kx \quad \cdots\cdots (*) \text{ が導かれる。} \quad \cdots\cdots\cdots\cdots(終)$$

参考

$f_r(x)$ は，区間 $[-\pi, \pi]$ の周期 2π の周期関数より，$r \to +0$ のとき，

$\displaystyle\sum_{k=-\infty}^{\infty} \delta(x-2k\pi)$ となる。その様子の概略を下に示す。

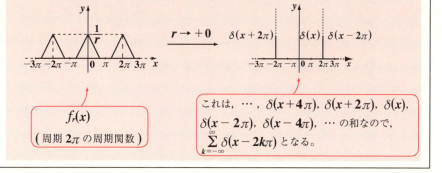

$f_r(x)$
(周期 2π の周期関数)

これは，$\cdots$，$\delta(x+4\pi)$, $\delta(x+2\pi)$, $\delta(x)$, $\delta(x-2\pi)$, $\delta(x-4\pi)$, $\cdots$ の和なので，$\displaystyle\sum_{k=-\infty}^{\infty} \delta(x-2k\pi)$ となる。

演習問題 37　●不連続関数の微分（I）●

周期 2π の周期関数 $f(x) = \begin{cases} x & \left(-\dfrac{\pi}{2} < x < \dfrac{\pi}{2}\right) \\ 0 & \left(-\pi < x < -\dfrac{\pi}{2},\ \dfrac{\pi}{2} < x \leqq \pi\right) \end{cases}$ を，不連続点

を除いて微分した周期 2π の周期関数を $g(x)$ とおくと，

$g(x) = \begin{cases} 1 & \left(-\dfrac{\pi}{2} < x < \dfrac{\pi}{2}\right) \\ 0 & \left(-\pi < x < -\dfrac{\pi}{2},\ \dfrac{\pi}{2} < x \leqq \pi\right) \end{cases}$ となる。

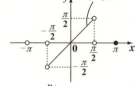

また，$f(x)$ は次のようにフーリエ級数に展開できる。

$f(x) = \sum_{k=1}^{\infty} \left(-\dfrac{1}{k}\cos\dfrac{k\pi}{2} + \dfrac{2}{\pi k^2}\sin\dfrac{k\pi}{2}\right)\sin kx$ ……①

（演習問題 8（P32））

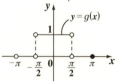

このとき，次の各問いに答えよ。

(1) $g(x)$ をフーリエ・コサイン級数に展開せよ。

(2) ①を項別微分した $f'(x)$ と $g(x)$ が一致しないことを示せ。

> **ヒント！** フーリエ級数が項別に微分できるための条件は，関数 $f(x)$ が区間 $(-\pi, \pi]$ で区分的に滑らかで，かつ連続であることである。よって，今回の $f(x)$ は，$x = \pm\dfrac{\pi}{2}$ で不連続であるため，①のフーリエ級数を項別に微分しても，$g(x)$ のフーリエ級数と一致しない。この問題で確認しよう。

解答 & 解説

(1) $g(x)$ は区間 $(-\pi, \pi]$ において区分的に滑らかな周期 2π の周期関数で，かつ偶関数である。よって，これは次のようにフーリエ・コサイン級数に展開できる。

$g(x) = \dfrac{a_0}{2} + \sum_{k=1}^{\infty} a_k \cos kx$ ……②　$\left(a_k = \dfrac{2}{\pi}\displaystyle\int_0^\pi g(x)\cos kx\,dx\right)$

$a_k\ (k=0,\ 1,\ 2,\ \cdots)$ について，

● フーリエ級数（Ⅱ）

$\cdot\ a_0 = \dfrac{2}{\pi}\int_0^{\pi} g(x)dx = \dfrac{2}{\pi}\left(\int_0^{\frac{\pi}{2}} 1\cdot dx + \cancel{\int_{\frac{\pi}{2}}^{\pi} 0\cdot dx}\right) = \dfrac{2}{\pi}[x]_0^{\frac{\pi}{2}} = \dfrac{2}{\pi}\times \dfrac{\pi}{2}$

$\therefore a_0 = 1 \cdots\cdots ③$

$\cdot\ k = 1,\ 2,\ 3,\ \cdots$ のとき，

$a_k = \dfrac{2}{\pi}\int_0^{\pi} g(x)\cos kx\,dx = \dfrac{2}{\pi}\left(\int_0^{\frac{\pi}{2}} 1\cdot \cos kx\,dx + \cancel{\int_{\frac{\pi}{2}}^{\pi} 0\cdot \cos kx\,dx}\right)$

$= \dfrac{2}{\pi}\cdot \dfrac{1}{k}[\sin kx]_0^{\frac{\pi}{2}} = \dfrac{2}{k\pi}\left(\sin \dfrac{k\pi}{2} - 0\right)$

$\therefore a_k = \dfrac{2}{\pi k}\sin \dfrac{k\pi}{2} \cdots\cdots ④ \quad (k = 1,\ 2,\ 3,\ \cdots)$

よって，③，④を②に代入すると，$g(x)$ は次のようにフーリエ・コサイン級数に展開できる。

$g(x) = \dfrac{1}{2} + \dfrac{2}{\pi}\displaystyle\sum_{k=1}^{\infty} \dfrac{1}{k}\sin \dfrac{k\pi}{2}\cos kx \ \cdots\cdots ⑤ \cdots\cdots\cdots\cdots\cdots\cdots\cdots$（答）

(2) $f(x)$ をフーリエ級数に展開した①を項別微分すると，

> $f(x)$ は，区分的に滑らかであるが，連続ではないので，本来この項別微分を行なっても，$g(x)$ と一致しない。これを確認する。

$f'(x) = \left\{\displaystyle\sum_{k=1}^{\infty}\left(-\dfrac{1}{k}\cos \dfrac{k\pi}{2} + \dfrac{2}{\pi k^2}\sin \dfrac{k\pi}{2}\right)\sin kx\right\}'$

（定数）

$= \displaystyle\sum_{k=1}^{\infty}\left(-\dfrac{1}{k}\cos \dfrac{k\pi}{2} + \dfrac{2}{\pi k^2}\sin \dfrac{k\pi}{2}\right)(\sin kx)'$ ← 形式的に項別に微分した。

$= \displaystyle\sum_{k=1}^{\infty}\left(-\dfrac{1}{k}\cos \dfrac{k\pi}{2} + \dfrac{2}{\pi k^2}\sin \dfrac{k\pi}{2}\right)\cdot k\cdot \cos kx$

$\therefore f'(x) = \displaystyle\sum_{k=1}^{\infty}\left(-\cos \dfrac{k\pi}{2} + \dfrac{2}{\pi k}\sin \dfrac{k\pi}{2}\right)\cos kx \ \cdots\cdots ⑥ \quad$ となって，

⑤の $g(x)$ のフーリエ級数とは一致しないことが示された。$\cdots\cdots$（終）

参考

- $g(x) = \dfrac{1}{2} + \dfrac{2}{\pi}\sum_{k=1}^{\infty}\dfrac{1}{k}\sin\dfrac{k\pi}{2}\cos kx$ ……⑤ を

  $g(x) \fallingdotseq \dfrac{1}{2} + \dfrac{2}{\pi}\sum_{k=1}^{n}\dfrac{1}{k}\sin\dfrac{k\pi}{2}\cos kx$ ……⑤′ で近似して，

  $n = 5$，50，300 としたときのグラフを下に示す。

（ⅰ） $n = 5$ のとき， （ⅱ） $n = 50$ のとき，

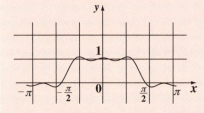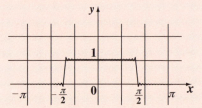

（ⅲ） $n = 300$ のとき，

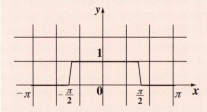

このように，$g(x)$ のフーリエ級数は，周期関数 $f(x)$ の導関数 $f'(x)$ に収束していくことが分かる。

これに対して，

- $f(x)$ のフーリエ級数 $f(x) = \sum_{k=1}^{\infty}\left(-\dfrac{1}{k}\cos\dfrac{k\pi}{2} + \dfrac{2}{\pi k^2}\sin\dfrac{k\pi}{2}\right)\sin kx$ ……①

  を項別微分した $f'(x) = \sum_{k=1}^{\infty}\left(-\cos\dfrac{k\pi}{2} + \dfrac{2}{\pi k}\sin\dfrac{k\pi}{2}\right)\cos kx$ ……⑥ を

  $f'(x) \fallingdotseq \sum_{k=1}^{n}\left(-\cos\dfrac{k\pi}{2} + \dfrac{2}{\pi k}\sin\dfrac{k\pi}{2}\right)\cos kx$ ……⑥′ で近似して，

$n = 5$，50，300 としたときのグラフを次ページに示す。このグラフから分かるように，n を大きくしていっても $g(x)$ のようにある一定のグラフに収束することはなく，非常に不安定なグラフになる。この傾向は，n をさらに 3000，30000，…と大きくしていっても変わらない。

(ⅰ)$n=5$ のとき，

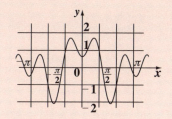

(ⅱ)$n=50$ のとき，

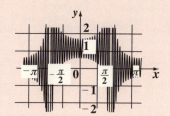

(ⅲ)$n=300$ のとき，

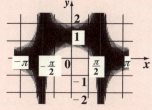

したがって，「周期関数 $f(x)$ が区分的に滑らかで，かつ連続のとき，$f(x)$ のフーリエ級数を項別に微分して $f'(x)$ を求められる。」ということを，「周期関数 $f(x)$ が区分的に滑らかでも，連続でないならば，$f(x)$ のフーリエ級数を項別に微分しても意味が無い。」と言い換えてもいいかもしれない。
しかし，この不連続な周期関数 $f(x)$ のフーリエ級数を項別微分して得られる不安定な $f'(x)$ のもっている意味を，単位階段関数 $u(x-a)$ やデルタ関数 $\delta(x-a)$ などを利用して調べると興味深い結果が得られる。
次の演習問題 38 で早速調べてみよう。

演習問題 38　●不連続関数の微分（Ⅱ）●

周期 2π の周期関数 $f(x) = \begin{cases} x & \left(-\dfrac{\pi}{2} < x < \dfrac{\pi}{2}\right) \\ 0 & \left(-\pi < x < -\dfrac{\pi}{2},\ \dfrac{\pi}{2} < x \leq \pi\right) \end{cases}$ ……① に

ついて，次の問いに答えよ。

(1) ①を単位階段関数を用いて表すと，
$$f(x) = \sum_{k=-\infty}^{\infty} (x - 2k\pi)\left\{ u\left(x - \left(2k - \dfrac{1}{2}\right)\pi\right) - u\left(x - \left(2k + \dfrac{1}{2}\right)\pi\right) \right\} \cdots\cdots ②$$
となることを示せ。

(2) ①をフーリエ級数に展開したものを x で項別微分すると，
$$f'(x) = \sum_{k=1}^{\infty} \left(-\cos\dfrac{k\pi}{2} + \dfrac{2}{\pi k}\sin\dfrac{k\pi}{2} \right) \cos kx \cdots\cdots ③ \quad \text{となる。}$$
　　　(演習問題 37（P102））

②を x で項別微分したものと，③とが一致することを示せ。ただし，デルタ関数の次のフーリエ級数展開の公式を用いてもよい。

$$\sum_{k=-\infty}^{\infty} \delta(x - 2k\pi) = \dfrac{1}{2\pi} + \dfrac{1}{\pi}\sum_{k=1}^{\infty} \cos kx \cdots\cdots (*) \quad \text{(演習問題 36（P99））}$$

ヒント！ **(1)** 一般に $y = u(x-a) - u(x-b)\ (a < b)$

は，図(ⅰ)に示すようなグラフになるので，
関数 $y = f(x)$ の区間 (a, b) の部分だけを抽出
する場合，図(ⅱ)に示すように，
$y = f(x)\{u(x-a) - u(x-b)\}$ とすればよい。

(2) で，デルタ関数のフーリエ級数の公式 $(*)$ は，
x の代わりに $x \pm a\ (a : 定数)$ を代入しても成り

立つ。よって，
$$\sum_{k=-\infty}^{\infty} \delta(x \pm a - 2k\pi) = \dfrac{1}{2\pi} + \dfrac{1}{\pi}\sum_{k=1}^{\infty} \cos k(x \pm a)$$
として，利用できることにも注意しよう。

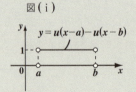

図(ⅰ)

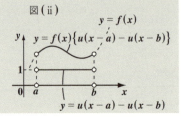

図(ⅱ)

解答&解説

(1) 周期 2π の周期関数 $f(x)$ のグラフの概形を図1に示す。これから，関数 $f(x)$ は，次の関数等の無限和で表される。

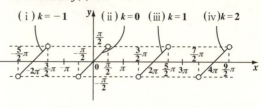
図1 周期関数 $f(x)$

(i) $(x+2\pi)\left\{u\left(x+\dfrac{5}{2}\pi\right)-u\left(x+\dfrac{3}{2}\pi\right)\right\}$

(ii) $x\cdot\left\{u\left(x+\dfrac{\pi}{2}\right)-u\left(x-\dfrac{\pi}{2}\right)\right\}$

(iii) $(x-2\pi)\left\{u\left(x-\dfrac{3}{2}\pi\right)-u\left(x-\dfrac{5}{2}\pi\right)\right\}$

(iv) $(x-4\pi)\left\{u\left(x-\dfrac{7}{2}\pi\right)-u\left(x-\dfrac{9}{2}\pi\right)\right\}$

直線 $y=x+2\pi$ の $\left(-\dfrac{5}{2}\pi,\ -\dfrac{3}{2}\pi\right)$ の部分を抽出したもの。

$u\left(x+\dfrac{5}{2}\pi\right)-u\left(x+\dfrac{3}{2}\pi\right)$　　$y=x+2\pi$

他も同様。

以上(i)〜(iv)より,

$$f(x)=\sum_{k=-\infty}^{\infty}(x-2k\pi)\left\{u\left(x+\dfrac{\pi}{2}-2k\pi\right)-u\left(x-\dfrac{\pi}{2}-2k\pi\right)\right\}$$

- $k=-1$ のとき, (i) $(x+2\pi)\left\{u\left(x+\dfrac{5}{2}\pi\right)-u\left(x+\dfrac{3}{2}\pi\right)\right\}$
- $k=0$ のとき, (ii) $x\cdot\left\{u\left(x+\dfrac{\pi}{2}\right)-u\left(x-\dfrac{\pi}{2}\right)\right\}$
- $k=1$ のとき, (iii) $(x-2\pi)\left\{u\left(x-\dfrac{3}{2}\pi\right)-u\left(x-\dfrac{5}{2}\pi\right)\right\}$
- $k=2$ のとき, (iv) $(x-4\pi)\left\{u\left(x-\dfrac{7}{2}\pi\right)-u\left(x-\dfrac{9}{2}\pi\right)\right\}$

$\therefore f(x)=\sum_{k=-\infty}^{\infty}(x-2k\pi)\left\{u\left(x-\left(2k-\dfrac{1}{2}\right)\pi\right)-u\left(x-\left(2k+\dfrac{1}{2}\right)\pi\right)\right\}$ ……② となる。

………(終)

①の周期関数 $f(x)$ を数学的に厳密に表現したものが，②である。

(2) ①の $f(x)$ をフーリエ級数展開したものを x で項別に微分すると，

$$f'(x) = \sum_{k=1}^{\infty}\left(-\cos\frac{k\pi}{2} + \frac{2}{\pi k}\sin\frac{k\pi}{2}\right)\cos kx \cdots\cdots ③$$

となる。この③と，

$$f(x) = \sum_{k=-\infty}^{\infty}(x-2k\pi)\left\{u\left(x-\left(2k-\frac{1}{2}\right)\pi\right) - u\left(x-\left(2k+\frac{1}{2}\right)\pi\right)\right\} \cdots\cdots ②$$

を x で項別に微分したものが一致することを示す。

②の両辺を x で項別に微分して，

$$f'(x) = \sum_{k=-\infty}^{\infty}\left[(x-2k\pi)\left\{u\left(x-\left(2k-\frac{1}{2}\right)\pi\right) - u\left(x-\left(2k+\frac{1}{2}\right)\pi\right)\right\}\right]' \text{ より，}$$

$$1 \cdot \left\{u\left(x-\left(2k-\frac{1}{2}\right)\pi\right) - u\left(x-\left(2k+\frac{1}{2}\right)\pi\right)\right\} \quad \longrightarrow \quad (f \cdot g)' = f' \cdot g + f \cdot g'$$

$$+ (x-2k\pi)\left\{u\left(x-\left(2k-\frac{1}{2}\right)\pi\right) - u\left(x-\left(2k+\frac{1}{2}\right)\pi\right)\right\}'$$

$$\left\{u'\left(x-\left(2k-\frac{1}{2}\right)\pi\right) - u'\left(x-\left(2k+\frac{1}{2}\right)\pi\right)\right\}$$
$$= \left\{\delta\left(x-\left(2k-\frac{1}{2}\right)\pi\right) - \delta\left(x-\left(2k+\frac{1}{2}\right)\pi\right)\right\}$$
$$\left(\because \frac{d}{dx}u(x-a) = \delta(x-a) \text{ より}\right)$$

$$f'(x) = \sum_{k=-\infty}^{\infty}\left\{u\left(x-\left(2k-\frac{1}{2}\right)\pi\right) - u\left(x-\left(2k+\frac{1}{2}\right)\pi\right)\right\}$$
$$+ \sum_{k=-\infty}^{\infty}\left\{(x-2k\pi)\delta\left(x-\left(2k-\frac{1}{2}\right)\pi\right) - (x-2k\pi)\delta\left(x-\left(2k+\frac{1}{2}\right)\pi\right)\right\}$$

$$\left\{\left(2k-\frac{1}{2}\right)\pi - 2k\pi\right\}\delta\left(x-\left(2k-\frac{1}{2}\right)\pi\right) \qquad \left\{\left(2k+\frac{1}{2}\right)\pi - 2k\pi\right\}\delta\left(x-\left(2k+\frac{1}{2}\right)\pi\right)$$
$$= -\frac{\pi}{2}\delta\left(x-\left(2k-\frac{1}{2}\right)\pi\right) \qquad\qquad = \frac{\pi}{2}\delta\left(x-\left(2k+\frac{1}{2}\right)\pi\right)$$

$$(\because g(x)\cdot\delta(x-a) = g(a)\cdot\delta(x-a) \text{ より})$$

$$\therefore f'(x) = \underline{\sum_{k=-\infty}^{\infty}\left\{u\left(x-\left(2k-\frac{1}{2}\right)\pi\right) - u\left(x-\left(2k+\frac{1}{2}\right)\pi\right)\right\}}$$
（ⅰ）（本来の導関数の部分）

$$\underline{-\frac{\pi}{2}\sum_{k=-\infty}^{\infty}\left\{\delta\left(x-\left(2k-\frac{1}{2}\right)\pi\right) + \delta\left(x-\left(2k+\frac{1}{2}\right)\pi\right)\right\}} \cdots\cdots ④ \quad \text{となる。}$$
（ⅱ）（不安定要素の部分）

④のΣ計算を(i)と(ii)に分けて考えると、

(i) $\sum_{k=-\infty}^{\infty}\left\{u\left(x-\left(2k-\frac{1}{2}\right)\pi\right)-u\left(x-\left(2k+\frac{1}{2}\right)\pi\right)\right\}$

のグラフは図2のようになり、これは演習問題37 (**P102**) の $g(x)$ のことである。

図2
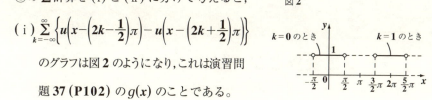

これはフーリエ・コサイン級数に展開できて、

$g(x) = \dfrac{1}{2} + \sum_{k=1}^{\infty}\dfrac{2}{\pi k}\sin\dfrac{k\pi}{2}\cos kx$ ……⑤ となる。

> 本来、この⑤が、①の $f(x)$ の導関数である。したがって、④の(ii)の項が不安定要素の部分であり、$f(x)$ が不連続関数の場合、避けられない現象である。

(ii) $\begin{cases} \cdot \sum_{k=-\infty}^{\infty}\delta\left(x+\frac{\pi}{2}-2k\pi\right) = \dfrac{1}{2\pi}+\dfrac{1}{\pi}\sum_{k=1}^{\infty}\cos k\left(x+\frac{\pi}{2}\right) \\ \cdot \sum_{k=-\infty}^{\infty}\delta\left(x-\frac{\pi}{2}-2k\pi\right) = \dfrac{1}{2\pi}+\dfrac{1}{\pi}\sum_{k=1}^{\infty}\cos k\left(x-\frac{\pi}{2}\right) \end{cases}$ より、

> 公式:$\sum_{k=-\infty}^{\infty}\delta(x\pm a-2k\pi) = \dfrac{1}{2\pi}+\dfrac{1}{\pi}\sum_{k=1}^{\infty}\cos k(x\pm a)$ を用いた。((*)より)

$-\dfrac{\pi}{2}\left\{\sum_{k=-\infty}^{\infty}\delta\left(x+\dfrac{\pi}{2}-2k\pi\right)+\sum_{k=-\infty}^{\infty}\delta\left(x-\dfrac{\pi}{2}-2k\pi\right)\right\}$

$= -\dfrac{\pi}{2}\left\{\dfrac{1}{2\pi}+\dfrac{1}{\pi}\sum_{k=1}^{\infty}\cos k\left(x+\dfrac{\pi}{2}\right)+\dfrac{1}{2\pi}+\dfrac{1}{\pi}\sum_{k=1}^{\infty}\cos k\left(x-\dfrac{\pi}{2}\right)\right\}$

$= -\dfrac{1}{2}-\dfrac{1}{2}\sum_{k=1}^{\infty}\underbrace{\left\{\cos k\left(x+\dfrac{\pi}{2}\right)+\cos k\left(x-\dfrac{\pi}{2}\right)\right\}}_{= 2\cos kx\cos\frac{k\pi}{2}}$

> $\cos(\alpha+\beta)+\cos(\alpha-\beta)$
> $=2\cos\alpha\cos\beta$

$= -\dfrac{1}{2}-\sum_{k=1}^{\infty}\cos\dfrac{k\pi}{2}\cos kx$ ……⑥ となる。

以上(i)(ii)より、⑤、⑥を④に代入すると、

$f'(x) = \cancel{\dfrac{1}{2}}+\sum_{k=1}^{\infty}\dfrac{2}{\pi k}\sin\dfrac{k\pi}{2}\cos kx - \cancel{\dfrac{1}{2}}-\sum_{k=1}^{\infty}\cos\dfrac{k\pi}{2}\cos kx$

　　　　　　　(i)　　　　　　　　　　　　(ii)

$= \sum_{k=1}^{\infty}\left(-\cos\dfrac{k\pi}{2}+\dfrac{2}{\pi k}\sin\dfrac{k\pi}{2}\right)\cos kx$ となって、

③と一致することが示された。……………………………………(終)

講義 3 フーリエ変換

§1. フーリエ変換とフーリエ逆変換

関数 $f(x)$ が，区分的に滑らかで，かつ連続，そして絶対可積分，すなわち $\int_{-\infty}^{\infty} |f(x)| dx \leq M$ （M：有限な正の定数）の条件をみたすとき，次のようにフーリエ変換とフーリエ逆変換を行うことができる。

フーリエ変換とフーリエ逆変換

関数 $f(x)$ が $(-\infty, \infty)$ で，区分的に滑らかで連続，かつ絶対可積分であるとき，$f(x)$ のフーリエ変換と，その逆変換は次のように定義される。

(I) フーリエ変換
$$F(\alpha) = F[f(x)] = \int_{-\infty}^{\infty} f(x) e^{-i\alpha x} dx \quad \leftarrow x での積分$$

(II) フーリエ逆変換
$$f(x) = F^{-1}[F(\alpha)] = \frac{1}{2\pi} \int_{-\infty}^{\infty} F(\alpha) e^{i\alpha x} d\alpha \quad \leftarrow \alpha での積分$$

さらに，$f(x)$ が不連続点を含むとき，次のフーリエの積分定理が成り立つ。

フーリエの積分定理

関数 $f(x)$ が $(-\infty, \infty)$ で，区分的に滑らかで，かつ絶対可積分であるとき，

$$\underline{\frac{f(x+0) + f(x-0)}{2}} = \frac{1}{2\pi} \int_{-\infty}^{\infty} e^{i\alpha x} \left\{ \int_{-\infty}^{\infty} f(t) e^{-i\alpha t} dt \right\} d\alpha \quad \text{が成り立つ。}$$

これは，x で連続のときは，当然 $f(x)$ のことだ。

次に，関数 $f(x)$ が特に，
- (i) 偶関数のとき，フーリエ・コサイン変換とその逆変換ができ，また，
- (ii) 奇関数のとき，フーリエ・サイン変換とその逆変換ができる。

フーリエ・コサイン変換とフーリエ・サイン変換

$f(x)$は区分的に滑らかで連続，かつ絶対可積分である実数関数とする。

(ⅰ) フーリエ・コサイン変換（フーリエ余弦変換）

$f(x)$が偶関数であるとき，

$$F(\alpha) = F[f(x)] = 2\int_0^\infty f(x)\cos\alpha x\, dx$$

$$f(x) = F^{-1}[F(\alpha)] = \frac{1}{2\pi}\int_{-\infty}^\infty F(\alpha)\cos\alpha x\, d\alpha$$

となる。

これらをそれぞれ"**フーリエ・コサイン変換**"，"**フーリエ・コサイン逆変換**"と呼ぶ。

(ⅱ) フーリエ・サイン変換（フーリエ正弦変換）

$f(x)$が奇関数であるとき，

$$F(\alpha) = F[f(x)] = -2i\int_0^\infty f(x)\sin\alpha x\, dx$$

$$f(x) = F^{-1}[F(\alpha)] = \frac{i}{2\pi}\int_{-\infty}^\infty F(\alpha)\sin\alpha x\, d\alpha$$

となる。

これらをそれぞれ"**フーリエ・サイン変換**"，"**フーリエ・サイン逆変換**"と呼ぶ。

> 一般に，フーリエ・サイン変換（逆変換）では，$-i$やiを付けずに定義する場合が多いが，本書では理論的整合性を保つために，このように定義した。

ここで，フーリエ変換とフーリエ逆変換，および複素フーリエ係数と複素フーリエ級数の関係を対比して下に示す。

●フーリエ変換とフーリエ逆変換

・フーリエ変換

$$F(\alpha) = \int_{-\infty}^\infty f(x)e^{-i\alpha x}\, dx$$

・フーリエ逆変換

$$f(x) = \frac{1}{2\pi}\int_{-\infty}^\infty F(\alpha)e^{i\alpha x}\, d\alpha$$

●複素フーリエ係数と複素フーリエ級数

・複素フーリエ係数

$$c_k = \frac{1}{2L}\int_{-L}^L f(x)e^{-i\frac{k\pi}{L}x}\, dx$$

・複素フーリエ級数

$$f(x) = \sum_{k=-\infty}^\infty c_k e^{i\frac{k\pi}{L}x}$$

§2. フーリエ変換の性質

主な関数 $f(x)$ とそのフーリエ変換 $F(\alpha)$ の対応表を下に示す。

$f(x)$	$F(\alpha)$
$f(x) = \delta_r(x) = \begin{cases} \dfrac{1}{2r} & (-r \leq x \leq r) \\ 0 & (x < -r,\ r < x) \end{cases}$	$F(\alpha) = \dfrac{\sin r\alpha}{r\alpha}$
$f(x) = e^{-p\lvert x \rvert}$ (p：正の定数)	$F(\alpha) = \dfrac{2p}{\alpha^2 + p^2}$
$f(x) = e^{-px^2}$ (p：正の定数)	$F(\alpha) = \sqrt{\dfrac{\pi}{p}}\, e^{-\frac{\alpha^2}{4p}}$
$f(x) = \delta(x)$	$F(\alpha) = 1$
$f(x) = 1$	$F(\alpha) = 2\pi\delta(\alpha)$

次に，フーリエ変換の性質を示す。

フーリエ変換の性質

$f(x),\ g(x)$ は区分的に滑らかで連続，かつ絶対可積分である実数関数とする。

(1) $F[pf(x) + qg(x)] = pF[f(x)] + qF[g(x)]$

(2) $F(-\alpha) = \overline{F(\alpha)}$

(3) $F[f(px)] = \dfrac{1}{\lvert p \rvert} F[f(x)]\left(\dfrac{\alpha}{p}\right)$ $(p \neq 0)$

(4) $F[f(x-q)] = e^{-iq\alpha} F[f(x)]$

　　（ただし，$p,\ q$ は定数，また $\overline{F(\alpha)}$ は $F(\alpha)$ の共役複素数を表す。）

(5)（ⅰ）$F[f'(x)] = i\alpha F[f(x)]$

　　（ⅱ）$F[f^{(n)}(x)] = (i\alpha)^n F[f(x)]$

(6) さらに，$f(x)$ が，$\displaystyle\int_{-\infty}^{\infty} f(x)\,dx = 0$ をみたすとき，

$$F\left[\int_{-\infty}^{x} f(t)\,dt\right] = \dfrac{1}{i\alpha} F[f(x)]$$

● フーリエ変換

　区分的に滑らかで，かつ絶対可積分である 2 つの関数 $f(x)$ と $g(x)$ が与えられたとき，"**合成積**" $f*g(t)$ を次のように定義する。

$$f*g(t) = \int_{-\infty}^{\infty} f(x) \cdot g(t-x) dx$$

> x の関数を x で積分した結果，x は $\pm\infty$ の極限を取るので，x はなくなって，最終的には t の関数になる。

この "**合成積**" は，"**たたみ込み積分**" や "**コンボリューション積分**" と呼ばれることもある。

　この合成積のフーリエ変換について，次の 2 つの公式がある。

合成積のフーリエ変換

$f(x)$, $g(x)$ は共に区分的に滑らかで，かつ絶対可積分であるとする。

(1) $F[f*g(t)] = F[f(x)] \cdot F[g(x)]$

(2) $F[f \cdot g] = \dfrac{1}{2\pi} \cdot F[f(x)] * F[g(x)]$

　フーリエ級数におけるパーシヴァルの等式： $\|f(x)\|^2 = \sum_{k=0}^{\infty} a_k{}^2$ が存在したのと同様に，フーリエ変換においても，次のパーシヴァルの等式が存在する。

フーリエ変換におけるパーシヴァルの等式

区分的に滑らかで，かつ絶対可積分である関数 $f(x)$ と，そのフーリエ変換 $F(\alpha)$ について，次のパーシヴァルの等式が成り立つ。

$$\int_{-\infty}^{\infty} \{f(x)\}^2 dx = \dfrac{1}{2\pi} \int_{-\infty}^{\infty} |F(\alpha)|^2 d\alpha$$

　このパーシヴァルの等式は，合成積のフーリエ変換の公式 (2) を利用して証明することができる。

　フーリエ級数のパーシヴァルの等式によって，様々な無限級数の和の公式が導かれたのと同様に，このフーリエ変換におけるパーシヴァルの等式を利用することにより，様々な無限積分の値を求めることができる。

演習問題 39 ●フーリエ変換とフーリエ逆変換●

周期 $2L$ の区分的に滑らかで，かつ連続な周期関数 $f(x)$ の複素フーリエ級数の展開公式：

$$f(x)=\sum_{k=0,\pm1}^{\pm\infty} c_k e^{i\frac{k\pi}{L}x} \cdots\cdots ①, \quad c_k=\frac{1}{2L}\int_{-L}^{L} f(t) e^{-i\frac{k\pi}{L}t} dt \cdots\cdots ②$$ を

基にして $L\to\infty$ のとき，$\dfrac{\pi}{L}=\Delta\alpha$，$k\cdot\dfrac{\pi}{L}=\alpha$ とおいて，新たな変数 α を定義することにより，フーリエ変換とフーリエ逆変換の公式：

$$F(\alpha)=\int_{-\infty}^{\infty} f(x)e^{-i\alpha x}dx \cdots\cdots (*1), \quad f(x)=\frac{1}{2\pi}\int_{-\infty}^{\infty} F(\alpha)e^{i\alpha x}d\alpha \cdots\cdots (*2)$$

を導け。

ヒント! $L\to\infty$ のとき，$f(x)$ はもはや周期関数とは考えない。この非周期関数 $f(x)$ については，フーリエ変換とフーリエ逆変換の公式が利用できる。この問題で，これらの公式の導き方をマスターしよう。

解答&解説

周期 $2L$ の区分的に滑らかで，かつ連続な周期関数 $f(x)$ の複素フーリエ級数展開の公式①に，係数 c_k の公式②を代入すると，

$$f(x)=\sum_{k=0,\pm1}^{\pm\infty} \underbrace{\left\{\frac{1}{2L}\int_{-L}^{L} f(t) e^{-i\frac{k\pi}{L}t} dt\right\} e^{i\frac{k\pi}{L}x}}_{\frac{1}{2\pi}\cdot\frac{\pi}{L}\int_{-L}^{L} f(t) e^{i\frac{k\pi}{L}(x-t)} dt} \quad \text{より,}$$

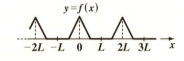

図(i) 周期 $2L$ の周期関数 $f(x)$

$$f(x)=\frac{1}{2\pi}\sum_{k=0,\pm1}^{\pm\infty}\frac{\pi}{L}\int_{-L}^{L} f(t) e^{i\frac{k\pi}{L}(x-t)} dt \cdots\cdots ③$$

となる。

ここで，$L\to\infty$ とすると，図(i)のような

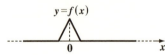

図(ii) $L\to\infty$ のとき，$f(x)$ は非周期関数になる

周期 $2L$ の周期関数 $f(x)$ は，図(ii)のような非周期関数になると考える。ここで，t は積分変数，L は無限大になる変数，そして，x はこの時点では定数として扱うことにする。ここで，③の複素指数関数の指数部 $k\cdot\dfrac{\pi}{L}$ に着目して，

● フーリエ変換

$\dfrac{\pi}{L} = \Delta\alpha$ ……④ とおくと，

$\Delta\alpha$ は π (円周率)を L 等分したものであり，$k \cdot \dfrac{\pi}{L} = k\Delta\alpha$ ……⑤ となる。

図(iii)
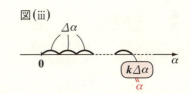

これは，$L \to \infty$ となる変数 L から変数 α を新たに作り出したことになる。つまり，図(iii) に示すように α 軸を想定すると，α 軸の原点から k 番目の位置が⑤の $k\Delta\alpha$ であり，これを α 軸上の値 α (変数)とおく。

すると，$L \to \infty$ のとき，④，⑤は，

$\displaystyle\lim_{L\to\infty} \dfrac{\pi}{L} = d\alpha$ ……④´, $\displaystyle\lim_{L\to\infty} k \cdot \dfrac{\pi}{L} = \alpha$ ……⑤´ となり，また，

③の $\displaystyle\sum_{k=0,\pm 1}^{\pm\infty}$ は $\displaystyle\int_{-\infty}^{\infty}$ に変わる。つまり，$L \to \infty$ としたとき③は，

$$f(x) = \lim_{L\to\infty} \dfrac{1}{2\pi} \sum_{k=0,\pm 1}^{\pm\infty} \dfrac{\pi}{L} \int_{-L}^{L} f(t) e^{i\frac{k\pi}{L}(x-t)} dt$$

（$\sum \to \int_{-\infty}^{\infty}$，$\dfrac{\pi}{L} \to d\alpha$，$\int_{-L}^{L} \to \int_{-\infty}^{\infty}$，$\dfrac{k\pi}{L} \to \alpha$）

$$= \dfrac{1}{2\pi} \int_{-\infty}^{\infty} d\alpha \int_{-\infty}^{\infty} f(t) e^{i\alpha(x-t)} dt$$

（$e^{i\alpha x} \cdot e^{-i\alpha t}$）

$\therefore f(x) = \dfrac{1}{2\pi} \int_{-\infty}^{\infty} e^{i\alpha x} \left\{ \int_{-\infty}^{\infty} f(t) e^{-i\alpha t} dt \right\} d\alpha$ ……⑥ となる。

（フーリエ変換 $F(\alpha)$）
（フーリエ逆変換 $F^{-1}[F(\alpha)]$）

よって，⑥より，フーリエ変換 $F(\alpha) = F[f(x)]$ とフーリエ逆変換 $f(x) = F^{-1}[F(\alpha)]$ の公式が次のように導ける。

$\begin{cases} F(\alpha) = F[f(x)] = \displaystyle\int_{-\infty}^{\infty} f(x) e^{-i\alpha x} dx & \cdots\cdots(*1) \\ f(x) = F^{-1}[F(\alpha)] = \dfrac{1}{2\pi} \displaystyle\int_{-\infty}^{\infty} F(\alpha) e^{i\alpha x} d\alpha & \cdots\cdots(*2) \end{cases}$

積分変数を，t から x に変えた。

……………………(終)

演習問題 40 　　●フーリエ変換（I）●

関数 $f(x) = \begin{cases} x+1 & (-1 < x < 1) \\ 0 & (x < -1,\ 1 < x) \end{cases}$

について，次の問いに答えよ。

(1) $f(x)$ のフーリエ変換 $F(\alpha)$ を求めよ。

(2) $f(0) = 1$ であることを用いて，無限積分

$\int_0^\infty \dfrac{\sin x}{x}\,dx$ の値を求めよ。

（ただし，$x = 0$ のとき，$\dfrac{\sin x}{x} = 1$ と定義する。）

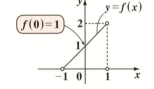

ヒント！ (1)では，フーリエ変換の公式：$F(\alpha) = F[f(x)] = \displaystyle\int_{-\infty}^\infty f(x) e^{-i\alpha x}\,dx$ を使って $F(\alpha)$ を求める。(2)では，フーリエ逆変換の公式：$f(x) = F^{-1}[F(\alpha)] = \dfrac{1}{2\pi}\displaystyle\int_{-\infty}^\infty F(\alpha) e^{i\alpha x}\,d\alpha$ と，$f(0) = 1$ を利用して，無限積分の値を求める。

解答 & 解説

(1) 関数 $f(x)$ は，区間 $(-\infty, \infty)$ で区分的に滑らかで，かつ絶対可積分な関数なので，このフーリエ変換 $F(\alpha)$ を求めると，

$$F(\alpha) = F[f(x)] = \int_{-\infty}^\infty f(x) e^{-i\alpha x}\,dx$$

$$= \int_{-\infty}^{-1} \cancel{0 \cdot e^{-i\alpha x}}\,dx + \int_{-1}^1 (x+1) e^{-i\alpha x}\,dx + \int_1^\infty \cancel{0 \cdot e^{-i\alpha x}}\,dx$$

$$= \int_{-1}^1 (x+1)\left(-\dfrac{1}{i\alpha} e^{-i\alpha x}\right)'\,dx$$

部分積分
$\int f \cdot g'\,dx = f \cdot g - \int f' \cdot g\,dx$

$$= \underbrace{\dfrac{-1}{i\alpha}}_{i^2}\left[(x+1) e^{-i\alpha x}\right]_{-1}^1 + \dfrac{1}{i\alpha}\int_{-1}^1 1 \cdot e^{-i\alpha x}\,dx$$

複素指数関数の積分は，実指数関数の積分と同様に計算できる。

$$= \dfrac{i}{\alpha}\left(2 e^{-i\alpha} - \cancel{0 \cdot e^{i\alpha}}\right) + \dfrac{1}{i\alpha}\left[-\dfrac{1}{i\alpha} e^{-i\alpha x}\right]_{-1}^1$$

$$= \underbrace{\dfrac{2i}{\alpha} e^{-i\alpha}}_{\cos\alpha - i\sin\alpha} + \underbrace{\dfrac{1}{\alpha^2}\left(e^{-i\alpha} - e^{i\alpha}\right)}_{-(e^{i\alpha} - e^{-i\alpha}) = -2i\sin\alpha}$$

$$\therefore F(\alpha) = \frac{2i}{\alpha}(\cos\alpha - i\sin\alpha) - \frac{2i}{\alpha^2}\sin\alpha$$
$$= \frac{2}{\alpha}\sin\alpha + i\left(\frac{2}{\alpha}\cos\alpha - \frac{2}{\alpha^2}\sin\alpha\right)$$
……① ………（答）

> オイラーの公式：
> $e^{i\theta} = \cos\theta + i\sin\theta$ …(*) より，
> $e^{-i\theta} = \cos(-\theta) + i\sin(-\theta)$
> $\qquad = \cos\theta - i\sin\theta$ …(*)′
> ・(*)+(*)′ より，
> $\quad e^{i\theta} + e^{-i\theta} = 2\cos\theta$
> ・(*)−(*)′ より，
> $\quad e^{i\theta} - e^{-i\theta} = 2i\sin\theta$

(2) $F(\alpha)$ の逆変換 $f(x) = F^{-1}[F(\alpha)]$ を，公式を用いて求めると，

$$f(x) = F^{-1}[F(\alpha)] = \frac{1}{2\pi}\int_{-\infty}^{\infty} F(\alpha) \cdot e^{i\alpha x} d\alpha \quad \cdots ② \text{ となる。}$$

ここで，$f(0) = 1$ より，②の両辺に $x = 0$ を代入すると，

$$f(0) = \boxed{1 = \frac{1}{2\pi}\int_{-\infty}^{\infty} F(\alpha) \cdot e^{i\alpha 0} d\alpha} \text{ より，}$$

（下線部①）

$$2\pi = \int_{-\infty}^{\infty}\left\{2\cdot\frac{\sin\alpha}{\alpha} + i\left(\frac{2\cos\alpha}{\alpha} - \frac{2\sin\alpha}{\alpha^2}\right)\right\}d\alpha \quad (\text{①より})$$

（偶関数） （奇関数） （奇関数）

$$2\pi = 2 \times 2\int_0^{\infty} \frac{\sin\alpha}{\alpha} d\alpha$$

ここで，積分変数を α から x に変えると，求める無限積分の値は，

$$\int_0^{\infty} \frac{\sin x}{x} dx = \frac{\pi}{2} \text{ となる。} \quad\cdots\cdots\text{(答)}$$

参考

周期関数 $f(x)$ のフーリエ級数展開を基に，$\frac{1}{1^2} + \frac{1}{2^2} + \frac{1}{3^2} + \cdots = \frac{\pi^2}{6}$ など…の様々な無限級数の和の公式が導けたように，非周期関数 $f(x)$ のフーリエ変換とその逆変換を利用して，$\int_0^{\infty}\frac{\sin x}{x}dx = \frac{\pi}{2}$ など…の様々な無限積分の値を算出することができる。

演習問題 41　●フーリエ変換(Ⅱ)●

関数 $f(x) = \begin{cases} 1 & (-1 < x < 2) \\ 0 & (x < -1, \ 2 < x) \end{cases}$

について，次の問いに答えよ。

(1) $f(x)$ のフーリエ変換 $F(\alpha)$ を求めよ。

(2) $f(0) = 1$ であることを用いて，無限積分

$\int_0^\infty \dfrac{\sin 2x}{x} dx$ を求めよ。$\left(\text{ただし，}x=0\text{のとき，}\dfrac{\sin 2x}{x}=2\text{と定義し，}\right.$

また $\left. \int_0^\infty \dfrac{\sin x}{x} dx = \dfrac{\pi}{2} \ \cdots\cdots (*) \ \text{を用いてもよい。}\right)$

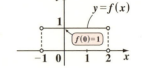

ヒント! フーリエ変換の公式：$F(\alpha) = \int_{-\infty}^{\infty} f(x) e^{-i\alpha x} dx$ とフーリエ逆変換の公式：

$f(x) = F^{-1}[F(\alpha)] = \dfrac{1}{2\pi} \int_{-\infty}^{\infty} F(\alpha) e^{i\alpha x} d\alpha$，および，$f(0) = 1$ を用いて解いていこう。

解答&解説

(1) 関数 $f(x)$ は，区間 $(-\infty, \infty)$ で区分的に滑らかで，かつ絶対可積分な関数なので，このフーリエ変換 $F(\alpha)$ を求めると，

$$F(\alpha) = F[f(x)] = \int_{-\infty}^{\infty} f(x) e^{-i\alpha x} dx$$

$$= \underbrace{\int_{-\infty}^{-1} 0 \cdot e^{-i\alpha x} dx}_{0} + \int_{-1}^{2} 1 \cdot e^{-i\alpha x} dx + \underbrace{\int_{2}^{\infty} 0 \cdot e^{-i\alpha x} dx}_{0}$$

$$= \int_{-1}^{2} e^{-i\alpha x} dx = \dfrac{-1}{i\alpha} \left[e^{-i\alpha x} \right]_{-1}^{2}$$

公式：
$e^{i\theta} = \cos\theta + i\sin\theta$
$e^{-i\theta} = \cos\theta - i\sin\theta$

$$= \boxed{(ア)} \left(\underbrace{e^{-i \cdot 2\alpha}}_{\cos 2\alpha - i\sin 2\alpha} - \underbrace{e^{i\alpha}}_{(\cos\alpha + i\sin\alpha)} \right)$$

$$= \boxed{(ア)} \{ \cos 2\alpha - \cos\alpha - i(\sin 2\alpha + \sin\alpha) \}$$

$\therefore F(\alpha) = \dfrac{1}{\alpha} \{ \sin 2\alpha + \sin\alpha + i (\boxed{(イ)}) \}$ ……① …………(答)

● フーリエ変換

> **別解**
>
> $$F(\alpha) = \int_{-1}^{2} e^{-i\alpha x} dx = \int_{-1}^{2} (\cos\alpha x - i\sin\alpha x) dx = \left[\frac{1}{\alpha}\sin\alpha x + \frac{i}{\alpha}\cos\alpha x\right]_{-1}^{2}$$
>
> $$= \frac{1}{\alpha}(\sin 2\alpha + i\cos 2\alpha + \underbrace{\sin\alpha}_{-\sin(-\alpha)} - i\underbrace{\cos\alpha}_{\cos(-\alpha)})\quad \text{として, 求めてもよい。}$$

(2) $F(\alpha)$ の逆変換 $f(x) = F^{-1}[F(\alpha)]$ を, 公式を使って求めると,

$$f(x) = F^{-1}[F(\alpha)] = \frac{1}{2\pi}\int_{-\infty}^{\infty} F(\alpha) \cdot e^{i\alpha x} d\alpha \quad \cdots\cdots ② \quad \text{となる。}$$

ここで, $f(0) = 1$ より, ②の両辺に $x = 0$ を代入すると,

$$f(0) = \boxed{1 = \frac{1}{2\pi}\int_{-\infty}^{\infty} F(\alpha) \cdot 1\, d\alpha} \quad \text{より,}$$

$$\boxed{(ウ)} = \int_{-\infty}^{\infty}\left\{\underbrace{\frac{\sin 2\alpha}{\alpha}}_{\text{偶関数}} + \underbrace{\frac{\sin\alpha}{\alpha}}_{\text{偶関数}} + i\left(\underbrace{\frac{\cancel{\cos 2\alpha}}{\alpha}}_{\text{奇関数}} - \underbrace{\frac{\cancel{\cos\alpha}}{\alpha}}_{\text{奇関数}}\right)\right\} d\alpha \quad \text{(①より)}$$

$$\boxed{(ウ)} = 2\int_{0}^{\infty}\frac{\sin 2\alpha}{\alpha} d\alpha + 2\underbrace{\int_{0}^{\infty}\frac{\sin\alpha}{\alpha} d\alpha}_{\frac{\pi}{2}\,((*)より)} \quad \text{となる。よって,}$$

$$\int_{0}^{\infty}\frac{\sin 2\alpha}{\alpha} d\alpha = \frac{1}{2}(2\pi - \pi)$$

ここで, 積分変数を α から x に変えると, 求める無限積分の値は,

$$\int_{0}^{\infty}\frac{\sin 2x}{x} dx = \boxed{(エ)} \quad \text{である。} \quad \cdots\cdots\cdots\cdots\cdots\cdots(\text{答})$$

> 一般に, $\int_{0}^{\infty}\frac{\sin kx}{x} dx = \frac{\pi}{2}$ (k:正の定数)となる。$kx = t$ と置換すれば分かる。

解答 (ア) $\dfrac{i}{\alpha}$　(イ) $\cos 2\alpha - \cos\alpha$　(ウ) 2π　(エ) $\dfrac{\pi}{2}$

演習問題 42　●フーリエ変換(Ⅲ)●

関数 $f(x) = \begin{cases} x & (0 < x \leq 1) \\ -x+2 & (1 < x \leq 2) \\ 0 & (x \leq 0,\ 2 < x) \end{cases}$

について，次の問いに答えよ。

(1) $f(x)$ のフーリエ変換 $F(\alpha)$ を求めよ。

(2) $f(1) = 1$ であることを用いて，無限積分 $\int_0^\infty \dfrac{1 - \cos x}{x^2} dx$ の値を求めよ。$\left(\text{ただし，}x = 0\text{ のとき，}\dfrac{1-\cos x}{x^2} = \dfrac{1}{2}\text{ と定義する。}\right)$

ヒント！ フーリエ変換の公式：$F(\alpha) = \int_{-\infty}^{\infty} f(x) e^{-i\alpha x} dx$ とフーリエ逆変換の公式：$f(x) = \dfrac{1}{2\pi} \int_{-\infty}^{\infty} F(\alpha) e^{i\alpha x} d\alpha$ と $f(1) = 1$ を利用して解けばよい。

解答 & 解説

(1) 関数 $f(x)$ は，区間 $(-\infty, \infty)$ で区分的に滑らかで，かつ連続，さらに絶対可積分な関数なので，このフーリエ変換 $F(\alpha)$ を求めると，

$$F(\alpha) = F[f(x)] = \int_{-\infty}^{\infty} f(x) e^{-i\alpha x} dx$$

$$= \underbrace{\int_{-\infty}^{0} 0 \cdot e^{-i\alpha x} dx}_{0} + \int_0^1 x e^{-i\alpha x} dx + \int_1^2 (-x+2) e^{-i\alpha x} dx + \underbrace{\int_2^\infty 0 \cdot e^{-i\alpha x} dx}_{0}$$

$\displaystyle\int_0^1 x \cdot \left(-\dfrac{1}{i\alpha} e^{-i\alpha x}\right)' dx$
$= \dfrac{i}{\alpha}[x e^{-i\alpha x}]_0^1 - \dfrac{i}{\alpha} \int_0^1 1 \cdot e^{-i\alpha x} dx$
$= \dfrac{i}{\alpha}(e^{-i\alpha} - 0) - \dfrac{\cancel{i}}{\alpha}\left[-\dfrac{1}{\cancel{i}\alpha} e^{-i\alpha x}\right]_0^1$
$= \dfrac{i}{\alpha} e^{-i\alpha} + \dfrac{1}{\alpha^2}(e^{-i\alpha} - 1)$

$\displaystyle\int_1^2 (-x+2)\left(-\dfrac{1}{i\alpha} e^{-i\alpha x}\right)' dx$
$= \dfrac{i}{\alpha}[(-x+2) e^{-i\alpha x}]_1^2 - \dfrac{i}{\alpha} \int_1^2 (-1) \cdot e^{-i\alpha x} dx$
$= \dfrac{i}{\alpha}(0 - e^{-i\alpha}) + \dfrac{\cancel{i}}{\alpha}\left[-\dfrac{1}{\cancel{i}\alpha} e^{-i\alpha x}\right]_1^2$
$= -\dfrac{i}{\alpha} e^{-i\alpha} - \dfrac{1}{\alpha^2}(e^{-i2\alpha} - e^{-i\alpha})$

よって，

$$F(\alpha) = \frac{i}{\alpha}e^{-i\alpha} + \frac{1}{\alpha^2}(e^{-i\alpha}-1) - \frac{i}{\alpha}e^{-i\alpha} - \frac{1}{\alpha^2}(e^{-i\cdot 2\alpha}-e^{-i\alpha}) \quad \text{より,}$$

$$= \frac{1}{\alpha^2}(2\underbrace{e^{-i\alpha}}_{(\cos\alpha - i\sin\alpha)} - \underbrace{e^{-i\cdot 2\alpha}}_{(\cos 2\alpha - i\sin 2\alpha)} - 1) \quad \cdots\cdots ①'$$

$$= \frac{1}{\alpha^2}(2\cos\alpha - 2i\sin\alpha - \cos 2\alpha + i\sin 2\alpha - 1)$$

$$\therefore F(\alpha) = \frac{1}{\alpha^2}\{2\cos\alpha - \cos 2\alpha - 1 - i(2\sin\alpha - \sin 2\alpha)\} \cdots\cdots ① \cdots\cdots \text{(答)}$$

(2) $F(\alpha)$ の逆変換 $f(x) = F^{-1}[F(\alpha)]$ を公式を用いて求めると,

$$f(x) = F^{-1}[F(\alpha)] = \frac{1}{2\pi}\int_{-\infty}^{\infty} F(\alpha)\cdot e^{i\alpha x} d\alpha \cdots\cdots ② \quad \text{となる。}$$

ここで, $f(1) = 1$ より, ②の両辺に $x = 1$ を代入すると,

$$f(1) = \boxed{1 = \frac{1}{2\pi}\int_{-\infty}^{\infty} F(\alpha)\cdot e^{i\alpha} d\alpha} \quad \text{より, これに①'を代入して,}$$

$$\underbrace{\frac{1}{\alpha^2}(2e^{-i\alpha} - e^{-i\cdot 2\alpha} - 1) \quad (①'より)}$$

①よりも, ①'を用いる方が, 変形がしやすい!

$$2\pi = \int_{-\infty}^{\infty} \frac{1}{\alpha^2}(2e^{-i\alpha} - e^{-i\cdot 2\alpha} - 1)e^{i\alpha} d\alpha$$

$$2\pi = \int_{-\infty}^{\infty} \frac{1}{\alpha^2}\{2 - \underbrace{(e^{-i\alpha} + e^{i\alpha})}_{2\cos\alpha}\}$$

公式:
$e^{i\theta} + e^{-i\theta} = 2\cos\theta$

$$2\pi = 2\int_{-\infty}^{\infty} \underbrace{\frac{1-\cos\alpha}{\alpha^2}}_{\text{偶関数}} d\alpha = 4\int_{0}^{\infty} \frac{1-\cos\alpha}{\alpha^2} d\alpha$$

$$\therefore \int_{0}^{\infty} \frac{1-\cos\alpha}{\alpha^2} d\alpha = 2\pi \times \frac{1}{4} = \frac{\pi}{2}$$

ここで, 積分変数を α から x に変えると, 求める無限積分の値は,

$$\int_{0}^{\infty} \frac{1-\cos x}{x^2} dx = \frac{\pi}{2} \quad \cdots\cdots\cdots\cdots\text{(答)}$$

121

演習問題 43　●フーリエ変換 (Ⅳ)●

$f(x) = \begin{cases} e^x & (0 < x < 1) \\ 0 & (x < 0,\ 1 < x) \end{cases}$

について，次の問いに答えよ。

(1) $f(x)$ のフーリエ変換 $F(\alpha)$ を求めよ。

(2) $f(0) = \dfrac{1}{2}$ であることを用いて，無限積分

$\displaystyle\int_0^\infty \dfrac{\cos x + x \sin x}{x^2 + 1} dx$ の値を求めよ。

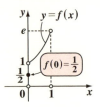

ヒント! フーリエ変換とフーリエ逆変換の公式を利用して解けばよい。ここで，フーリエ逆変換 $f(x) = F^{-1}[F(\alpha)]$ は，$x = 0$ のとき，不連続点となるため，左右両極限値の相加平均，すなわち $f(0) = \dfrac{f(-0) + f(+0)}{2} = \dfrac{0 + 1}{2} = \dfrac{1}{2}$ となることに気を付けよう。

解答 & 解説

(1) 関数 $f(x)$ は，区間 $(-\infty, \infty)$ で区分的に滑らかで，かつ絶対可積分な関数なので，このフーリエ変換 $F(\alpha)$ を求めると，

$$F(\alpha) = F[f(x)] = \int_{-\infty}^\infty f(x) e^{-i\alpha x} dx$$

$$= \underbrace{\int_{-\infty}^0 0 \cdot e^{-i\alpha x} dx}_{0} + \int_0^1 \boxed{(\text{ア})} \cdot e^{-i\alpha x} dx + \underbrace{\int_1^\infty 0 \cdot e^{-i\alpha x} dx}_{0}$$

$$= \int_0^1 e^{(1-i\alpha)x} dx = \underbrace{\dfrac{1}{1-i\alpha}}_{\boxed{\dfrac{1+i\alpha}{(1-i\alpha)(1+i\alpha)} = \dfrac{1+i\alpha}{1-i^2\alpha^2} = \dfrac{1+i\alpha}{1+\alpha^2}}} \left[e^{(1-i\alpha)x} \right]_0^1$$

$$= \dfrac{1+i\alpha}{1+\alpha^2} (\underbrace{e^{1-i\alpha}}_{\boxed{e \cdot e^{-i\alpha} = e(\cos\alpha - i\sin\alpha)}} - 1) = \dfrac{1+i\alpha}{1+\alpha^2} (e\cos\alpha - 1 - ie\sin\alpha) \quad \text{より，}$$

$$F(\alpha) = \frac{1}{1+\alpha^2}(1+i\alpha)\{(e\cos\alpha - 1) - i \cdot e\sin\alpha\}$$

$$= \frac{1}{1+\alpha^2}\{e\cos\alpha - 1 + e\alpha\sin\alpha + i(e\alpha\cos\alpha - \alpha - e\sin\alpha)\}$$

$$\therefore F(\alpha) = \frac{1}{1+\alpha^2}[e(\cos\alpha + \alpha\sin\alpha) - 1 + i\{e(\boxed{(イ)}) - \alpha\}]$$

……① ……(答)

(2) $F(\alpha)$ の逆変換 $f(x) = F^{-1}[F(\alpha)]$ を公式を使って求めると，

$$f(x) = F^{-1}[F(\alpha)] = \frac{1}{2\pi}\int_{-\infty}^{\infty} F(\alpha) \cdot e^{i\alpha x} d\alpha \quad \cdots\cdots② \text{ となる。}$$

ここで，$f(0) = \dfrac{1}{2}$ より，②の両辺に $x = 0$ を代入すると，

$$f(0) = \boxed{\frac{1}{2} = \frac{1}{2\pi}\int_{-\infty}^{\infty} F(\alpha) \cdot \boxed{(ウ)} d\alpha} \quad \text{より，これに①を代入して，}$$

$$\pi = \int_{-\infty}^{\infty} \frac{1}{1+\alpha^2}[e(\cos\alpha + \alpha\sin\alpha) - 1 + i\{e(\alpha\cos\alpha - \sin\alpha) - \alpha\}]d\alpha$$

偶関数　　偶関数　　奇関数

$$\pi = 2e\int_0^{\infty} \frac{\cos\alpha + \alpha\sin\alpha}{\alpha^2+1} d\alpha - 2\int_0^{\infty} \frac{1}{1+\alpha^2} d\alpha$$

$$\left[\tan^{-1}\alpha\right]_0^{\infty} = \frac{\pi}{2} - 0 = \frac{\pi}{2}$$

積分公式：
$$\int \frac{1}{1+x^2} dx = \tan^{-1}x + C$$

$$\therefore 2e\int_0^{\infty} \frac{\cos\alpha + \alpha\sin\alpha}{\alpha^2+1} d\alpha = \pi + 2 \times \frac{\pi}{2} = 2\pi$$

ここで，積分変数を α から x に変えると，求める無限積分の値は，

$$\int_0^{\infty} \frac{\cos x + x\sin x}{x^2+1} dx = \boxed{(エ)} \quad \cdots\cdots\cdots\cdots\cdots\cdots\text{(答)}$$

解答　(ア) e^x　　(イ) $\alpha\cos\alpha - \sin\alpha$　　(ウ) 1　　(エ) $\dfrac{\pi}{e}$

演習問題 44　●フーリエ・コサイン変換（I）●

$$f(x) = \begin{cases} 1 & \left(-\dfrac{3}{2} < x < \dfrac{3}{2}\right) \\ 0 & \left(x < -\dfrac{3}{2},\ \dfrac{3}{2} < x\right) \end{cases}$$

について，次の問いに答えよ。

(1) $f(x)$ のフーリエ変換 $F(\alpha)$ を求めよ。

(2)（ⅰ）$f(1) = 1$ を用いて，$\displaystyle\int_0^\infty \dfrac{\sin\frac{3}{2}x \cos x}{x}\,dx$ の値を求めよ。

（ⅱ）$f\left(\dfrac{3}{2}\right) = \dfrac{1}{2}$ を用いて，$\displaystyle\int_0^\infty \dfrac{\sin 3x}{x}\,dx$ の値を求めよ。

（ⅲ）$f(2) = 0$ を用いて，$\displaystyle\int_0^\infty \dfrac{\sin\frac{3}{2}x \cos 2x}{x}\,dx$ の値を求めよ。

ヒント！　$f(x)$ は偶関数より，フーリエ・コサイン変換とその逆変換の公式：
$F(\alpha) = 2\displaystyle\int_0^\infty f(x)\cos\alpha x\,dx,\ f(x) = \dfrac{1}{2\pi}\displaystyle\int_{-\infty}^\infty F(\alpha)\cos\alpha x\,d\alpha$ を利用して解こう。

解答＆解説

(1) $f(x)$ は，区間 $(-\infty, \infty)$ で区分的に滑らかで，かつ絶対可積分，そして偶関数なので，フーリエ・コサイン変換により $F(\alpha)$ を求めると，

$$F(\alpha) = F[f(x)] = 2\int_0^\infty f(x)\cos\alpha x\,dx$$

$$= 2\left(\int_0^{\frac{3}{2}} 1\cdot\cos\alpha x\,dx + \int_{\frac{3}{2}}^\infty 0\cdot\cos\alpha x\,dx\right)$$

$$= \dfrac{2}{\alpha}\left[\sin\alpha x\right]_0^{\frac{3}{2}} = \dfrac{2}{\alpha}\sin\dfrac{3}{2}\alpha \quad \cdots\cdots ① \quad\cdots\cdots\cdots\cdots\cdots\cdots(答)$$

(2) $F(\alpha)$ の逆変換 $f(x) = F^{-1}[F(\alpha)]$ も，フーリエ・コサイン逆変換の公式を使って求めると，

$$f(x) = F^{-1}[F(\alpha)] = \frac{1}{2\pi}\int_{-\infty}^{\infty} F(\alpha)\cos\alpha x\, d\alpha \quad \text{これに①を代入して，}$$

$$f(x) = \frac{1}{\pi}\int_{-\infty}^{\infty} \frac{1}{\alpha}\sin\frac{3}{2}\alpha \cdot \cos\alpha x\, d\alpha \quad \cdots\cdots\text{②} \quad \text{となる。}$$

(ⅰ) $f(1) = 1$ より，②の両辺に $x = 1$ を代入して，

$$1 = \frac{1}{\pi}\int_{-\infty}^{\infty} \underbrace{\frac{1}{\alpha}\sin\frac{3}{2}\alpha}_{\text{偶関数}} \cdot \underbrace{\cos\alpha}_{\text{偶関数}}\, d\alpha = \frac{2}{\pi}\int_{0}^{\infty} \frac{1}{\alpha}\sin\frac{3}{2}\alpha \cdot \cos\alpha\, d\alpha$$

∴ 求める積分値は，$\displaystyle\int_{0}^{\infty} \frac{\sin\frac{3}{2}x\cos x}{x}\, dx = \frac{\pi}{2}$ ················(答)

(ⅱ) $f\left(\dfrac{3}{2}\right) = \dfrac{f\left(\frac{3}{2}-0\right) + f\left(\frac{3}{2}+0\right)}{2} = \dfrac{1+0}{2} = \dfrac{1}{2}$ より，

②の両辺に $x = \dfrac{3}{2}$ を代入して，

$$\frac{1}{2} = \frac{1}{\pi}\int_{-\infty}^{\infty} \underbrace{\frac{1}{\alpha}\sin\frac{3}{2}\alpha \cdot \cos\frac{3}{2}\alpha}_{\frac{1}{2}\sin 3\alpha}\, d\alpha \qquad \boxed{\begin{array}{l}\text{2倍角の公式}\\ \sin 2\theta = 2\sin\theta\cos\theta\end{array}}$$

$$\frac{1}{2} = \frac{1}{2\pi}\int_{-\infty}^{\infty} \underbrace{\frac{\sin 3\alpha}{\alpha}}_{\text{偶関数}}\, d\alpha = \frac{\not{2}}{\not{2}\pi}\int_{0}^{\infty} \frac{\sin 3\alpha}{\alpha}\, d\alpha$$

∴ 求める積分値は，$\displaystyle\int_{0}^{\infty} \frac{\sin 3x}{x}\, dx = \frac{\pi}{2}$ ················(答)

(ⅲ) $f(2) = 0$ より，②の両辺に $x = 2$ を代入して，

$$0 = \frac{1}{\pi}\int_{-\infty}^{\infty} \underbrace{\frac{1}{\alpha}\sin\frac{3}{2}\alpha}_{\text{偶関数}} \cdot \underbrace{\cos 2\alpha}_{\text{偶関数}}\, d\alpha = \frac{2}{\pi}\int_{0}^{\infty} \frac{\sin\frac{3}{2}\alpha \cdot \cos 2\alpha}{\alpha}\, d\alpha$$

∴ 求める積分値は，$\displaystyle\int_{0}^{\infty} \frac{\sin\frac{3}{2}x\cos 2x}{x}\, dx = 0$ ················(答)

演習問題 45　●フーリエ・コサイン変換（Ⅱ）●

$f(x) = e^{-2|x|}$ について，次の問いに答えよ。

(1) $f(x)$ のフーリエ変換 $F(\alpha)$ を求めよ。

(2) $f(1) = e^{-2}$ を用いて，無限積分

$\int_0^\infty \dfrac{\cos x}{x^2 + 4} dx$ の値を求めよ。

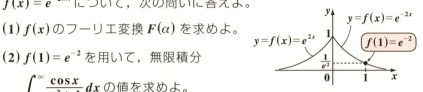

ヒント！ $f(x)$ は偶関数より，フーリエ・コサイン変換とその逆変換の公式：
$F(\alpha) = 2\int_0^\infty f(x)\cos\alpha x\,dx,\ f(x) = \dfrac{1}{2\pi}\int_{-\infty}^\infty F(\alpha)\cos\alpha x\,d\alpha$ を用いて解けばよい。

解答＆解説

(1) $f(x)$ は，区間 $(-\infty, \infty)$ で区分的に滑らかで，かつ絶対可積分，そして
　　 (ア) 　なので，フーリエ・コサイン変換により $F(\alpha)$ を求めると，

$F(\alpha) = F[f(x)] = 2\int_0^\infty f(x)\cos\alpha x\,dx$

$ = \underbrace{2\int_0^\infty e^{-2x}\cos\alpha x\,dx}_{I}$ ……①

ここで，$I = \int_0^\infty e^{-2x}\cos\alpha x\,dx$ とおくと，

（2回部分積分を行って，I を導き出せばよい。もちろん，P41の公式を使って解いてもよい。）

$I = \int_0^\infty e^{-2x}\left(\dfrac{1}{\alpha}\sin\alpha x\right)' dx$

$ = \dfrac{1}{\alpha}\left[e^{-2x}\sin\alpha x\right]_0^\infty - \dfrac{1}{\alpha}\int_0^\infty (-2)\cdot e^{-2x}\sin\alpha x\,dx$

$\left(0\ \left(\because \lim_{p\to\infty}\left[e^{-2x}\sin\alpha x\right]_0^p = \lim_{p\to\infty}\dfrac{\sin\alpha p}{e^{2p}} = 0\right)\right)$

$ = \dfrac{2}{\alpha}\int_0^\infty e^{-2x}\left(-\dfrac{1}{\alpha}\cos\alpha x\right)' dx$

$ = \dfrac{2}{\alpha}\left\{-\dfrac{1}{\alpha}\left[e^{-2x}\cos\alpha x\right]_0^\infty + \dfrac{1}{\alpha}\int_0^\infty (-2)e^{-2x}\cos\alpha x\,dx\right\}$

$\left(-1\ \left(\because \lim_{p\to\infty}\left[e^{-2x}\cos\alpha x\right]_0^p = \lim_{p\to\infty}\left(\dfrac{\cos\alpha p}{e^{2p}} - 1\right) = 0 - 1\right)\right)$

● フーリエ変換

よって，

$$I = -\frac{2}{\alpha^2} \cdot (-1) - \frac{4}{\alpha^2} \underbrace{\int_0^\infty e^{-2x} \cos\alpha x\, dx}_{I}$$ 　より，$\alpha^2 I = 2 - 4I$

（I を導き出した。）

∴ $I = \boxed{(イ)}$ ………………………… ②

②を①に代入して，$F(\alpha) = \dfrac{4}{\alpha^2 + 4}$ ……③ ……………………（答）

(2) $F(\alpha)$ の逆変換 $f(x) = F^{-1}[F(\alpha)]$ も，フーリエ・コサイン逆変換の公式を使って求めると，

$$f(x) = F^{-1}[F(\alpha)] = \frac{1}{2\pi}\int_{-\infty}^\infty F(\alpha)\cos\alpha x\, d\alpha$$

これに③を代入すると，

$$f(x) = \frac{2}{\pi}\int_{-\infty}^\infty \frac{\cos\alpha x}{\alpha^2+4}\, d\alpha \quad \cdots\cdots ④ \quad \text{となる。}$$

ここで，$f(1) = e^{-2}$ より，④の両辺に $x = \boxed{(ウ)}$ を代入すると，

$$f(1) = \boxed{\frac{1}{e^2} = \frac{2}{\pi}\int_{-\infty}^\infty \underbrace{\frac{\cos\alpha}{\alpha^2+4}}_{\text{偶関数}} d\alpha} \quad \text{より，}$$

$$\frac{1}{e^2} = \frac{4}{\pi}\int_0^\infty \frac{\cos\alpha}{\alpha^2+4}\, d\alpha$$

ここで，積分変数を α から x に変えると，求める無限積分の値は，

$$\int_0^\infty \frac{\cos x}{x^2+4}\, dx = \boxed{(エ)} \quad \cdots\cdots\cdots\cdots\cdots\cdots\cdots（答）$$

解答　(ア) 偶関数　　(イ) $\dfrac{2}{\alpha^2+4}$　　(ウ) 1　　(エ) $\dfrac{\pi}{4e^2}$

演習問題 46 ●フーリエ・サイン変換（I）●

$$f(x) = \begin{cases} x+2 & (-2 < x < 0) \\ x-2 & (0 < x \leq 2) \\ 0 & (x \leq -2, \ 2 < x) \end{cases}$$

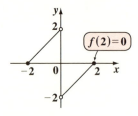

について，次の問いに答えよ。

(1) $f(x)$ のフーリエ変換 $F(\alpha)$ を求めよ。

(2) $f(2) = 0$ を用いて，無限積分 $\displaystyle\int_0^\infty \frac{\sin^2 2x}{x^2} dx$ の値を求めよ。

$\left(\text{ただし，} \displaystyle\int_0^\infty \frac{\sin 2x}{x} dx = \frac{\pi}{2} \ \cdots\cdots (*) \ (\text{P119}) \text{を用いてもよい。}\right)$

ヒント! $f(x)$ は奇関数より，フーリエ・サイン変換とその逆変換の公式：
$F(\alpha) = -2i\displaystyle\int_0^\infty f(x)\sin\alpha x\, dx, \ f(x) = \dfrac{i}{2\pi}\displaystyle\int_{-\infty}^\infty F(\alpha)\sin\alpha x\, d\alpha$ を用いて解けばよい。

解答＆解説

(1) $f(x)$ は，区間 $(-\infty, \infty)$ で区分的に滑らかで，かつ絶対可積分，そして奇関数なので，フーリエ・サイン変換により $F(\alpha)$ を求めると，

$$F(\alpha) = F[f(x)] = -2i\int_0^\infty f(x)\sin\alpha x\, dx$$

$$= -2i\left\{\int_0^2 (x-2)\sin\alpha x\, dx + \underbrace{\int_2^\infty 0\cdot\sin\alpha x\, dx}_{0}\right\}$$

$$= -2i\int_0^2 (x-2)\left(-\frac{1}{\alpha}\cos\alpha x\right)' dx \quad \text{部分積分} \ \int f\cdot g'\, dx = f\cdot g - \int f'\cdot g\, dx$$

$$= -2i\left\{-\frac{1}{\alpha}\Big[(x-2)\cos\alpha x\Big]_0^2 + \frac{1}{\alpha}\int_0^2 1\cdot\cos\alpha x\, dx\right\}$$

$$= \frac{2i}{\alpha}(0+2) - \frac{2i}{\alpha}\cdot\frac{1}{\alpha}\Big[\sin\alpha x\Big]_0^2$$

$$= \frac{4i}{\alpha} - \frac{2i}{\alpha^2}\sin 2\alpha$$

$\therefore F(\alpha) = \dfrac{2i}{\alpha^2}(2\alpha - \sin 2\alpha) \ \cdots\cdots ①$ ……………………（答）

(2) $F(\alpha)$ の逆変換 $f(x) = F^{-1}[F(\alpha)]$ も，フーリエ・サイン逆変換の公式を使って求めると，

$$f(x) = F^{-1}[F(\alpha)] = \frac{i}{2\pi}\int_{-\infty}^{\infty} F(\alpha)\sin\alpha x\, d\alpha$$

これに①を代入して，

$$f(x) = \frac{i}{2\pi}\int_{-\infty}^{\infty} \frac{2i}{\alpha^2}(2\alpha - \sin 2\alpha)\sin\alpha x\, d\alpha$$

$$\therefore f(x) = -\frac{1}{\pi}\int_{-\infty}^{\infty} \frac{1}{\alpha^2}(2\alpha - \sin 2\alpha)\sin\alpha x\, d\alpha \quad \cdots\cdots ② \text{ となる。}$$

ここで，$f(2) = 0$ より，②の両辺に $x = 2$ を代入すると，

$$f(2) = 0 = -\frac{1}{\pi}\underbrace{\int_{-\infty}^{\infty} \frac{1}{\alpha^2}(2\alpha - \sin 2\alpha)\sin 2\alpha\, d\alpha}_{0} \quad \text{より，}$$

$$\int_{-\infty}^{\infty} \underbrace{\frac{\sin 2\alpha}{\alpha^2}}_{\text{奇関数}}\underbrace{(2\alpha - \sin 2\alpha)}_{\text{奇関数}}\, d\alpha = 0$$

$$2\int_{0}^{\infty}\left(\frac{2\sin 2\alpha}{\alpha} - \frac{\sin^2 2\alpha}{\alpha^2}\right)d\alpha = 0$$

$$\int_{0}^{\infty}\frac{\sin^2 2\alpha}{\alpha^2}d\alpha = 2\underbrace{\int_{0}^{\infty}\frac{\sin 2\alpha}{\alpha}d\alpha}_{\frac{\pi}{2}(\text{公式}(*)\text{より})} = 2\times\frac{\pi}{2} = \pi$$

よって，積分変数を α から x に変えると，求める無限積分の値は，

$$\int_{0}^{\infty}\frac{\sin^2 2x}{x^2}dx = \pi \quad \cdots\cdots\cdots\cdots\cdots\cdots\cdots\cdots\cdots\cdots\cdots\cdots(\text{答})$$

演習問題 47 ●フーリエ・サイン変換(Ⅱ)●

$f(x) = \begin{cases} -e^{2x} & (x<0) \\ e^{-2x} & (0<x) \end{cases}$ について，

次の問いに答えよ。

(1) $f(x)$ のフーリエ変換 $F(\alpha)$ を求めよ。

(2) $f(1) = e^{-2}$ を用いて，無限積分

$\int_0^\infty \dfrac{x\sin x}{x^2+4}dx$ の値を求めよ。

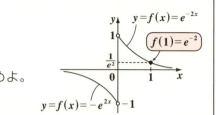

ヒント！ $f(x)$ は奇関数より，フーリエ・サイン変換とその逆変換の公式：
$F(\alpha) = -2i\int_0^\infty f(x)\sin\alpha x\,dx$, $f(x) = \dfrac{i}{2\pi}\int_{-\infty}^\infty F(\alpha)\sin\alpha x\,d\alpha$ を利用する。

解答&解説

(1) $f(x)$ は，区間 $(-\infty, \infty)$ で区分的に滑らかで，かつ絶対可積分，そして

(ア) なので，フーリエ・サイン変換により $F(\alpha)$ を求めると，

$$F(\alpha) = F[f(x)] = -2i\int_0^\infty f(x)\sin\alpha x\,dx$$

$$= -2i\underbrace{\int_0^\infty e^{-2x}\sin\alpha x\,dx}_{J} \quad \cdots\cdots ①$$

ここで，$J = \int_0^\infty e^{-2x}\sin\alpha x\,dx$ とおくと，

$$J = \int_0^\infty e^{-2x}\left(-\frac{1}{\alpha}\cos\alpha x\right)'dx$$

> 2回部分積分を行って，J を導き出せばよい。(もちろん，P41の公式を使って解いてもよい。)

$$= -\frac{1}{\alpha}\underbrace{\left[e^{-2x}\cos\alpha x\right]_0^\infty}_{-1\ \left(\because \lim_{p\to\infty}[e^{-2x}\cos\alpha x]_0^p = \lim_{p\to\infty}\left(\frac{\cos\alpha p}{e^{2p}}-1\right)=0-1\right)} + \frac{1}{\alpha}\int_0^\infty (-2)\cdot e^{-2x}\cos\alpha x\,dx$$

$$= \frac{1}{\alpha} - \frac{2}{\alpha}\int_0^\infty e^{-2x}\left(\frac{1}{\alpha}\sin\alpha x\right)'dx$$

よって，

$$J = \frac{1}{\alpha} - \frac{2}{\alpha}\left\{\frac{1}{\alpha}\left[e^{-2x}\sin\alpha x\right]_0^\infty - \frac{1}{\alpha}\int_0^\infty (-2)e^{-2x}\sin\alpha x\,dx\right\}$$

$$0\ \left(\because \lim_{p\to\infty}\left[e^{-2x}\sin\alpha x\right]_0^p = \lim_{p\to\infty}\frac{\sin\alpha p}{e^{2p}} = 0\right)$$

$$= \frac{1}{\alpha} - \frac{4}{\alpha^2}\underbrace{\int_0^\infty e^{-2x}\sin\alpha x\,dx}_{J} = \frac{1}{\alpha^2}(\alpha - 4J) \quad \leftarrow J を導き出した。$$

$\therefore\ (\alpha^2 + 4)J = \alpha$ より， $J = \boxed{(イ)}$ ……②

②を①に代入して， $F(\alpha) = \dfrac{-2i\alpha}{\alpha^2 + 4}$ ……③ ……………………（答）

(2) $F(\alpha)$ の逆変換 $f(x) = F^{-1}[F(\alpha)]$ も，フーリエ・サイン逆変換の公式を利用して求めると，

$$f(x) = F^{-1}[F(\alpha)] = \frac{i}{2\pi}\int_{-\infty}^\infty F(\alpha)\sin\alpha x\,d\alpha$$

これに③を代入すると，

$$f(x) = \frac{1}{\pi}\int_{-\infty}^\infty \frac{\alpha\sin\alpha x}{\alpha^2 + 4}\,d\alpha \ \cdots\cdots ④ \ となる。$$

ここで， $f(1) = e^{-2}$ より，④の両辺に $x = \boxed{(ウ)}$ を代入すると，

$$f(1) = \underbrace{\frac{1}{e^2} = \frac{1}{\pi}\int_{-\infty}^\infty \frac{\alpha\sin\alpha}{\alpha^2 + 4}\,d\alpha}_{偶関数}\quad より，$$

$$\frac{1}{e^2} = \frac{2}{\pi}\int_0^\infty \frac{\alpha\sin\alpha}{\alpha^2 + 4}\,d\alpha$$

ここで，積分変数を α から x に変えると，求める無限積分の値は，

$$\int_0^\infty \frac{x\sin x}{x^2 + 4}\,dx = \boxed{(エ)} \ \cdots\cdots\cdots\cdots\cdots\cdots\cdots\cdots\cdots\cdots\cdots（答）$$

解答 （ア）奇関数 　（イ）$\dfrac{\alpha}{\alpha^2 + 4}$ 　（ウ）1 　（エ）$\dfrac{\pi}{2e^2}$

演習問題 48　●フーリエ・コサイン変換 (Ⅲ)●

関数 $f_r(x) = \begin{cases} \dfrac{1}{r^2}x + \dfrac{1}{r} & (-r < x \leq 0) \\ -\dfrac{1}{r^2}x + \dfrac{1}{r} & (0 < x \leq r) \\ 0 & (x \leq -r,\ r < x) \end{cases}$

について，次の問いに答えよ。

(1) $f_r(x)$ のフーリエ変換 $F(\alpha)$ を求めよ。

(2) $\lim_{r \to +0} f_r(x) = \delta(x)$（デルタ関数）になることから，$F[\delta(x)] = 1$ ……(*)，

および，$\delta(x) = \dfrac{1}{2\pi}\displaystyle\int_{-\infty}^{\infty} \cos\alpha x\, d\alpha$ ……(*)′ となることを示せ。

ヒント！ (1) $f(x)$ は偶関数より，フーリエ・コサイン変換の公式を使って $F(\alpha)$ を求めればよい。(2) $y = f_r(x)$ $(-r \leq x \leq r)$ と x 軸とで囲まれる図形の面積は r の値に関わらず常に 1 なので，$\lim_{r \to +0} f_r(x) = \delta(x)$ になる。$\delta(x)$ のフーリエ変換 $F[\delta(x)]$ は $\lim_{r \to +0} F(\alpha)$ から求めればよい。

解答 & 解説

(1) $f(x)$ は，区間 $(-\infty, \infty)$ で区分的に滑らかで，かつ絶対可積分，そして偶関数なので，フーリエ・コサイン変換により，$F(\alpha)$ を求めると，

$$F(\alpha) = F[f_r(x)] = 2\int_0^\infty f(x)\cos\alpha x\, dx$$

$$= 2\int_0^r \left(-\dfrac{1}{r^2}x + \dfrac{1}{r}\right)\cos\alpha x\, dx$$

$$= \dfrac{2}{r^2}\int_0^r (-x + r)\left(\dfrac{1}{\alpha}\sin\alpha x\right)' dx$$

部分積分　$\int f \cdot g'\, dx = f \cdot g - \int f' \cdot g\, dx$

$$= \dfrac{2}{r^2}\left\{\dfrac{1}{\alpha}\underbrace{[(-x+r)\sin\alpha x]_0^r}_{0} - \dfrac{1}{\alpha}\int_0^r (-1)\cdot\sin\alpha x\, dx\right\}$$

$$= \dfrac{2}{\alpha r^2}\int_0^r \sin\alpha x\, dx = \dfrac{2}{\alpha r^2}\left(-\dfrac{1}{\alpha}\right)[\cos\alpha x]_0^r$$

$$= -\dfrac{2}{\alpha^2 r^2}(\cos\alpha r - 1)$$

$$\therefore F(\alpha) = F[f_r(x)] = \frac{2(1-\cos\alpha r)}{\alpha^2 r^2} \quad \cdots\cdots\cdots\cdots\cdots\cdots\cdots\cdots\cdots\text{(答)}$$

(2) $\int_{-\infty}^{\infty} f_r(x)\,dx = \frac{1}{2} \cdot 2r \cdot \frac{1}{r} = 1$ より，

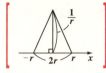
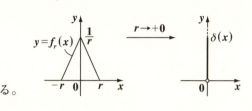

$\lim_{r \to +0} f_r(x) = \underline{\delta(x)}$ ……② となる。

　　　　　　　　　┗━ ディラックのデルタ関数

よって，$\delta(x)$ のフーリエ変換 $F[\delta(x)]$ は，①，②より，

$$F[\delta(x)] = F\left[\lim_{r \to +0} f_r(x)\right] = \lim_{r \to +0} F[f_r(x)]$$

▸ フーリエ変換と極限の操作の順序を入れ替えられるものとした。

$$= \lim_{r \to +0} 2 \cdot \underbrace{\frac{1-\cos\alpha r}{\alpha^2 r^2}}_{\frac{1}{2}} = 2 \cdot \frac{1}{2} = 1$$

▸ α を定数と考えて，$\alpha r = \theta$ とおくと，極限の公式：
$\lim_{\theta \to 0} \frac{1-\cos\theta}{\theta^2} = \frac{1}{2}$

$\left[\begin{array}{l}\therefore \text{ロピタルの定理より，}\\ \lim_{\theta \to 0} \frac{(1-\cos\theta)'}{(\theta^2)'}\\ = \lim_{\theta \to 0} \frac{\sin\theta}{2\theta}\\ = \lim_{\theta \to 0} \frac{1}{2} \cdot \frac{\sin\theta}{\theta} = \frac{1}{2} \cdot 1 = \frac{1}{2}\end{array}\right]$

$\therefore \delta(x)$ のフーリエ変換 $F[\delta(x)]$ は，

　　$F[\delta(x)] = 1$ ……(*) となる。 ………(終)

デルタ関数 $\delta(x)$ は偶関数なので，(*)より，

フーリエ・コサイン逆変換を用いると，

$$\delta(x) = \frac{1}{2\pi} \int_{-\infty}^{\infty} \underbrace{F[\delta(x)]}_{1\ ((*)より)} \cos\alpha x \, d\alpha$$

$\therefore \delta(x) = \frac{1}{2\pi} \int_{-\infty}^{\infty} \cos\alpha x \, d\alpha$ ……(*)′ が成り立つ。 ………(終)

演習問題 49　●フーリエ・サイン変換 (Ⅲ)●

関数 $g_r(x) = \begin{cases} \dfrac{1}{r^2} & (-r < x < 0) \\ -\dfrac{1}{r^2} & (0 < x < r) \\ 0 & (x < -r,\ r < x) \end{cases}$

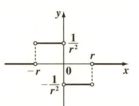

について，次の問いに答えよ。

(1) $g_r(x)$ のフーリエ変換 $F[g_r(x)]$ を求めよ。

また，$f_r(x) = \begin{cases} \dfrac{1}{r^2}x + \dfrac{1}{r} & (-r < x \leqq 0) \\ -\dfrac{1}{r^2}x + \dfrac{1}{r} & (0 < x \leqq r) \\ 0 & (x \leqq -r,\ r < x) \end{cases}$ のフーリエ変換 $F[f_r(x)]$ は，

$F[f_r(x)] = \dfrac{2(1-\cos\alpha r)}{\alpha^2 r^2}$ である。(演習問題 48 (P132))

$f_r'(x) = g_r(x)$ であることから，公式 $F[g_r(x)] = i\alpha F[f_r(x)]$ が成り立っていることを確認せよ。

(2) $r = 1$ のとき，$g_1\left(-\dfrac{1}{2}\right) = 1$ であることを用いて，

無限積分 $\displaystyle\int_0^\infty \dfrac{\sin^3 x}{x} dx$ の値を求めよ。

ヒント! **(1)** $g_r(x)$ は奇関数より，$F[g_r(x)]$ はフーリエ・サイン変換で求めよう。また，公式 $F[f'(x)] = i\alpha F[f(x)]$ より，$F[g_r(x)] = i\alpha F[f_r(x)]$ を示す。

解答&解説

(1) $g_r(x)$ は，区間 $(-\infty, \infty)$ で区分的に滑らかで，かつ絶対可積分，そして奇関数なので，フーリエ・サイン変換より $F[g_r(x)]$ を求めると，

$F[g_r(x)] = -2i\displaystyle\int_0^\infty g_r(x)\sin\alpha x\,dx = -2i\int_0^r \left(-\dfrac{1}{r^2}\right)\sin\alpha x\,dx$

$= \dfrac{2i}{r^2}\left(-\dfrac{1}{\alpha}\right)[\cos\alpha x]_0^r = -\dfrac{2i}{\alpha r^2}(\cos\alpha r - 1)$

$\therefore F[g_r(x)] = \dfrac{2i}{\alpha r^2}(1-\cos\alpha r)$ ……① ……………………(答)

ここで，$f_r(x)$ のフーリエ変換は，
$$F[f_r(x)] = \frac{2}{\alpha^2 r^2}(1-\cos\alpha r) \quad \cdots\cdots ②$$
(演習問題 48 (P132)) であり，

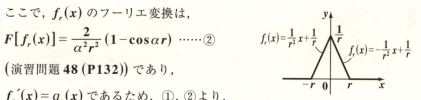

$f_r{'}(x) = g_r(x)$ であるため，①，② より，
$$F[g_r(x)] = \frac{2i}{\alpha r^2}(1-\cos\alpha r) = i\alpha \cdot \frac{2(1-\cos\alpha r)}{\alpha^2 r^2} = i\alpha F[f_r(x)]$$
∴ $F[g_r(x)] = i\alpha F[f_r(x)]$ の関係が成り立つ。 $\cdots\cdots$(終)

(2) $r = 1$ のとき，$g_1\left(-\dfrac{1}{2}\right) = 1 \quad \cdots\cdots ③$ であり，

① より，$F[g_1(x)] = \dfrac{2i}{\alpha}(1-\cos\alpha) \quad \cdots\cdots ①'$

である。ここで，$F[g_1(x)]$ の逆変換 $g_1(x)$ もフーリエ・サイン逆変換の公式を用いて求めると，

$$g_1(x) = \frac{i}{2\pi}\int_{-\infty}^{\infty} F[g_1(x)]\sin\alpha x\, d\alpha$$
$$= -\frac{1}{\pi}\int_{-\infty}^{\infty}\frac{1}{\alpha}(1-\cos\alpha)\sin\alpha x\, d\alpha \quad (①' より)$$

よって，③ より，

$$g_1\left(-\frac{1}{2}\right) = \boxed{1 = -\frac{1}{\pi}\int_{-\infty}^{\infty}\frac{1}{\alpha}\underbrace{(1-\cos\alpha)}_{2\sin^2\frac{\alpha}{2}}\underbrace{\sin\left(-\frac{\alpha}{2}\right)}_{\left(-\sin\frac{\alpha}{2}\right)}d\alpha}$$

∴ $\displaystyle\int_{-\infty}^{\infty}\frac{2\sin^3\frac{\alpha}{2}}{\alpha}d\alpha = \pi$

ここで，$\dfrac{\alpha}{2} = x$ とおいて，無限積分すると，$\displaystyle\int_0^{\infty}\frac{\sin^3 x}{x}dx = \frac{\pi}{4}$ $\cdots\cdots$(答)

$\dfrac{\alpha}{2} = x$ とおくと，$d\alpha = 2dx$
$\alpha : -\infty \to \infty$ のとき，$x : -\infty \to \infty$
∴ $\displaystyle\int_{-\infty}^{\infty}\frac{2\sin^3 x}{2x}\cdot 2dx = \pi$ (偶関数)
$4\displaystyle\int_0^{\infty}\frac{\sin^3 x}{x}dx = \pi$

演習問題 50 ●フーリエ・コサイン変換 (Ⅳ)●

$$f(x) = \begin{cases} \cos x & \left(-\dfrac{\pi}{2} < x \leq \dfrac{\pi}{2}\right) \\ 0 & \left(x \leq -\dfrac{\pi}{2},\ \dfrac{\pi}{2} < x\right) \end{cases}$$

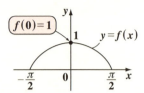

について，次の問いに答えよ。

(1) $f(x)$ のフーリエ変換 $F(\alpha)$ を求めよ。

(2) $f(0) = 1$ を用いて，無限積分 $\displaystyle\int_0^\infty \dfrac{\cos x}{\pi^2 - 4x^2} dx$ の値を求めよ。

ヒント! $f(x)$ は偶関数より，フーリエ・コサイン変換とその逆変換の公式：
$F(\alpha) = 2\displaystyle\int_0^\infty f(x)\cos\alpha x\, dx,\ f(x) = \dfrac{1}{2\pi}\displaystyle\int_{-\infty}^\infty F(\alpha)\cos\alpha x\, d\alpha$ と，$f(0) = 1$ を利用して解いていこう。

解答&解説

(1) $f(x)$ は，区間 $(-\infty, \infty)$ で区分的に滑らかで，かつ絶対可積分，そして $\boxed{(ア)}$ なので，フーリエ・コサイン変換により $F(\alpha)$ を求めると，

$$F(\alpha) = F[f(x)] = 2\int_0^\infty f(x)\cos\alpha x\, dx$$

$$= 2\left(\int_0^{\frac{\pi}{2}} \underbrace{\cos x \cos\alpha x}_{\frac{1}{2}\{\cos(\alpha+1)x + \cos(\alpha-1)x\}}\, dx + \int_{\frac{\pi}{2}}^\infty \underbrace{0 \cdot \cos\alpha x}_{0}\, dx\right)$$

公式
$\cos\alpha\cos\beta$
$= \dfrac{1}{2}\{\cos(\alpha+\beta)+\cos(\alpha-\beta)\}$

$$= \int_0^{\frac{\pi}{2}} \{\cos(\alpha+1)x + \cos(\alpha-1)x\}\, dx$$

$$= \left[\dfrac{1}{\alpha+1}\sin(\alpha+1)x + \dfrac{1}{\alpha-1}\sin(\alpha-1)x\right]_0^{\frac{\pi}{2}}$$

$$= \dfrac{1}{\alpha+1}\underbrace{\sin\dfrac{(\alpha+1)\pi}{2}}_{\sin\left(\frac{\alpha}{2}\pi+\frac{\pi}{2}\right)=\cos\frac{\alpha}{2}\pi} + \dfrac{1}{\alpha-1}\underbrace{\sin\dfrac{(\alpha-1)\pi}{2}}_{\sin\left(\frac{\alpha}{2}\pi-\frac{\pi}{2}\right)=-\cos\frac{\alpha}{2}\pi}$$

よって，

$$F(\alpha) = \frac{1}{\alpha+1}\cos\frac{\pi}{2}\alpha - \frac{1}{\alpha-1}\cos\frac{\pi}{2}\alpha = \cos\frac{\pi}{2}\alpha \cdot \left(\underbrace{\frac{1}{\alpha+1} - \frac{1}{\alpha-1}}_{\frac{\alpha-1-(\alpha+1)}{\alpha^2-1} = \frac{2}{1-\alpha^2}}\right)$$

$$\therefore F(\alpha) = \boxed{(イ)} \quad \cdots\cdots① \quad \cdots\cdots\cdots\cdots\cdots\cdots\cdots\cdots\text{(答)}$$

(2) $F(\alpha)$ の逆変換 $f(x) = F^{-1}[F(\alpha)]$ も，フーリエ・コサイン逆変換の公式を使って求めると，

$$f(x) = F^{-1}[F(\alpha)] = \frac{1}{2\pi}\int_{-\infty}^{\infty} F(\alpha)\cos\alpha x\, d\alpha$$

これに①を代入して，

$$f(x) = \frac{1}{\pi}\int_{-\infty}^{\infty} \frac{\cos\frac{\pi}{2}\alpha}{1-\alpha^2}\cos\alpha x\, d\alpha \quad \cdots\cdots② \quad となる。$$

ここで，$f(0) = 1$ より，②の両辺に $x = 0$ を代入すると，

$$f(0) = \boxed{1 = \frac{1}{\pi}\int_{-\infty}^{\infty} \frac{\cos\frac{\pi}{2}\alpha}{1-\alpha^2}\cdot\boxed{(ウ)}\, d\alpha} \quad より，$$

$$\pi = \int_{-\infty}^{\infty} \frac{\cos\frac{\pi}{2}\alpha}{1-\alpha^2}\, d\alpha \quad \cdots\cdots③ \quad となる。$$

ここで，$\frac{\pi}{2}\alpha = x$ とおくと，$\frac{\pi}{2}d\alpha = dx$ より，$d\alpha = \frac{2}{\pi}dx$

また，$\alpha : -\infty \to \infty$ のとき，$x : -\infty \to \infty$ となる。よって，③は，

$$\pi = \int_{-\infty}^{\infty} \frac{\cos x}{1-\frac{4}{\pi^2}x^2}\cdot\frac{2}{\pi}\,dx = 2\pi\int_{-\infty}^{\infty} \underbrace{\frac{\cos x}{\pi^2-4x^2}}_{\text{偶関数}}\,dx = 4\pi\int_{0}^{\infty} \frac{\cos x}{\pi^2-4x^2}\,dx$$

$$\therefore 求める無限積分の値は，\int_{0}^{\infty} \frac{\cos x}{\pi^2-4x^2}\,dx = \boxed{(エ)} \quad である。\quad \cdots\cdots\text{(答)}$$

解答　(ア) 偶関数　(イ) $\dfrac{2\cos\frac{\pi}{2}\alpha}{1-\alpha^2}$　(ウ) 1　(エ) $\dfrac{1}{4}$

演習問題 51 ●フーリエ・サイン変換 (Ⅳ)●

$$g(x) = \begin{cases} -\sin x & \left(-\dfrac{\pi}{2} < x < \dfrac{\pi}{2}\right) \\ 0 & \left(x < -\dfrac{\pi}{2},\ \dfrac{\pi}{2} < x\right) \end{cases}$$

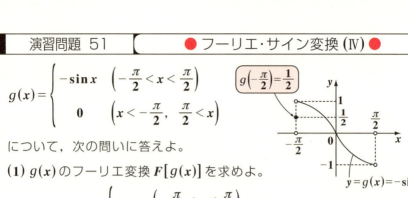

について，次の問いに答えよ．

(1) $g(x)$ のフーリエ変換 $F[g(x)]$ を求めよ．

また，$f(x) = \begin{cases} \cos x & \left(-\dfrac{\pi}{2} < x < \dfrac{\pi}{2}\right) \\ 0 & \left(x < -\dfrac{\pi}{2},\ \dfrac{\pi}{2} < x\right) \end{cases}$ のフーリエ変換 $F[f(x)]$ は，

$$F[f(x)] = \dfrac{2\cos\dfrac{\pi}{2}\alpha}{1-\alpha^2}\quad (演習問題 50 (P136))\ である．$$

$f'(x) = g(x)$ であることから，$F[g(x)] = i\alpha F[f(x)]$ が成り立っていることを確認せよ．

(2) $g\left(-\dfrac{\pi}{2}\right) = \dfrac{1}{2}$ であることを用いて，無限積分 $\displaystyle\int_0^\infty \dfrac{x\sin x}{\pi^2 - x^2}dx$ の値を求めよ．

ヒント! $g(x)$ は奇関数より，フーリエ・サイン変換とその逆変換の公式：

$$F[g(x)] = -2i\int_0^\infty g(x)\sin\alpha x\, dx,\quad g(x) = \dfrac{i}{2\pi}\int_{-\infty}^\infty F[g(x)]\sin\alpha x\, d\alpha\ を用いる．$$

また，公式：$F[f'(x)] = i\alpha F[f(x)]$ から，$F[g(x)] = i\alpha F[f(x)]$ となることも確認できる．

解答＆解説

(1) $g(x)$ は，区間 $(-\infty, \infty)$ で区分的に滑らかで，かつ絶対可積分，そして $\boxed{(ア)}$ なので，フーリエ・サイン変換により $F[g(x)]$ を求めると，

$$F[g(x)] = -2i\int_0^\infty g(x)\sin\alpha x\, dx$$

$$= -2i\left\{\int_0^{\frac{\pi}{2}}(-\sin x)\cdot\sin\alpha x\, dx + \int_{\frac{\pi}{2}}^\infty 0\cdot\sin\alpha x\, dx\right\}\ より，$$

$$F[g(x)] = 2i \int_0^{\frac{\pi}{2}} \underline{\sin \alpha x \cdot \sin x} \, dx$$

公式
$\sin \alpha \sin \beta$
$= -\dfrac{1}{2}\{\cos(\alpha+\beta) - \cos(\alpha-\beta)\}$

$\boxed{-\dfrac{1}{2}\{\cos(\alpha+1)x - \cos(\alpha-1)x\}}$

$$= -i \int_0^{\frac{\pi}{2}} \{\cos(\alpha+1)x - \cos(\alpha-1)x\} \, dx$$

$$= -i \left[\dfrac{1}{\alpha+1} \sin(\alpha+1)x - \dfrac{1}{\alpha-1} \sin(\alpha-1)x \right]_0^{\frac{\pi}{2}}$$

$$= -i \left\{ \dfrac{1}{\alpha+1} \underline{\sin \dfrac{(\alpha+1)\pi}{2}} - \dfrac{1}{\alpha-1} \underline{\sin \dfrac{(\alpha-1)\pi}{2}} \right\}$$

$\boxed{\sin\left(\dfrac{\alpha}{2}\pi + \dfrac{\pi}{2}\right) = \cos\dfrac{\alpha}{2}\pi}$ $\boxed{\sin\left(\dfrac{\alpha}{2}\pi - \dfrac{\pi}{2}\right) = -\cos\dfrac{\alpha}{2}\pi}$

$$= -i \cdot \left(\dfrac{1}{\alpha+1} + \dfrac{1}{\alpha-1} \right) \cos \dfrac{\pi}{2}\alpha = -i \cdot \boxed{(イ)} \cdot \cos \dfrac{\pi}{2}\alpha$$

$$\therefore F[g(x)] = \dfrac{2i\alpha}{1-\alpha^2} \cos \dfrac{\pi}{2}\alpha \quad \cdots\cdots ① \quad \cdots\cdots\cdots\cdots (答)$$

ここで, $f(x)$ のフーリエ変換は,

$$F[f(x)] = \dfrac{2}{1-\alpha^2} \cos \dfrac{\pi}{2}\alpha \quad \cdots\cdots ②$$

(演習問題 **50** (**P136**)) であり,

$f'(x) = g(x)$ であるため, ①, ②より,

$$F[g(x)] = i\alpha \cdot \dfrac{2}{1-\alpha^2} \cos \dfrac{\pi}{2}\alpha$$

$$= i\alpha F[f(x)] \text{ が成り立つことが確認された。} \cdots\cdots\cdots (終)$$

(2) $g(x)$は, $x = -\dfrac{\pi}{2}$で不連続より, $F[g(x)]$の逆変換 $g(x) = F^{-1}[F[g(x)]]$は, $x = -\dfrac{\pi}{2}$のとき,

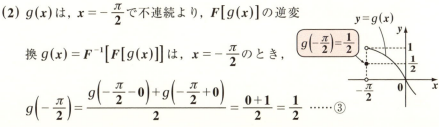

$$g\left(-\dfrac{\pi}{2}\right) = \dfrac{g\left(-\dfrac{\pi}{2}-0\right) + g\left(-\dfrac{\pi}{2}+0\right)}{2} = \dfrac{0+1}{2} = \dfrac{1}{2} \quad \cdots\cdots ③$$

$F[g(x)] = \dfrac{2i\alpha}{1-\alpha^2} \cos \dfrac{\pi}{2}\alpha$ ……① より,

$F[g(x)]$ の逆変換 $g(x)$ も,フーリエ・サイン逆変換の公式を用いて求めると,

$$g(x) = \dfrac{i}{2\pi} \int_{-\infty}^{\infty} F[g(x)] \sin\alpha x \, d\alpha$$

$$= \dfrac{i}{2\pi} \int_{-\infty}^{\infty} \dfrac{2i\alpha}{1-\alpha^2} \cos \dfrac{\pi}{2}\alpha \cdot \sin\alpha x \, d\alpha$$

$$g(x) = -\dfrac{1}{2\pi} \int_{-\infty}^{\infty} \dfrac{\alpha}{1-\alpha^2} \cdot 2\cos\dfrac{\pi}{2}\alpha \cdot \sin\alpha x \, d\alpha \ \text{……④}\ \text{となる。}$$

ここで,$g\left(-\dfrac{\pi}{2}\right) = \dfrac{1}{2}$ ……③ より,④の両辺に $x=-\dfrac{\pi}{2}$ を代入すると,

$$g\left(-\dfrac{\pi}{2}\right) = \boxed{\dfrac{1}{2} = -\dfrac{1}{2\pi} \int_{-\infty}^{\infty} \dfrac{\alpha}{1-\alpha^2} \cdot 2\cos\dfrac{\pi}{2}\alpha \cdot \sin\left(-\dfrac{\pi}{2}\alpha\right) d\alpha} \ \text{より,}$$

$-2\sin\dfrac{\pi}{2}\alpha \cos\dfrac{\pi}{2}\alpha = -\sin\pi\alpha$

公式:$\sin 2\theta = 2\sin\theta\cos\theta$

$$\pi = \int_{-\infty}^{\infty} \underline{\dfrac{\alpha \sin\pi\alpha}{1-\alpha^2}} \, d\alpha = 2\int_{0}^{\infty} \dfrac{\alpha\sin\pi\alpha}{1-\alpha^2} \, d\alpha$$

偶関数

$$\therefore \int_{0}^{\infty} \dfrac{\alpha\sin\pi\alpha}{1-\alpha^2} \, d\alpha = \boxed{\text{(ウ)}} \ \text{……⑤ となる。}$$

ここで,$\pi\alpha = x$ とおくと,$\pi d\alpha = dx$ より,$d\alpha = \dfrac{1}{\pi} dx$

また,$\alpha : 0 \to \infty$ のとき,$x : 0 \to \infty$ となるので,⑤は,

$$\int_{0}^{\infty} \dfrac{\dfrac{1}{\pi}x \cdot \sin x}{1-\dfrac{x^2}{\pi^2}} \cdot \dfrac{1}{\pi} \, dx = \boxed{\text{(ウ)}} \ \text{となる。}$$

$\therefore$ 求める無限積分の値は,$\displaystyle\int_{0}^{\infty} \dfrac{x\sin x}{\pi^2 - x^2} \, dx = \boxed{\text{(エ)}}$ である。 …………(答)

解答 (ア) 奇関数　(イ) $\dfrac{2\alpha}{\alpha^2 - 1}$　(ウ) $\dfrac{\pi}{2}$　(エ) $\dfrac{\pi}{2}$

演習問題 52 ● フーリエ変換の性質（I）●

$f_1(x) = e^{-2|x|}$ のフーリエ変換は $F[f_1(x)] = \dfrac{4}{\alpha^2+4}$ ……① であり，

$f_2(x) = \begin{cases} -e^{2x} & (x<0) \\ e^{-2x} & (0<x) \end{cases}$ のフーリエ変換は $F[f_2(x)] = \dfrac{-2i\alpha}{\alpha^2+4}$ ……②

である。①，②を用いて，$f(x) = \begin{cases} 0 & (x<0) \\ e^{-2x} & (0<x) \end{cases}$ のフーリエ変換 $F[f(x)]$ を求めよ。

ヒント！ $y=f_1(x)$ と $y=f_2(x)$ のグラフから，$f(x) = \dfrac{1}{2}\{f_1(x)+f_2(x)\}$ となることが分かる。後は，フーリエ変換の線形性の性質：$F[\alpha f + \beta g] = \alpha F[f] + \beta F[g]$ の公式を利用すればよい。

解答＆解説

$f_1(x) + f_2(x) = \begin{cases} 0 & (x<0) \\ 2e^{-2x} & (0<x) \end{cases}$ より，

$f(x) = \dfrac{1}{2}\{f_1(x)+f_2(x)\}$ ……③ となる。

ここで，$F[f_1(x)] = \dfrac{4}{\alpha^2+4}$ ……①（演習問題45（P126）），$F[f_2(x)] = \dfrac{-2i\alpha}{\alpha^2+4}$ ……②（演習問題47（P130））より，

フーリエ変換の線形性の性質を用いると，$f(x)$ のフーリエ変換 $F[f(x)]$ は，

$F[f(x)] = F\left[\dfrac{1}{2}f_1(x) + \dfrac{1}{2}f_2(x)\right]$ （③より）

$= \dfrac{1}{2}F[f_1(x)] + \dfrac{1}{2}F[f_2(x)] = \dfrac{1}{2} \cdot \dfrac{4}{\alpha^2+4} + \dfrac{1}{2} \cdot \dfrac{-2i\alpha}{\alpha^2+4}$ （①，②より）

$\therefore F[f(x)] = \dfrac{2-i\alpha}{\alpha^2+4}$ である。……………………………………（答）

演習問題 53 ●フーリエ変換の性質(Ⅱ)●

$$f(x) = \begin{cases} x & (0 < x \leq 1) \\ -x+2 & (1 < x \leq 2) \\ 0 & (x \leq 0,\ 2 < x) \end{cases}$$

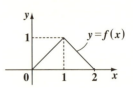

のフーリエ変換 $F[f(x)]$ は，

$$F[f(x)] = \frac{1}{\alpha^2}(2e^{-i\alpha} - e^{-i \cdot 2\alpha} - 1) \quad \cdots\cdots ① \quad \text{である。}$$

$f(x)$ を (ⅰ) x 軸方向に -1 だけ平行移動し，

(ⅱ) x 軸の方向に $r\,(>0)$ 倍だけ拡大(または縮小)し，

(ⅲ) y 軸方向に $\dfrac{1}{r}\,(>0)$ 倍だけ縮小(または拡大)した

関数を $g(x)$ とおく。フーリエ変換の性質を利用して，$g(x)$ のフーリエ変換 $F[g(x)]$ を求めよ。

ヒント! フーリエ変換の性質の次の公式を利用して解いていこう。

(ⅰ) $f(x)$ を x 軸方向に q だけ平行移動したとき，$F[f(x-q)] = e^{-iq\alpha} F[f(x)]$，
(ⅱ) $f(x)$ のグラフを x 軸方向に p 倍に拡大(または縮小)したとき，$F\left[f\left(\dfrac{1}{p}x\right)\right] = |p| F[f(x)](p\alpha)$，(ⅲ) $f(x)$ のグラフを y 軸方向に p 倍に拡大(または縮小)したとき，$F[pf(x)] = pF[f(x)]$

解答&解説

①の関数 $f(x)$ のフーリエ変換は，

$$F[f(x)] = \frac{1}{\alpha^2}(2e^{-i\alpha} - e^{-i \cdot 2\alpha} - 1) \quad \cdots\cdots ① \quad \text{である。} \quad \leftarrow \boxed{\text{演習問題 42 (P120)}}$$

次に，$f(x)$ を (ⅰ), (ⅱ), (ⅲ) の操作の結果得られる関数を順に，$g_1(x)$, $g_2(x)$, $g(x)$ とおく。この様子を下の模式図で示す。

$$f(x) \xrightarrow[\text{平行移動}]{(ⅰ)(-1,\,0)} g_1(x) \xrightarrow[\text{に}\ r\ \text{倍}]{(ⅱ)\ x\ \text{軸方向}} g_2(x) \xrightarrow[\text{に}\ \frac{1}{r}\ \text{倍}]{(ⅲ)\ y\ \text{軸方向}} g(x)$$

$g_1(x)$, $g_2(x)$, $g(x)$ のフーリエ変換を順に求めると,

(i) $f(x) \xrightarrow[\text{平行移動}]{(-1, 0)} g_1(x) = f(x+1)$ のとき,

[グラフ: $f(x)$ (頂点 $(1,1)$, 底 $[0,2]$) → $g_1(x)$ (頂点 $(0,1)$, 底 $[-1,1]$)]

公式:
$F[f(x-q)] = e^{-iq\alpha} F[f(x)]$

$F[g_1(x)] = F[f(x+1)] = F[f(x-(-1))] = e^{-i(-1)\alpha} F[f(x)]$

$= e^{i\alpha} \cdot \dfrac{1}{\alpha^2} (2e^{-i\alpha} - e^{-i \cdot 2\alpha} - 1)$ （①より）

$= \dfrac{1}{\alpha^2} (2 - e^{-i\alpha} - e^{i\alpha}) = \dfrac{1}{\alpha^2} \{2 - (e^{i\alpha} + e^{-i\alpha})\}$

$\underbrace{e^{i\alpha} + e^{-i\alpha}}_{2\cos\alpha}$

$= \dfrac{2}{\alpha^2} (1 - \cos\alpha)$ ……② となる.

(ii) $g_1(x) \xrightarrow[\text{に } r \text{ 倍}]{x \text{ 軸方向}} g_2(x) = g_1\left(\dfrac{1}{r} x\right)$ のとき,

[グラフ: $g_1(x)$ (頂点 $(0,1)$, 底 $[-1,1]$) → $g_2(x)$ (頂点 $(0,1)$, 底 $[-r,r]$)]

公式:
$F\left[f\left(\dfrac{1}{p} x\right)\right] = |p| F[f(x)](p\alpha)$

$F[g_2(x)] = F\left[g_1\left(\dfrac{1}{r} x\right)\right] = r F[g_1(x)](r\alpha)$

$= r \dfrac{2}{(r\alpha)^2} (1 - \cos r\alpha) = \dfrac{2}{r\alpha^2} (1 - \cos r\alpha)$ ……③ となる.

（②より）

(iii) $g_2(x) \xrightarrow[\text{に } \frac{1}{r} \text{ 倍}]{y \text{ 軸方向}} g(x) = \dfrac{1}{r} g_2(x)$ のとき,

[グラフ: $g_2(x)$ (頂点 $(0,1)$, 底 $[-r,r]$) → $g(x)$ (頂点 $(0, \frac{1}{r})$, 底 $[-r,r]$)]

公式:
$F[pf(x)] = p F[f(x)]$

$F[g(x)] = F\left[\dfrac{1}{r} g_2(x)\right] = \dfrac{1}{r} F[g_2(x)]$

$= \dfrac{1}{r} \cdot \dfrac{2}{r\alpha^2} (1 - \cos r\alpha)$ （③より）

これは演習問題 **48**（P132）の結果と一致する.

$\therefore F[g(x)] = \dfrac{2}{\alpha^2 r^2} (1 - \cos \alpha r)$ となる. ……………（答）

演習問題 54 　●合成積(たたみ込み積分)●

区分的に滑らかで,絶対可積分である 2 つの関数 $f(x)$ と $g(x)$ について,合成積 $f*g(t)$ を $f*g(t)=\int_{-\infty}^{\infty}f(x)\cdot g(t-x)dx$ ……(*) で定義する。このとき,次の合成積のフーリエ変換の公式が成り立つことを示せ。

(1) $F[f*g(t)]=F[f(x)]\cdot F[g(x)]$ ………(*1)

(2) $F[f\cdot g]=\dfrac{1}{2\pi}\cdot F[f(x)]*F[g(x)]$ ……(*2)

ヒント! (1), (2) 共に,合成積 (コンボリューション積分) とフーリエ変換の定義式を利用して解いていこう。(*2) の公式は,この後の問題のパーシヴァルの等式の証明に利用される。

解答&解説

(1) ((*1)の左辺) $=F[f*g(t)]=\int_{-\infty}^{\infty}f*g(t)\cdot e^{-i\alpha t}dt$

　　　　　　フーリエ変換される関数 $f*g(t)$ は t の関数なので, t の積分になる。

$$=\int_{-\infty}^{\infty}\left\{\int_{-\infty}^{\infty}f(x)\cdot g(t-x)dx\right\}e^{-i\alpha t}dt \quad ((*)\text{より})$$

　　　　　　　　　　　　　まず, t での積分を行う。

$$=\int_{-\infty}^{\infty}f(x)\left\{\int_{-\infty}^{\infty}g(t-x)e^{-i\alpha t}dt\right\}dx$$

ここで, $t-x=\tilde{t}$ とおくと,(変数 t から $\tilde{t}$ への置換。ここでは, x は定数扱い。)
$t:-\infty\to\infty$ のとき, $\tilde{t}:-\infty\to\infty$ 　また $dt=d\tilde{t}$ より,

$$\int_{-\infty}^{\infty}g(t-x)e^{-i\alpha t}dt=\int_{-\infty}^{\infty}g(\tilde{t})e^{-i\alpha(\tilde{t}+x)}d\tilde{t}$$

$$=e^{-i\alpha x}\int_{-\infty}^{\infty}g(\tilde{t})e^{-i\alpha\tilde{t}}d\tilde{t}$$

$$=\int_{-\infty}^{\infty}f(x)e^{-i\alpha x}dx\cdot\int_{-\infty}^{\infty}g(\tilde{t})e^{-i\alpha\tilde{t}}d\tilde{t}$$

$$=F[f(x)]\cdot F[g(x)]=((*1)\text{の右辺})$$

∴ (*1) は成り立つ。 ………………………………………………(終)

● フーリエ変換

(2) 公式：$F[f \cdot g] = \dfrac{1}{2\pi} \cdot F[f(x)] * F[g(x)]$ ……(*2) が成り立つことも示す。

$F[f \cdot g] = \displaystyle\int_{-\infty}^{\infty} f(x) \cdot g(x) e^{-i\alpha x} dx$ ……① である。

ここで，$G(\alpha) = F[g(x)] = \displaystyle\int_{-\infty}^{\infty} g(x) e^{-i\alpha x} dx$ とおくと，

このフーリエ逆変換は，

$g(x) = \dfrac{1}{2\pi} \displaystyle\int_{-\infty}^{\infty} G(\tilde{\alpha}) e^{i\tilde{\alpha}x} d\tilde{\alpha}$ ……② となる。

> ①の変数 α と区別するため，②の積分変数は $\tilde{\alpha}$ と表記した。

②を①に代入すると，

$((*2)\text{の左辺}) = F[f \cdot g] = \displaystyle\int_{-\infty}^{\infty} f(x) \cdot \left\{ \dfrac{1}{2\pi} \int_{-\infty}^{\infty} G(\tilde{\alpha}) e^{i\tilde{\alpha}x} d\tilde{\alpha} \right\} e^{-i\alpha x} dx$

> まず，x での積分を行う。

$= \dfrac{1}{2\pi} \displaystyle\int_{-\infty}^{\infty} G(\tilde{\alpha}) \left\{ \int_{-\infty}^{\infty} f(x) e^{-i(\alpha - \tilde{\alpha})x} dx \right\} d\tilde{\alpha}$

> $F[f(x)](\alpha - \tilde{\alpha}) = F(\alpha - \tilde{\alpha})$

$= \dfrac{1}{2\pi} \displaystyle\int_{-\infty}^{\infty} G(\tilde{\alpha}) F(\alpha - \tilde{\alpha}) d\tilde{\alpha}$

> 合成積 $g * f = \displaystyle\int_{-\infty}^{\infty} g(x) \cdot f(t-x) dx$ と同じ形である。

$= \dfrac{1}{2\pi} G(\tilde{\alpha}) * F(\tilde{\alpha})$

$= \dfrac{1}{2\pi} F(\alpha) * G(\alpha)$

> 交換則を使い，また，変数 $\tilde{\alpha}$ を α に戻した。

$= \dfrac{1}{2\pi} F[f(x)] * F[g(x)] = ((*2)\text{の右辺})$

∴ (*2) は成り立つ。……………………………………………(終)

演習問題 55 ●パーシヴァルの等式の証明●

区分的に滑らかで、かつ絶対可積分である関数 $f(x)$ と、そのフーリエ変換 $F(\alpha)$ について、次のパーシヴァルの等式が成り立つことを証明せよ。

$$\int_{-\infty}^{\infty} \{f(x)\}^2 dx = \frac{1}{2\pi} \int_{-\infty}^{\infty} |F(\alpha)|^2 d\alpha \quad \cdots\cdots (*)$$

ヒント! フーリエ級数のときと同様に、フーリエ変換においても、パーシヴァルの等式 $(*)$ が存在し、これを使うことにより、様々な無限積分の値を求めることができる。このパーシヴァルの等式は、演習問題 54 (P144) の (2) の公式:
$F[f \cdot g] = \frac{1}{2\pi} F[f(x)] * F[g(x)] \quad \cdots\cdots (*2)$ を利用して証明できる。

解答&解説

パーシヴァルの等式 $(*)$ は、次のフーリエ変換の合成積の公式:
$F[f \cdot g] = \frac{1}{2\pi} \cdot F[f(x)] * F[g(x)] \quad \cdots\cdots (*2)$, すなわち

$$\int_{-\infty}^{\infty} f(x) \cdot g(x) e^{-i\alpha x} dx = \frac{1}{2\pi} \int_{-\infty}^{\infty} F(\tilde{\alpha}) \cdot G(\alpha - \tilde{\alpha}) d\tilde{\alpha} \quad \cdots\cdots (*2)'$$

($(*2)'$ の両辺は共に最終的には α の式になる。)

から導ける。

ここで、$f(x) = g(x)$、かつ $\alpha = 0$ とおくと、

$((*2)'$ の左辺$) = \int_{-\infty}^{\infty} f(x) \cdot f(x) \cdot \underbrace{e^{-i \cdot 0 \cdot x}}_{①} dx = \int_{-\infty}^{\infty} \{f(x)\}^2 dx$

$((*2)'$ の右辺$) = \frac{1}{2\pi} \int_{-\infty}^{\infty} F(\tilde{\alpha}) \cdot \underbrace{F(0 - \tilde{\alpha})}_{F(-\tilde{\alpha}) = \overline{F(\tilde{\alpha})}} d\tilde{\alpha}$

公式: $F(-\alpha) = \overline{F(\alpha)}$ を使った。

$= \frac{1}{2\pi} \int_{-\infty}^{\infty} F(\tilde{\alpha}) \cdot \overline{F(\tilde{\alpha})} d\tilde{\alpha}$

公式: $\alpha \cdot \overline{\alpha} = |\alpha|^2$
また、最後に積分変数 $\tilde{\alpha}$ を α に戻した。積分変数は何でも構わない。

$= \frac{1}{2\pi} \int_{-\infty}^{\infty} |F(\alpha)|^2 d\alpha$

∴ パーシヴァルの等式 $(*)$ は成り立つ。 ………………(終)

演習問題 56　●パーシヴァルの等式（I）●

関数 $f(x) = \begin{cases} x+1 & (-1 < x < 1) \\ 0 & (x \leq -1,\ 1 < x) \end{cases}$ のフーリエ変換は，

$F(\alpha) = \dfrac{2}{\alpha}\sin\alpha + i\left(\dfrac{2}{\alpha}\cos\alpha - \dfrac{2}{\alpha^2}\sin\alpha\right)$ である。（演習問題 40 (P116)）

このとき，パーシヴァルの等式を用いて，無限積分 $\displaystyle\int_0^\infty \dfrac{x^2 - x\sin 2x + \sin^2 x}{x^4} dx$

の値を求めよ。

ヒント！
パーシヴァルの等式 $\displaystyle\int_{-\infty}^\infty \{f(x)\}^2 dx = \dfrac{1}{2\pi}\int_{-\infty}^\infty |F(\alpha)|^2 d\alpha$ を用いて解く。ここで，$F(\alpha)$ は一般に複素関数 $F(\alpha) = p + qi$（p, q：実数）の形をしているので，$|F(\alpha)|^2 = p^2 + q^2$ となることに気を付けよう。

解答＆解説

パーシヴァルの等式：$\displaystyle\int_{-\infty}^\infty \{f(x)\}^2 dx = \dfrac{1}{2\pi}\int_{-\infty}^\infty |F(\alpha)|^2 d\alpha$ ……① について，

(ⅰ) $\displaystyle\int_{-\infty}^\infty \{f(x)\}^2 dx = \int_{-1}^1 (x+1)^2 dx = \dfrac{1}{3}\Big[(x+1)^3\Big]_{-1}^1$

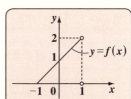

$\qquad\qquad = \dfrac{1}{3}\cdot 2^3 = \dfrac{8}{3}$ ……②

(ⅱ) $\dfrac{1}{2\pi}\displaystyle\int_{-\infty}^\infty |F(\alpha)|^2 d\alpha = \dfrac{1}{2\pi}\int_{-\infty}^\infty \left\{\dfrac{4}{\alpha^2}\sin^2\alpha + \left(\dfrac{2}{\alpha}\cos\alpha - \dfrac{2}{\alpha^2}\sin\alpha\right)^2\right\} d\alpha$

$\underbrace{\dfrac{4}{\alpha^2}(\sin^2\alpha + \cos^2\alpha)}_{①} - \underbrace{\dfrac{4}{\alpha^3}\cdot 2\sin\alpha\cos\alpha}_{\sin 2\alpha} + \dfrac{4}{\alpha^4}\sin^2\alpha$

$= \dfrac{4}{\pi}\displaystyle\int_0^\infty \underbrace{\dfrac{\alpha^2 - \alpha\sin 2\alpha + \sin^2\alpha}{\alpha^4}}_{偶関数} d\alpha$ ……③

以上 (ⅰ)(ⅱ) より，②，③を①に代入して，積分変数を α から x に置き換えると，

$\displaystyle\int_0^\infty \dfrac{x^2 - x\sin 2x + \sin^2 x}{x^4} dx = \dfrac{8}{3} \times \dfrac{\pi}{4} = \dfrac{2}{3}\pi$ となる。………………（答）

演習問題 57 ● パーシヴァルの等式 (Ⅱ) ●

関数 $f(x) = \begin{cases} 1 & (-1 < x < 2) \\ 0 & (x < -1, \ 2 < x) \end{cases}$ のフーリエ変換は,

$F(\alpha) = \dfrac{\sin 2\alpha + \sin \alpha}{\alpha} + i \dfrac{\cos 2\alpha - \cos \alpha}{\alpha}$ である。(演習問題 41 (P118))

このとき, パーシヴァルの等式を用いて, 無限積分 $\displaystyle\int_0^\infty \dfrac{1-\cos x}{x^2} dx$ の値を求めよ。

ヒント! パーシヴァルの等式を利用して解いていこう。

解答 & 解説

パーシヴァルの等式: $\displaystyle\int_{-\infty}^\infty \{f(x)\}^2 dx = \dfrac{1}{2\pi}\int_{-\infty}^\infty |F(\alpha)|^2 d\alpha$ ……① について,

(ⅰ) $\displaystyle\int_{-\infty}^\infty \{f(x)\}^2 dx = \int_{-1}^2 1^2 dx = \Big[x\Big]_{-1}^2 = 3$ ……②

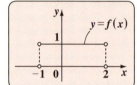

(ⅱ) $\dfrac{1}{2\pi}\displaystyle\int_{-\infty}^\infty |F(\alpha)|^2 d\alpha$

$= \dfrac{1}{2\pi}\displaystyle\int_{-\infty}^\infty \left\{\left(\dfrac{\sin 2\alpha + \sin \alpha}{\alpha}\right)^2 + \left(\dfrac{\cos 2\alpha - \cos \alpha}{\alpha}\right)^2\right\} d\alpha$

$\dfrac{1}{\alpha^2}\{(\sin^2 2\alpha + \cos^2 2\alpha) + (\sin^2 \alpha + \cos^2 \alpha) - 2(\cos 2\alpha \cos \alpha - \sin 2\alpha \sin \alpha)\}$

① ① $\cos(2\alpha + \alpha) = \cos 3\alpha$

$= \dfrac{2}{\pi}\displaystyle\int_0^\infty \dfrac{1-\cos 3\alpha}{\alpha^2} d\alpha$ ……③

(偶関数)

以上 (ⅰ)(ⅱ) より, ②, ③を①に代入して,

$\displaystyle\int_0^\infty \dfrac{1-\cos 3\alpha}{\alpha^2} d\alpha = 3 \times \dfrac{\pi}{2} = \dfrac{3}{2}\pi$ ……④

ここで, $3\alpha = x$ とおくと, ④は

$3\displaystyle\int_0^\infty \dfrac{1-\cos x}{x^2} dx = \dfrac{3}{2}\pi$ より,

$\displaystyle\int_0^\infty \dfrac{1-\cos x}{x^2} dx = \dfrac{\pi}{2}$ となる。……(答)

$3\alpha = x$ より, $d\alpha = \dfrac{1}{3}dx$

$\begin{cases} \alpha : 0 \to \infty \text{ のとき,} \\ x : 0 \to \infty \text{ より,} \end{cases}$

$\displaystyle\int_0^\infty \dfrac{1-\cos x}{\frac{x^2}{9}} \cdot \dfrac{1}{3} dx$

$= 3\displaystyle\int_0^\infty \dfrac{1-\cos x}{x^2} dx$ となる。

演習問題 58 ● パーシヴァルの等式 (Ⅲ) ●

関数 $f(x)=\begin{cases} x+2 & (-2<x<0) \\ x-2 & (0<x<2) \\ 0 & (x<-2, 2<x) \end{cases}$ のフーリエ変換は,

$F(\alpha) = i \cdot \dfrac{2}{\alpha^2}(2\alpha - \sin 2\alpha)$ である。(演習問題 46 (P128))

このとき, 無限積分 $\displaystyle\int_0^\infty \dfrac{(2x-\sin 2x)^2}{x^4} dx$ の値を求めよ。

ヒント! これも, パーシヴァルの等式を利用すれば, 容易に求まる。

解答&解説

パーシヴァルの等式: $\displaystyle\int_{-\infty}^\infty \{f(x)\}^2 dx = \dfrac{1}{2\pi}\int_{-\infty}^\infty |F(\alpha)|^2 d\alpha$ ……① について,

(ⅰ) $\displaystyle\int_{-\infty}^\infty \{f(x)\}^2 dx = \int_{-2}^0 (x+2)^2 dx + \int_0^2 (x-2)^2 dx$

$= \dfrac{1}{3}\left[(x+2)^3\right]_{-2}^0 + \dfrac{1}{3}\left[(x-2)^3\right]_0^2 = \dfrac{8}{3} + \dfrac{8}{3} = \boxed{(ア)}$ ……②

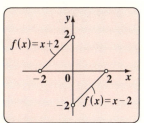

(ⅱ) $\dfrac{1}{2\pi}\displaystyle\int_{-\infty}^\infty |F(\alpha)|^2 d\alpha$

$= \dfrac{1}{2\pi}\displaystyle\int_{-\infty}^\infty \underbrace{\boxed{(イ)}(2\alpha-\sin 2\alpha)^2}_{\text{偶関数}} d\alpha$ ← $F(\alpha) = iq$ の形より, $|F(\alpha)|^2 = q^2$

$= \dfrac{4}{\pi}\displaystyle\int_0^\infty \dfrac{(2\alpha-\sin 2\alpha)^2}{\alpha^4} d\alpha$ ……③

以上 (ⅰ)(ⅱ) より, ②, ③ を① に代入して,

$\displaystyle\int_0^\infty \dfrac{(2\alpha-\sin 2\alpha)^2}{\alpha^4} d\alpha = \boxed{(ア)} \times \boxed{(ウ)}$

ここで, 積分変数 α を x に置き換えると, 求める無限積分の値は,

$\displaystyle\int_0^\infty \dfrac{(2x-\sin 2x)^2}{x^4} dx = \boxed{(エ)}$ である。……(答)

解答 (ア) $\dfrac{16}{3}$ (イ) $\dfrac{4}{\alpha^4}$ (ウ) $\dfrac{\pi}{4}$ (エ) $\dfrac{4}{3}\pi$

演習問題 59 ● パーシヴァルの等式 (Ⅳ) ●

関数 $f(x) = \begin{cases} x & (0 < x \leq 1) \\ -x+2 & (1 < x \leq 2) \\ 0 & (x \leq 0, \ 2 < x) \end{cases}$ のフーリエ変換は，

$F(\alpha) = \dfrac{2\cos\alpha - \cos 2\alpha - 1}{\alpha^2} + i\,\dfrac{\sin 2\alpha - 2\sin\alpha}{\alpha^2}$ である。(演習問題 42 (P120))

このとき，パーシヴァルの等式を用いて，無限積分 $\displaystyle\int_0^\infty \dfrac{(1-\cos x)^2}{x^4}\,dx$ の値を求めよ。

ヒント！ フーリエ変換とフーリエ逆変換の結果から，様々な無限積分の公式を導けたけれど，パーシヴァルの公式を利用すれば，さらに多くの無限積分の公式が導ける。

解答 & 解説

パーシヴァルの等式： $\displaystyle\int_{-\infty}^{\infty}\{f(x)\}^2\,dx = \dfrac{1}{2\pi}\int_{-\infty}^{\infty}|F(\alpha)|^2\,d\alpha$ ……① について，

(ⅰ) $\displaystyle\int_{-\infty}^{\infty}\{f(x)\}^2\,dx = \underbrace{\int_0^1 x^2\,dx}_{\frac{1}{3}[x^3]_0^1 = \frac{1}{3}} + \underbrace{\int_1^2 (-x+2)^2\,dx}_{\frac{1}{3}[(x-2)^3]_1^2 = \frac{1}{3}}$

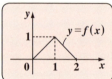

$= \dfrac{1}{3} + \dfrac{1}{3} = \dfrac{2}{3}$ ……②

(ⅱ) $\dfrac{1}{2\pi}\displaystyle\int_{-\infty}^{\infty}|F(\alpha)|^2\,d\alpha$

$\boxed{F(\alpha) = p + iq \ (p, q：実数)\text{ のとき，}\ |F(\alpha)|^2 = p^2 + q^2\text{ となる。}}$

$= \dfrac{1}{2\pi}\displaystyle\int_{-\infty}^{\infty}\left\{\dfrac{1}{\alpha^4}(2\cos\alpha - \cos 2\alpha - 1)^2 + \dfrac{1}{\alpha^4}(\sin 2\alpha - 2\sin\alpha)^2\right\}d\alpha$

$= \dfrac{1}{2\pi}\displaystyle\int_{-\infty}^{\infty}\dfrac{1}{\alpha^4}\left\{(2\cos\alpha - \cos 2\alpha - 1)^2 + (\sin 2\alpha - 2\sin\alpha)^2\right\}d\alpha$

$\boxed{\begin{array}{l} 4\cos^2\alpha + \cos^2 2\alpha + 1 - 4\cos 2\alpha\cos\alpha + 2\cos 2\alpha - 4\cos\alpha \\ \quad + \sin^2 2\alpha - 4\sin 2\alpha\sin\alpha + 4\sin^2\alpha \\ = 4\underbrace{(\cos^2\alpha + \sin^2\alpha)}_{①} + \underbrace{(\cos^2 2\alpha + \sin^2 2\alpha)}_{①} - 4\underbrace{(\cos 2\alpha\cos\alpha + \sin 2\alpha\sin\alpha)}_{\cos(2\alpha-\alpha)=\cos\alpha} \\ \qquad + 1 + 2\cos 2\alpha - 4\cos\alpha \\ = 6 - 8\cos\alpha + 2\cos 2\alpha \end{array}}$

よって，

$$\frac{1}{2\pi}\int_{-\infty}^{\infty}|F(\alpha)|^2 d\alpha = \frac{1}{2\pi}\int_{-\infty}^{\infty}\frac{2}{\alpha^4}(3-4\cos\alpha+\underbrace{\cos 2\alpha}_{\boxed{2\cos^2\alpha-1}})d\alpha$$

$$= \frac{1}{\pi}\int_{-\infty}^{\infty}\frac{1}{\alpha^4}\underbrace{(2\cos^2\alpha-4\cos\alpha+2)}_{\boxed{2(\cos^2\alpha-2\cos\alpha+1)=2(\cos\alpha-1)^2}}d\alpha$$

$$= \frac{2}{\pi}\int_{-\infty}^{\infty}\underbrace{\frac{(\cos\alpha-1)^2}{\alpha^4}}_{\boxed{偶関数}}d\alpha$$

$$\therefore \frac{1}{2\pi}\int_{-\infty}^{\infty}|F(\alpha)|^2 d\alpha = \frac{4}{\pi}\int_{0}^{\infty}\frac{(\cos\alpha-1)^2}{\alpha^4}d\alpha \enspace \cdots\cdots ③$$

以上（ⅰ）（ⅱ）より，②，③を①に代入すると，

$$\frac{2}{3} = \frac{4}{\pi}\int_{0}^{\infty}\frac{(\cos\alpha-1)^2}{\alpha^4}d\alpha$$

ここで，積分変数を α から x に置き換えると，求める無限積分の値は，

$$\int_{0}^{\infty}\frac{(1-\cos x)^2}{x^4}dx = \frac{2}{3}\times\frac{\pi}{4} = \frac{\pi}{6} \enspace である。 \enspace \cdots\cdots\cdots（答）$$

この結果は，$\int_{0}^{\infty}\frac{1-\cos x}{x^2}dx = \frac{\pi}{2}$ （演習問題 **42**（**P120**））と対比して，頭に入れておくといいかも知れない。

演習問題 60　●パーシヴァルの等式(V)●

関数 $f(x) = \begin{cases} e^x & (0 < x < 1) \\ 0 & (x < 0,\ 1 < x) \end{cases}$ のフーリエ変換は,

$$F(\alpha) = \frac{e(\cos\alpha + \alpha\sin\alpha) - 1}{1 + \alpha^2} + i\frac{e(\alpha\cos\alpha - \sin\alpha) - \alpha}{1 + \alpha^2}$$ である。

(演習問題 43 (P122))　このとき，パーシヴァルの等式を用いて，

無限積分 $\int_0^\infty \frac{\cos x}{1 + x^2} dx$ の値を求めよ。

ヒント!　本問も，パーシヴァルの等式から無限積分 $\int_0^\infty \frac{\cos x}{1+x^2} dx$ の値を求めよう。

解答&解説

パーシヴァルの等式: $\int_{-\infty}^\infty \{f(x)\}^2 dx = \frac{1}{2\pi}\int_{-\infty}^\infty |F(\alpha)|^2 d\alpha$ ……① について,

(i) $\int_{-\infty}^\infty \{f(x)\}^2 dx = \int_0^1 (e^x)^2 dx = \frac{1}{2}\left[e^{2x}\right]_0^1$

　　　　　　　　　　　$= \boxed{(ア)}$ ……②

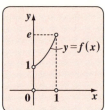

(ii) $\frac{1}{2\pi}\int_{-\infty}^\infty |F(\alpha)|^2 d\alpha$

$= \frac{1}{2\pi}\int_{-\infty}^\infty \frac{1}{(1+\alpha^2)^2}\left[\{e(\cos\alpha + \alpha\sin\alpha) - 1\}^2 + \{e(\alpha\cos\alpha - \sin\alpha) - \alpha\}^2\right]d\alpha$

$e^2(\cos\alpha + \alpha\sin\alpha)^2 - 2e(\cos\alpha + \alpha\sin\alpha) + 1$
$\quad + e^2(\alpha\cos\alpha - \sin\alpha)^2 - 2\alpha e(\alpha\cos\alpha - \sin\alpha) + \alpha^2$
$= e^2\{\underbrace{\cos^2\alpha + \sin^2\alpha}_{①} + \alpha^2\underbrace{(\sin^2\alpha + \cos^2\alpha)}_{①}\} - 2e(1+\alpha^2)\cos\alpha + 1 + \alpha^2$
$= e^2(1+\alpha^2) + (1+\alpha^2) - 2e(1+\alpha^2)\cos\alpha$
$= (1+\alpha^2)(e^2 + 1 - 2e\cos\alpha)$

$= \frac{1}{2\pi}\int_{-\infty}^\infty \frac{1}{(1+\alpha^2)^2}(1+\alpha^2)(\boxed{(イ)} - 2e\cos\alpha)d\alpha$

152

よって，

$$\frac{1}{2\pi}\int_{-\infty}^{\infty}|F(\alpha)|^2 d\alpha = \frac{1}{2\pi}\int_{-\infty}^{\infty}\underbrace{\frac{e^2+1-2e\cos\alpha}{1+\alpha^2}}_{\text{偶関数}}d\alpha$$

$$= \frac{1}{\pi}\int_{0}^{\infty}\left(\underbrace{\frac{e^2+1}{1+\alpha^2}}_{\text{定数}} - 2e\frac{\cos\alpha}{1+\alpha^2}\right)d\alpha$$

$$= \frac{e^2+1}{\pi}\underbrace{\int_{0}^{\infty}\frac{1}{1+\alpha^2}d\alpha}_{\left[\tan^{-1}\alpha\right]_0^\infty = \frac{\pi}{2}-0 = \frac{\pi}{2}} - \frac{2e}{\pi}\int_{0}^{\infty}\frac{\cos\alpha}{1+\alpha^2}d\alpha$$

積分公式
$$\int\frac{1}{1+x^2}dx = \tan^{-1}x + C$$

$$\therefore \frac{1}{2\pi}\int_{-\infty}^{\infty}|F(\alpha)|^2 d\alpha = \boxed{(\text{ウ})} - \frac{2e}{\pi}\int_{0}^{\infty}\frac{\cos\alpha}{1+\alpha^2}d\alpha \quad \cdots\cdots ③$$

以上（ⅰ）（ⅱ）より，②，③を①に代入すると，

$$\frac{e^2-1}{2} = \frac{e^2+1}{2} - \frac{2e}{\pi}\int_{0}^{\infty}\frac{\cos\alpha}{1+\alpha^2}d\alpha$$

$$\frac{2e}{\pi}\int_{0}^{\infty}\frac{\cos\alpha}{1+\alpha^2}d\alpha = 1$$

ここで，積分変数を α から x に置き換えると，求める無限積分の値は，

$$\int_{0}^{\infty}\frac{\cos x}{1+x^2}dx = \boxed{(\text{エ})} \quad \cdots\cdots ④ \text{ である。} \quad\cdots\cdots\text{(答)}$$

> **参考**
>
> この④の結果は，演習問題 **43**（**P122**）の無限積分の結果
>
> $$\int_{0}^{\infty}\frac{\cos x + x\sin x}{1+x^2}dx = \frac{\pi}{e} \quad\cdots\cdots(*) \text{ と併せて考えると，}(*)\text{は④より，}$$
>
> $$\underbrace{\int_{0}^{\infty}\frac{\cos x}{1+x^2}dx}_{\frac{\pi}{2e}\text{（④より）}} + \int_{0}^{\infty}\frac{x\sin x}{1+x^2}dx = \frac{\pi}{e} \quad \therefore \underbrace{\int_{0}^{\infty}\frac{x\sin x}{1+x^2}dx = \frac{\pi}{2e}}_{\text{新たな無限積分の公式}} \text{ が導ける。}$$

解答 （ア）$\dfrac{e^2-1}{2}$ （イ）e^2+1 （ウ）$\dfrac{e^2+1}{2}$ （エ）$\dfrac{\pi}{2e}$

講義 4 偏微分方程式への応用

methods & formulae

§1. 偏微分方程式の基本

$u(x, t)$ や $u(x, y)$ や $u(x, y, t)$ など，多変数関数の微分方程式を"**偏微分方程式**"という。

(ex) $u(x, y)$ について，

(1) $\dfrac{\partial u}{\partial x} = -3$ のとき，$u = -3x + f(y)$ （$f(y)$：任意関数）

(2) $\dfrac{\partial^2 u}{\partial y^2} = 2$ のとき，$\dfrac{\partial u}{\partial y} = 2y + f(x)$

$u = y^2 + y \cdot f(x) + g(x)$ （$f(x), g(x)$：任意関数）

偏微分方程式には，次の基本公式がある。

偏微分方程式の公式（Ⅰ）

2変数関数 $u(x, y)$ が偏微分方程式：

$c_1 \dfrac{\partial u}{\partial y} = c_2 \dfrac{\partial u}{\partial x}$ （c_1, c_2：定数，$c_1 \neq 0$）をみたすとき，

(a)の解は，$u = f(c_1 x + c_2 y)$ となる。

偏微分方程式の公式（Ⅱ）

2変数関数 $u(x, y)$ が偏微分方程式：

$\dfrac{\partial^2 u}{\partial y^2} = c_1{}^2 \dfrac{\partial^2 u}{\partial x^2}$ ……(a) （c_1：定数，$c_1 \neq 0$）をみたすとき，

(a)の解は，$u = f(x - c_1 y) + g(x + c_1 y)$ となる。

（ただし，f と g は2階微分可能な任意関数）

この解 u を"**ダランベールの公式**"と呼ぶ。

重要で典型的な偏微分方程式として，（Ⅰ）熱伝導方程式（拡散方程式），（Ⅱ）ラプラス方程式，（Ⅲ）波動方程式がある。

これら重要な2階線形偏微分方程式の例を下に示す。

2階線形偏微分方程式

(Ⅰ) 熱伝導方程式

　　(ⅰ) $\dfrac{\partial u}{\partial t} = a\dfrac{\partial^2 u}{\partial x^2}$ 　　←1次元熱伝導方程式

　　(ⅱ) $\dfrac{\partial u}{\partial t} = a\left(\dfrac{\partial^2 u}{\partial x^2} + \dfrac{\partial^2 u}{\partial y^2}\right)$ 　　←2次元熱伝導方程式

　　(ⅲ) $\dfrac{\partial u}{\partial t} = a\left(\dfrac{\partial^2 u}{\partial x^2} + \dfrac{\partial^2 u}{\partial y^2} + \dfrac{\partial^2 u}{\partial z^2}\right)$ 　　←3次元熱伝導方程式

(Ⅱ) ラプラス方程式

　　(ⅰ) $\dfrac{\partial^2 u}{\partial x^2} + \dfrac{\partial^2 u}{\partial y^2} = 0$ 　　←2次元ラプラス方程式

　　(ⅱ) $\dfrac{\partial^2 u}{\partial x^2} + \dfrac{\partial^2 u}{\partial y^2} + \dfrac{\partial^2 u}{\partial z^2} = 0$ 　　←3次元ラプラス方程式

(Ⅲ) 波動方程式

　　(ⅰ) $\dfrac{\partial^2 u}{\partial t^2} = a^2 \dfrac{\partial^2 u}{\partial x^2}$ 　　←1次元波動方程式

　　(ⅱ) $\dfrac{\partial^2 u}{\partial t^2} = a^2\left(\dfrac{\partial^2 u}{\partial x^2} + \dfrac{\partial^2 u}{\partial y^2}\right)$ 　　←2次元波動方程式

　　(ⅲ) $\dfrac{\partial^2 u}{\partial t^2} = a^2\left(\dfrac{\partial^2 u}{\partial x^2} + \dfrac{\partial^2 u}{\partial y^2} + \dfrac{\partial^2 u}{\partial z^2}\right)$ 　　←3次元波動方程式

$\begin{pmatrix} u：温度や変位など\cdots を表す従属変数，x, y, z：位置変数， \\ t：時刻，a, a^2：定数 \end{pmatrix}$

　u は温度や変位や濃度など…の物理量のことであり，たとえば(Ⅰ)熱伝導方程式を解くことにより，温度 u の分布の時々刻々と変化する様子を調べることができる。これらの方程式はいずれも，変数分離法を用いて解いていくが，その際にフーリエ級数やフーリエ変換を利用する。

§2. 熱伝導方程式

熱伝導方程式は，温度 u の分布の経時変化を調べる偏微分方程式である。

(ⅰ) **1次元熱伝導方程式**： $\dfrac{\partial u}{\partial t} = a \dfrac{\partial^2 u}{\partial x^2}$ の場合，

$u(x, t) = X(x) \cdot T(t)$ とおいて変数分離法を用いると，

$X \cdot \dot{T} = aX'' \cdot T$ となるので，両辺を aXT で割るとよい。

$\boxed{\dfrac{dT}{dt}}$ $\boxed{\dfrac{d^2X}{dx^2}}$ のこと

(ⅱ) **2次元熱伝導方程式**： $\dfrac{\partial u}{\partial t} = a\left(\dfrac{\partial^2 u}{\partial x^2} + \dfrac{\partial^2 u}{\partial y^2}\right)$ の場合，

$u(x, y, t) = X(x) \cdot Y(y) \cdot T(t)$ とおいて変数分離法を用いると，

$XY\dot{T} = a(X''YT + XY''T)$ となるので，この両辺を $aXYT$ で割るとよい。

ここで，有限長の1次元熱伝導方程式の解法には，フーリエ級数展開が役に立つが，無限長の1次元熱伝導方程式の解法については，フーリエ変換・フーリエ逆変換を利用する。

また，2次元熱伝導方程式では，次の2重フーリエ・サイン級数の公式を用いて解く。

2重フーリエ・サイン級数

$0 \leq x \leq L_1$, $0 \leq y \leq L_2$ の範囲で区分的に滑らかな2変数関数 $f(x, y)$ は次のように2重フーリエ・サイン級数(2重フーリエ正弦級数)に展開できる。

$$f(x, y) = \sum_{k=1}^{\infty} \sum_{j=1}^{\infty} b_{kj} \sin \frac{k\pi}{L_1} x \cdot \sin \frac{j\pi}{L_2} y \quad \cdots\cdots (*2)$$

ただし，$b_{kj} = \dfrac{4}{L_1 L_2} \displaystyle\int_0^{L_1} \int_0^{L_2} f(x, y) \sin \dfrac{k\pi}{L_1} x \cdot \sin \dfrac{j\pi}{L_2} y \, dxdy \cdots\cdots (*2)'$

$(k = 1, 2, 3, \cdots,\ j = 1, 2, 3, \cdots)$

§3. ラプラス方程式

十分に時間が経過した後の u の定常状態の分布を調べる方程式である。

(ⅰ) 2次元ラプラス方程式：$\dfrac{\partial^2 u}{\partial x^2} + \dfrac{\partial^2 u}{\partial y^2} = 0$ の場合，

変数分離法を用いて $u(x, y) = X(x) \cdot Y(y)$ とおいて解けばよい。

§4. 波動方程式

ひもや膜などの振動の変位を u とおき，変位 u の形状の経時変化を調べる方程式である。

(ⅰ) 1次元波動方程式：$\dfrac{\partial^2 u}{\partial t^2} = a^2 \dfrac{\partial^2 u}{\partial x^2}$ の場合，

変数分離法を利用して $u(x, t) = X(x) \cdot T(t)$ とおいて解く。

1次元の波動方程式は，ダランベールの公式が利用できる形の方程式であるので，これを利用すると，次のストークスの公式が導ける。この公式を用いて，1次元波動方程式の解を求めることもできる。

ストークスの公式

1次元波動方程式：$\dfrac{\partial^2 u}{\partial t^2} = a^2 \dfrac{\partial^2 u}{\partial x^2}$ の解で，

初期条件：$u(x, 0) = F(x)$, $u_t(x, 0) = G(x)$ をみたすものは，

$u(x, t) = \dfrac{1}{2}\{F(x - at) + F(x + at)\} + \dfrac{1}{2a}\displaystyle\int_{x-at}^{x+at} G(s)ds$ である。

ただし，この初期条件 $F(x)$ は，フーリエ級数展開したものを利用しなければならないことに注意する。

(ⅱ) 2次元波動方程式：$\dfrac{\partial^2 u}{\partial t^2} = a^2\left(\dfrac{\partial^2 u}{\partial x^2} + \dfrac{\partial^2 u}{\partial y^2}\right)$ の場合，

変数分離法を利用して $u(x, y, t) = X(x) \cdot Y(y) \cdot T(t)$ とおいて解く。
この解法で，初期条件を考える際に，2重フーリエ・サイン級数による展開が必要となる。
計算量はかなりあるけれど，この演習問題の計算結果をコンピュータにより示す。2次元平面膜の振動の様子が具体的に分かるので，興味をもって頂けると思う。

演習問題 61　●1次元熱伝導方程式（Ⅰ）●

次の温度分布関数 $u(x, t)$ の偏微分方程式（1次元熱伝導方程式）を解け。

$\dfrac{\partial u}{\partial t} = \dfrac{\partial^2 u}{\partial x^2}$ ……①　　$(0 < x < 4,\ t > 0)$

境界条件：$u_x(0, t) = u_x(4, t) = 0$

初期条件：$u(x, 0) = \begin{cases} 10 & (2 < x < 3) \\ 0 & (0 < x < 2,\ 3 < x < 4) \end{cases}$

ヒント！　①は，一般の1次元熱伝導方程式の $u_t = a u_{xx}$ の $a = 1$ のときの方程式である。また，境界条件：$u_x(0, t) = u_x(4, t) = 0$ から，これは両端点で熱が流出しない断熱問題である。変数分離法により，$u(x, t) = X(x) \cdot T(t)$ とおいて解いていこう。

解答＆解説

変数分離法により，温度分布関数 $u(x, t)$ を $u(x, t) = X(x) \cdot T(t)$ ……② とおいて，この②を①に代入すると，

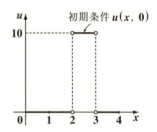

$X \cdot \dot{T} = X'' \cdot T$　　この両辺を $X \cdot T$ で割って，

$\dfrac{\dot{T}}{T} = \dfrac{X''}{X}$ ……③　　③の左辺は t のみの，また，

右辺は x のみの式であり，③が恒等的に成り立つためには，③はある定数 α に等しくなければならない。よって，$\dfrac{\dot{T}}{T} = \dfrac{X''}{X} = \alpha$ より，次の2つの常微分方程式が導かれる。

(Ⅰ) $X'' - \alpha X = 0$ ……④　　　(Ⅱ) $\dot{T} = \alpha T$ ……⑤

(Ⅰ) $X'' - \alpha X = 0$ ……④　について，

　$X = e^{\lambda x}$ とおくと，$X'' = \lambda^2 e^{\lambda x}$ となり，これを④に代入して，
$(\underbrace{\lambda^2 - \alpha}_{0}) X = 0$ から，特性方程式 $\lambda^2 - \alpha = 0$ が導かれる。

　ここで，境界条件より，$\alpha \geqq 0$ のとき $X = 0$ $(0 < x < 4)$ となって不適である。

- $\alpha > 0$ のとき，④の特性方程式：$\lambda^2 - \alpha = 0$ より，$\lambda = \pm\sqrt{\alpha}$ となる。
  よって，④の一般解は，$X(x) = C_1 e^{\sqrt{\alpha}x} + C_2 e^{-\sqrt{\alpha}x}$
  $$X'(x) = \sqrt{\alpha}C_1 e^{\sqrt{\alpha}x} - \sqrt{\alpha}C_2 e^{-\sqrt{\alpha}x}$$
  境界条件：$u_x(0, t) = u_x(4, t) = 0$　$[X'(0)T(t) = X'(4)T(t) = 0]$ より，
  $X'(0) = \sqrt{\alpha}C_1 - \sqrt{\alpha}C_2 = 0$，$X'(4) = \sqrt{\alpha}C_1 e^{4\sqrt{\alpha}} - \sqrt{\alpha}C_2 e^{-4\sqrt{\alpha}} = 0$
  これから，$C_1 = C_2 = 0$ となり，$X = 0$　$(0 < x < 4)$ となって不適。

- $\alpha = 0$ のとき，④は $X'' = 0$ より，$X = px + q$，$X' = p$
  境界条件より，$X'(0) = X'(4) = p = 0$ となり，$X = q$　$(0 < x < 4)$ となって不適。

よって，$\alpha < 0$ より，$\alpha = -\omega^2$　$(\omega > 0)$ とおくと，

④の特性方程式は，$\lambda^2 + \omega^2 = 0$　これを解いて，$\lambda = \pm i\omega$

よって，④の基本解は，$\cos\omega x$ と $\sin\omega x$ となる。

よって，この一般解は，

$X(x) = A_1 \cos\omega x + A_2 \sin\omega x$ ……⑥ となる。

$$X = C_1 e^{i\omega x} + C_2 e^{-i\omega x}$$
$$= C_1(\cos\omega x + i\sin\omega x)$$
$$+ C_2(\cos\omega x - i\sin\omega x)$$
$$= \underbrace{(C_1 + C_2)}_{A_1}\cos\omega x + \underbrace{i(C_1 - C_2)}_{A_2}\sin\omega x$$

⑥の両辺を x で微分して，

$X'(x) = -\omega A_1 \sin\omega x + \omega A_2 \cos\omega x$ ……⑥′

境界条件：$u_x(0, t) = u_x(4, t) = 0$ より，$X'(0) = X'(4) = 0$ となる。よって，

⑥′より， $\boxed{X'(0)\cdot T(t)}$ $\boxed{X'(4)\cdot T(t)}$

$X'(0) = \omega A_2 = 0$　　$\therefore A_2 = 0$

$X'(4) = -\omega A_1 \sin 4\omega = 0$　　$\omega A_1 \neq 0$ より，$\sin 4\omega = 0$　　$\therefore 4\omega = k\pi$

よって，$A_2 = 0$ かつ $\omega = \dfrac{k\pi}{4}$ となるので，　$\boxed{k\pi\ (k = 1, 2, 3, \cdots)}$

$X(x) = A_1 \cos\dfrac{k\pi}{4}x$ ……⑦　$(k = 1, 2, 3, \cdots)$ となる。

(Ⅱ) $\dot{T} = \alpha T$ ……⑤ より，$\dfrac{dT}{dt} = -\dfrac{k^2\pi^2}{16}T$

$\boxed{-\omega^2 = -\dfrac{k^2\pi^2}{16}}$

$\boxed{\dot{T} = \alpha T \text{ の解は,} \\ T(t) = B_1 e^{\alpha t}}$

$\therefore T = B_1 e^{-\frac{k^2\pi^2}{16}t}$ ……⑧　$(k = 1, 2, 3, \cdots)$ となる。

⑦, ⑧の定数係数を除いた積を $u_k(x, t)$ とおくと、
$$u_k(x, t) = \cos\frac{k\pi}{4}x \cdot e^{-\frac{k^2\pi^2}{16}t} \quad \cdots\cdots ⑨ \quad (k = 0, 1, 2, \cdots)$$

> $X(x) = A_1 \cos\frac{k\pi}{4}x \quad \cdots\cdots ⑦$
> $T(t) = B_1 e^{-\frac{k^2\pi^2}{16}t} \quad \cdots\cdots ⑧$

> $X(x)$ が cos の式より、フーリエ・コサイン級数を想定して、k を 0 スタートとする。

ここで、解の重ね合わせの原理を用いると、①の解 $u(x, t)$ は、
$$u(x, t) = \sum_{k=0}^{\infty} a_k' \cos\frac{k\pi}{4}x \cdot e^{-\frac{k^2\pi^2}{16}t} \quad \cdots\cdots ⑩$$

⑩ より、$u(x, 0) = \sum_{k=0}^{\infty} a_k' \cos\frac{k\pi}{4}x \quad (\because e^0 = 1)$

$$= \underbrace{a_0'}_{\frac{a_0}{2}} + \sum_{k=1}^{\infty} a_k' \cos\frac{k\pi}{4}x$$

> これから、フーリエ・コサイン級数の公式を使って、係数 a_k' を決定する。

ここで、初期条件 $u(x, 0) = \begin{cases} 10 & (2 < x < 3) \\ 0 & (0 < x < 2, \ 3 < x < 4) \end{cases}$ より、

フーリエ・コサイン級数の公式を用いると、
$$a_0 = \frac{2}{4}\int_0^4 u(x, 0)dx = \frac{1}{2}\int_2^3 10\,dx$$
$$= 5[x]_2^3 = 5 \quad \cdots\cdots ⑪$$

> フーリエ・コサイン級数の公式
> $f(x) = \frac{a_0}{2} + \sum_{k=1}^{\infty} a_k \cos\frac{k\pi}{L}x$
> $a_k = \frac{2}{L}\int_0^L f(x)\cos\frac{k\pi}{L}x\,dx$

$k = 1, 2, 3, \cdots$ のとき、
$$a_k' = \frac{2}{4}\int_0^4 u(x, 0)\cos\frac{k\pi}{4}x\,dx = \frac{1}{2}\int_2^3 10\cdot\cos\frac{k\pi}{4}x\,dx$$
$$= 5 \cdot \frac{4}{k\pi}\left[\sin\frac{k\pi}{4}x\right]_2^3 = \frac{20}{k\pi}\left(\sin\frac{3k\pi}{4} - \sin\frac{k\pi}{2}\right) \quad \cdots\cdots ⑫$$

⑪, ⑫ を $u(x, t) = \frac{a_0}{2} + \sum_{k=1}^{\infty} a_k' \cos\frac{k\pi}{4}x \cdot e^{-\frac{k^2\pi^2}{16}t} \quad \cdots\cdots ⑩$ に代入すると、

$$u(x, t) = \frac{5}{2} + \frac{20}{\pi}\sum_{k=1}^{\infty}\frac{1}{k}\left(\sin\frac{3k\pi}{4} - \sin\frac{k\pi}{2}\right)\cos\frac{k\pi}{4}x \cdot e^{-\frac{k^2\pi^2}{16}t} \quad \cdots\cdots ⑬$$

となる。…………(答)

①の解 $u(x, t)$ の無限級数を第 100 項までの和で近似して、
$$u(x, t) \fallingdotseq \frac{5}{2} + \frac{20}{\pi}\sum_{k=1}^{100}\frac{1}{k}\left(\sin\frac{3k\pi}{4} - \sin\frac{k\pi}{2}\right)\cos\frac{k\pi}{4}x \cdot e^{-\frac{k^2\pi^2}{16}t} \text{ とし、また、}$$

$t=0.005\times 2^k(k=0, 1, 2, \cdots, 10)$, すなわち $t=0.005, 0.01, 0.02, \cdots, 5.12$ (秒) と変化させたときの温度分布 $u(x, t)$ のグラフを右に示す。

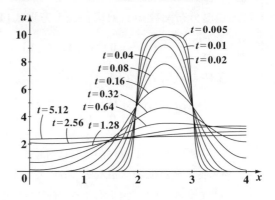

今回の問題では, $x=0$, 4 の両端点における温度の勾配を 0 として, 熱の流出のない状態, すなわち断熱状態にしているため, 初め, 区間 $2<x<3$ においてのみ 10℃ で他は 0℃ であった温度分布が時間の経過と伴に, 全区間 $0<x<4$ に広がって最終的には区間全体で一様な 2.5℃ の分布に近づいていく様子が描かれている。

次の演習問題 62 では, 同じ初期条件ではあるが, 境界条件として, $x=0$ と 4 の両端点において $u(0, t) = u(4, t) = 0$ としている。そのため, この場合, 両端点から熱が放出されて, 温度分布 $u(x, t)$ は時間の経過と伴に, 一様に 0℃ に近づいていくことになる。比較して, ご覧になると興味深いと思う。

演習問題 62 ● 1次元熱伝導方程式 (Ⅱ) ●

次の温度分布関数 $u(x, t)$ の偏微分方程式 (1次元熱伝導方程式) を解け。

$\dfrac{\partial u}{\partial t} = \dfrac{\partial^2 u}{\partial x^2}$ ……① $\quad (0 < x < 4, \ t > 0)$

境界条件: $u(0, t) = u(4, t) = 0$

初期条件: $u(x, 0) = \begin{cases} 10 & (2 < x < 3) \\ 0 & (0 < x < 2, \ 3 < x < 4) \end{cases}$

ヒント! 演習問題 61 (P158) とほぼ同じ条件の 1 次元熱伝導方程式の問題である。境界条件が $u(0, t) = u(4, t) = 0$ となっているので,両端点から熱が放出される問題であることに気を付けよう。解法は同様に,変数分離法を利用する。

解答 & 解説

変数分離法により,

$u(x, t) = X(x) \cdot T(t)$ ……② とおいて,

②を①に代入すると,

$X \cdot \dot{T} = X'' \cdot T \quad$ この両辺を $\boxed{(ア)}$ で割って,

$\dfrac{\dot{T}}{T} = \dfrac{X''}{X}$ ……③ ③の左辺は t のみの, 右辺は

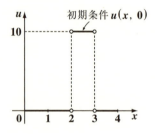
初期条件 $u(x, 0)$

x のみの式であり, ③が恒等的に成り立つためには, ③はある定数 α に等しくなければならない。これから, 2つの常微分方程式:

(Ⅰ) $X'' = \alpha X$ ……④, (Ⅱ) $\dot{T} = \alpha T$ ……⑤ が導かれる。

(Ⅰ) $X'' - \alpha X = 0$ ……④ について,

$\alpha \geqq 0$ のとき, 境界条件から $\boxed{(イ)}$ $(0 < x < 4)$ となって不適。

($\alpha > 0$, $\alpha = 0$ のいずれの場合も, $X = ($ 定数 $)$ となる。)

よって, $\alpha < 0$ より, $\alpha = -\omega^2 \ (\omega > 0)$ とおくと, ④の特性方程式は, $\lambda^2 + \omega^2 = 0$ となり, これを解いて, $\lambda = \pm i\omega$

∴ ④の一般解は $X(x) = A_1 \cos \omega x + A_2 \sin \omega x$ ……⑥ となる。

境界条件より, $X(0) = A_1 = 0$, $X(4) = A_2 \sin 4\omega = 0$

∴ $A_1 = 0, \ \omega = \dfrac{k\pi}{4} \ (k = 1, 2, 3, \cdots)$ $\quad \boxed{k\pi \ (k=1, 2, 3, \cdots)}$

これらを⑥に代入して, $X(x) = A_2 \sin \dfrac{k\pi}{4} x$ ……⑦ $(k = 1, 2, 3, \cdots)$ となる。

(Ⅱ) $\dot{T} = \alpha T$ ……⑤ $\dot{T} = -\dfrac{k^2\pi^2}{16}T$ より, $T = B_1 e^{-\frac{k^2\pi^2}{16}t}$ ……⑧ となる。

$-\omega^2 = -\left(\dfrac{k\pi}{4}\right)^2 = -\dfrac{k^2\pi^2}{16}$

⑦, ⑧の定数係数を除いた積を $u_k(x, t)$ とおくと,

$u_k(x, t) = \sin\dfrac{k\pi}{4}x \cdot e^{-\frac{k^2\pi^2}{16}t}$ $(k = 1, 2, 3, \cdots)$ となる。

ここで, 解の重ね合わせの原理を用いると, ①の解 $u(x, t)$ は,

$u(x, t) = \sum\limits_{k=1}^{\infty} b_k \sin\dfrac{k\pi}{4}x \cdot e^{-\frac{k^2\pi^2}{16}t}$ ……⑨ となる。

ここで, ⑨に $\boxed{(ウ)}$ を代入すると, 初期条件より,

$u(x, 0) = \sum\limits_{k=1}^{\infty} b_k \sin\dfrac{k\pi}{4}x = \begin{cases} 10 & (2 < x < 3) \\ 0 & (0 < x < 2, \ 3 < x < 4) \end{cases}$

フーリエ・サイン級数の公式
$f(x) = \sum\limits_{k=1}^{\infty} b_k \sin\dfrac{k\pi}{L}x$
$b_k = \dfrac{2}{L}\int_0^L f(x) \sin\dfrac{k\pi}{L}x\,dx$

よって, フーリエ・サイン級数の公式より,

$b_k = \dfrac{2}{4}\int_0^4 u(x, 0) \cdot \sin\dfrac{k\pi}{4}x\,dx = \dfrac{1}{2}\int_2^3 10 \cdot \sin\dfrac{k\pi}{4}x\,dx$

$= 5 \cdot \left(-\dfrac{4}{k\pi}\right)\left[\cos\dfrac{k\pi}{4}x\right]_2^3 = \boxed{(エ)}\left(\cos\dfrac{k\pi}{2} - \cos\dfrac{3k\pi}{4}\right)$ ……⑩

⑩を⑨に代入して, 求める①の解 $u(x, t)$ は,

$u(x, t) = \dfrac{20}{\pi}\sum\limits_{k=1}^{\infty}\dfrac{1}{k}\left(\cos\dfrac{k\pi}{2} - \cos\dfrac{3k\pi}{4}\right)\sin\dfrac{k\pi}{4}x \cdot e^{-\frac{k^2\pi^2}{16}t}$ となる。……(答)

この解 $u(x, t)$ の無限級数を第 100 項までの和で近似し, $t = 0.005, 0.01, 0.02, \cdots, 5.12$(秒)としたときのグラフを右に示す。

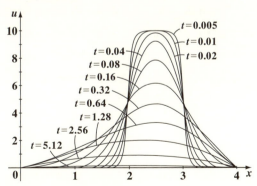

解答 (ア) XT (イ) $X = $(定数)   (ウ) $t = 0$ (エ) $\dfrac{20}{k\pi}$

演習問題 63　● 1次元熱伝導方程式 (Ⅲ) ●

次の温度分布関数 $u(x, t)$ の偏微分方程式 (1次元熱伝導方程式) を解け。

$\dfrac{\partial u}{\partial t} = \dfrac{\partial^2 u}{\partial x^2}$ ……①　$(0 < x < 4,\ t > 0)$

境界条件：$u(0, t) = u(4, t) = 0$

初期条件：$u(x, 0) = 10x(4 - x)$

ヒント！ 初期条件が，上に凸の放物線状の $u(x, 0)$ で，両端点は放熱条件の熱伝導の問題だね。変数分離法を利用して解いていこう。

解答&解説

変数分離法により，

$u(x, t) = X(x) \cdot T(t)$ ……②　とおいて，

②を①に代入すると，

$X \cdot \dot{T} = X'' \cdot T$　この両辺を $X \cdot T$ で割って，

$\dfrac{\dot{T}}{T} = \dfrac{X''}{X}$ ……③　③の左辺は t のみの，右辺は

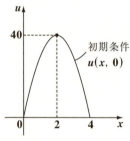

x のみの式であり，③が恒等的に成り立つためには，③はある定数 α に等しくなければならない。これから，2つの常微分方程式：

(Ⅰ) $X'' = \alpha X$ ……④　(Ⅱ) $\dot{T} = \alpha T$ ……⑤　が導かれる。

(Ⅰ) $X'' - \alpha X = 0$ ……④ について，

　　$\alpha \geq 0$ のとき，境界条件から $X = 0\ (0 < x < 4)$ となって，不適。

　　よって，$\alpha < 0$ より，$\alpha = -\omega^2\ (\omega > 0)$ とおくと，④の特性方程式は，

　　$\lambda^2 + \omega^2 = 0$ となり，これを解いて，$\lambda = \pm i\omega$ となる。

　　∴ ④の一般解は，$X(x) = A_1 \cos \omega x + A_2 \sin \omega x$ ……⑥ $(A_1, A_2：定数)$

　　となる。境界条件より，$X(0) = A_1 = 0$，$X(4) = A_2 \sin 4\omega = 0$

　　　　　　　　　　　　　　　　　　　　　　　　　　　　　$\underset{0}{\not{=}}$　$k\pi\ (k = 1, 2, 3, \cdots)$

　　∴ $A_1 = 0$，$\omega = \dfrac{k\pi}{4}$　$(k = 1, 2, 3, \cdots)$ となる。

　　これらを⑥に代入して，$X(x) = A_2 \sin \dfrac{k\pi}{4} x$ ……⑦　$(k = 1, 2, 3, \cdots)$

　　となる。

(Ⅱ) $\dot{T} = \alpha T = -\omega^2 T$ …⑤ $\dot{T} = -\dfrac{k^2\pi^2}{16}T$ より，$T(t) = B_1 e^{-\frac{k^2\pi^2}{16}t}$ …⑧ となる。

⑦，⑧の定数係数を除いた積を $u_k(x, t)$ とおくと，

$u_k(x, t) = \sin\dfrac{k\pi}{4}x \cdot e^{-\frac{k^2\pi^2}{16}t}$ $(k = 1, 2, 3, \cdots)$ となる。

ここで，解の重ね合わせの原理を用いると，①の解 $u(x, t)$ は，

$u(x, t) = \sum\limits_{k=1}^{\infty} b_k \sin\dfrac{k\pi}{4}x \cdot e^{-\frac{k^2\pi^2}{16}t}$ …⑨ となる。

ここで，⑨に $t = 0$ を代入すると，初期条件より，

$u(x, 0) = \sum\limits_{k=1}^{\infty} b_k \sin\dfrac{k\pi}{4}x = 10x(4 - x)$

> フーリエ・サイン級数の公式
> $f(x) = \sum\limits_{k=1}^{\infty} b_k \sin\dfrac{k\pi}{L}x$
> $b_k = \dfrac{2}{L}\int_0^L f(x)\cdot \sin\dfrac{k\pi}{L}x\,dx$

よって，フーリエ・サイン級数の公式より b_k は，

$b_k = \dfrac{2}{4}\int_0^4 10x(4 - x)\cdot \sin\dfrac{k\pi}{4}x\,dx = 5\int_0^4 (4x - x^2)\left(-\dfrac{4}{k\pi}\cos\dfrac{k\pi}{4}x\right)'dx$

$= -\dfrac{20}{k\pi}\left[(4x - x^2)\cos\dfrac{k\pi}{4}x\right]_0^4 + \dfrac{20}{k\pi}\int_0^4 (4 - 2x)\cdot \cos\dfrac{k\pi}{4}x\,dx$

$\underbrace{(16 - 16)\cos k\pi - 0\cdot \cos 0 = 0}$

> 部分積分法
> $\int_0^4 f\cdot g'\,dx$
> $= [f\cdot g]_0^4 - \int_0^4 f'\cdot g\,dx$

$= \dfrac{20}{k\pi}\int_0^4 (4 - 2x)\cdot \left(\dfrac{4}{k\pi}\sin\dfrac{k\pi}{4}x\right)'dx$

$= \dfrac{20}{k\pi}\left\{\dfrac{4}{k\pi}\left[(4 - 2x)\cdot \sin\dfrac{k\pi}{4}x\right]_0^4 - \dfrac{4}{k\pi}\int_0^4 (-2)\cdot \sin\dfrac{k\pi}{4}x\,dx\right\}$

$\underbrace{-4\cdot \sin k\pi - 4\cdot \sin 0 = 0}$

$= \dfrac{20}{k\pi}\cdot \dfrac{8}{k\pi}\int_0^4 \sin\dfrac{k\pi}{4}x\,dx = \dfrac{160}{k^2\pi^2}\cdot \left(-\dfrac{4}{k\pi}\right)\left[\cos\dfrac{k\pi}{4}x\right]_0^4$

$\underbrace{(\cos k\pi - \cos 0) = \{(-1)^k - 1\}}$

$= \dfrac{640}{k^3\pi^3}\{1 - (-1)^k\}$ ……⑩ となる。

⑩を⑨に代入して，求める①の解は，

$u(x, t) = \sum\limits_{k=1}^{\infty} \dfrac{640}{k^3\pi^3}\{1 - (-1)^k\}\cdot \sin\dfrac{k\pi}{4}x \cdot e^{-\frac{k^2\pi^2}{16}t}$

$= \dfrac{640}{\pi^3}\sum\limits_{k=1}^{\infty} \dfrac{1 - (-1)^k}{k^3}\cdot \sin\dfrac{k\pi}{4}x \cdot e^{-\frac{k^2\pi^2}{16}t}$ である。………………(答)

演習問題 64 ● 1次元熱伝導方程式 (Ⅳ) ●

次の温度分布関数 $u(x, t)$ の偏微分方程式 (1次元熱伝導方程式) を解け。

$\dfrac{\partial u}{\partial t} = \dfrac{\partial^2 u}{\partial x^2}$ ……① $\quad (0 < x < 6,\ t > 0)$

境界条件：$u_x(0, t) = u_x(6, t) = 0$

初期条件：$u(x, 0) = \begin{cases} 5 & (1 < x < 2) \\ 10 & (4 < x < 5) \\ 0 & (0 < x < 1,\ 2 < x < 4,\ 5 < x < 6) \end{cases}$

ヒント！ この境界条件から，両端点で熱が流出することのない断熱モデルの問題である。初期条件から，2つの高温部をもつ温度分布であるが，これらが経時変化して一様な温度分布に近づいてくはずである。変数分離法を使って解いていこう。

解答&解説

変数分離法により，
$u(x, t) = X(x) \cdot T(t)$ ……② とおいて，
②を①に代入すると，
$X \cdot \dot{T} = X'' \cdot T$ 　この両辺を $X \cdot T$ で割って，
$\dfrac{\dot{T}}{T} = \dfrac{X''}{X}$ ……③ 　③の左辺は t のみの，また，
右辺は x のみの式であり，③が恒等的に成り立つためには，③はある定数 α に等しくなければならない。

$\dfrac{\dot{T}}{T} = \dfrac{X''}{X} = \alpha$ より，2つの常微分方程式：

(Ⅰ) $X'' = \alpha X$ ……④ 　　(Ⅱ) $\dot{T} = \alpha T$ ……⑤ 　が導かれる。

(Ⅰ) $X'' - \alpha X = 0$ ……④ 　について，

$\alpha > 0$ のとき，境界条件より $X = 0$ となり，$\alpha = 0$ のとき，境界条件より $X = q$ (定数) となって，いずれも不適である。

よって，$\alpha < 0$ より，$\alpha = -\omega^2 \ (\omega > 0)$ とおくと，④は $X'' + \omega^2 X = 0$ となり，この一般解は，$X(x) = A_1 \cos\omega x + A_2 \sin\omega x$ ……⑥ となる。

⑥の両辺を x で微分して，

$X'(x) = -\omega A_1 \sin\omega x + \omega A_2 \cos\omega x$ ……⑥′ となる。

境界条件：$\underline{u_x(0, t)} = \underline{u_x(6, t)} = 0$ より，⑥´ から，
　　　　　　$\overline{X'(0) \cdot T(t)}$　$\overline{X'(6) \cdot T(t)}$

$$\begin{cases} X'(0) = \omega A_2 = 0 \quad \therefore A_2 = 0 \quad (\because \omega \neq 0) \\ X'(6) = -\omega A_1 \underline{\sin 6\omega} = 0 \quad \therefore \omega = \frac{k\pi}{6} \quad (k = 1, 2, 3, \cdots) \end{cases}$$
　　　　　　　　　　$\overline{k\pi \ (k=1, 2, 3, \cdots)}$

これらを⑥に代入して，$X(x) = A_1 \cos \frac{k\pi}{6} x$ ……⑦ $(k = 0, 1, 2, \cdots)$ となる。

$\boxed{X(x) \text{ が cos の式なので，フーリエ・コサイン級数を想定して，} k \text{ は 0 スタートとする。}}$

(Ⅱ) $\underline{\dot{T} = \alpha T} \quad \dot{T} = -\frac{k^2\pi^2}{36} T$ より，$T = B_1 e^{-\frac{k^2\pi^2}{36}t}$ ……⑧ となる。
　　　$\boxed{-\omega^2 = -\left(\frac{k\pi}{6}\right)^2 = -\frac{k^2\pi^2}{36}}$

⑦，⑧の定数係数を除いた積を $u_k(x, t)$ とおくと，

$u_k(x, t) = \cos \frac{k\pi}{6} x \cdot e^{-\frac{k^2\pi^2}{36}t} \quad (k = 0, 1, 2, \cdots)$ となる。

ここで，解の重ね合わせの原理を用いると，①の解 $u(x, t)$ は，

$u(x, t) = \sum_{k=0}^{\infty} a_k' \cos \frac{k\pi}{6} x \cdot e^{-\frac{k^2\pi^2}{36}t}$

$ = \underline{a_0'} + \sum_{k=1}^{\infty} a_k' \cos \frac{k\pi}{6} x \cdot \underline{e^{-\frac{k^2\pi^2}{36}t}}$ ……⑨ となる。
　　　$\boxed{\frac{a_0}{2}}$　　　　　　　　　$\boxed{t = 0 \text{ のとき，これは } e^0 = 1 \text{ になる。}}$

ここで，初期条件より，

$u(x, 0) = a_0' + \sum_{k=1}^{\infty} a_k' \cos \frac{k\pi}{6} x = \begin{cases} 5 & (1 < x < 2) \\ 10 & (4 < x < 5) \\ 0 & (0 < x < 1, \ 2 < x < 4, \ 5 < x < 6) \end{cases}$

$\boxed{\text{フーリエ・コサイン級数の公式} \\ f(x) = \frac{a_0}{2} + \sum_{k=1}^{\infty} a_k \cos \frac{k\pi}{L} x, \quad a_k = \frac{2}{L} \int_0^L f(x) \cos \frac{k\pi}{L} x \, dx}$

よって，フーリエ・コサイン級数の公式を用いると，

$$a_0 = \frac{2}{6}\int_0^6 u(x,0)dx = \frac{1}{3}\left(\underbrace{\int_1^2 5dx}_{5\cdot[x]_1^2=5} + \underbrace{\int_4^5 10dx}_{10\cdot[x]_4^5=10}\right) = \frac{15}{3} = 5 \quad \cdots\cdots ⑩$$

$k = 1, 2, 3, \cdots$ のとき，

$$a_k' = \frac{2}{6}\int_0^6 u(x,0)\cos\frac{k\pi}{6}x\,dx$$

$$= \frac{1}{3}\left(\underbrace{\int_1^2 5\cos\frac{k\pi}{6}x\,dx}_{\substack{5\cdot\frac{6}{k\pi}\left[\sin\frac{k\pi}{6}x\right]_1^2 \\ =\frac{30}{k\pi}\left(\sin\frac{k\pi}{3}-\sin\frac{k\pi}{6}\right)}} + \underbrace{\int_4^5 10\cos\frac{k\pi}{6}x\,dx}_{\substack{10\cdot\frac{6}{k\pi}\left[\sin\frac{k\pi}{6}x\right]_4^5 \\ =\frac{60}{k\pi}\left(\sin\frac{5k\pi}{6}-\sin\frac{2k\pi}{3}\right)}}\right)$$

$$\therefore a_k' = \frac{10}{k\pi}\left(\sin\frac{k\pi}{3} - \sin\frac{k\pi}{6}\right) + \frac{20}{k\pi}\left(\sin\frac{5k\pi}{6} - \sin\frac{2k\pi}{3}\right) \quad \cdots\cdots ⑪$$

⑩，⑪を $u(x,t) = \dfrac{a_0}{2} + \sum\limits_{k=1}^{\infty} a_k' \cos\dfrac{k\pi}{6}x \cdot e^{-\frac{k^2\pi^2}{36}t} \quad \cdots\cdots ⑨$ に代入して，

$$u(x,t) = \frac{5}{2} + \frac{10}{\pi}\sum_{k=1}^{\infty}\frac{1}{k}\left\{\sin\frac{k\pi}{3} - \sin\frac{k\pi}{6} + 2\left(\sin\frac{5k\pi}{6} - \sin\frac{2k\pi}{3}\right)\right\}\cos\frac{k\pi}{6}x \cdot e^{-\frac{k^2\pi^2}{36}t}$$

$$\cdots\cdots\text{(答)}$$

この解 $u(x,t)$ の無限級数を第 100 項までの和で近似し，$t = 0.005, 0.01, 0.02, \cdots, 5.12$(秒)としたときのグラフを右に示す。

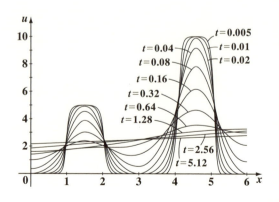

演習問題 65　●1次元熱伝導方程式（V）●

次の温度分布関数 $u(x, t)$ の偏微分方程式（1次元熱伝導方程式）を解け。

$\dfrac{\partial u}{\partial t} = \dfrac{1}{2} \dfrac{\partial^2 u}{\partial x^2}$ ……①　　$(0 < x < 6,\ t > 0)$

境界条件：$u(0, t) = u(6, t) = 0$

初期条件：$u(x, 0) = \begin{cases} 5x - 10 & (2 < x < 4) \\ -10x + 50 & (4 < x < 5) \\ 0 & (0 < x < 2,\ 5 < x < 6) \end{cases}$

ヒント！　今回，$\dfrac{\partial u}{\partial t} = a \dfrac{\partial^2 u}{\partial x^2}$ の定数係数 a が $a = \dfrac{1}{2}$ の1次元熱伝導方程式である。これまでと同様に，変数分離法を使って解いていこう。

解答＆解説

変数分離法により，
$u(x, t) = X(x) \cdot T(t)$ ……②　とおいて，
②を①に代入すると，

$X \cdot \dot{T} = \dfrac{1}{2} X'' \cdot T$　この両辺を $\boxed{(ア)}$ で割って，

$\dfrac{2\dot{T}}{T} = \dfrac{X''}{X}$ ……③　③の左辺は t のみの，また，

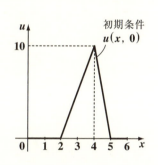

初期条件 $u(x, 0)$

右辺は x のみの式であり，③が恒等的に成り立つためには，③はある定数 α に等しくなければならない。$\dfrac{2\dot{T}}{T} = \dfrac{X''}{X} = \alpha$ より，2つの常微分方程式：

（I）$X'' = \alpha X$ ……④　　（II）$\dot{T} = \dfrac{\alpha}{2} T$ ……⑤　が導かれる。

（I）$X'' - \alpha X = 0$ ……④　について，

$\alpha \geq 0$ のとき，境界条件より，$\boxed{(イ)}$ $(0 < x < 6)$ となって不適である。

よって，$\alpha < 0$ より，$\alpha = -\omega^2\ (\omega > 0)$ とおくと，④は $X'' + \omega^2 X = 0$ となり，この一般解は，$X(x) = A_1 \cos \omega x + A_2 \sin \omega x$ ……⑥　となる。

境界条件：$u(0, t) = u(6, t) = 0$ より，$X(0) = 0$，$X(6) = 0$ となる。
よって，⑥から，

$$\begin{cases} X(0) = A_1 = 0 \\ X(6) = A_2 \sin 6\omega = 0 \end{cases} \quad \therefore A_1 = 0, \quad \omega = \frac{k\pi}{6} \quad (k=1, 2, 3, \cdots)$$

$\underbrace{6\omega}_{k\pi \ (k=1, 2, 3, \cdots)}$

$A_1 = 0$, $\omega = \frac{k\pi}{6}$ を，$X(x) = \cancel{A_1 \cos \omega x} + A_2 \sin \omega x$ ……⑥ に代入して，

$\underline{X(x) = A_2 \sin \frac{k\pi}{6} x}$ ……⑦ $(k=1, 2, 3, \cdots)$ となる。

(Ⅱ) $\dot{T} = \frac{\alpha}{2} T$ ……⑤ より，$\dot{T} = -\frac{k^2 \pi^2}{72} T \quad \left(\because \frac{\alpha}{2} = -\frac{\omega^2}{2} = -\frac{1}{2}\left(\frac{k\pi}{6}\right)^2 \right)$

$\therefore \underline{T(t) = B_1 e^{-\frac{k^2 \pi^2}{72} t}}$ ……⑧

⑦，⑧の定数係数を除いた積を $u_k(x, t)$ とおくと，

$u_k(x, t) = \sin \frac{k\pi}{6} x \cdot e^{-\frac{k^2 \pi^2}{72} t} \quad (k=1, 2, 3, \cdots)$

ここで，解の重ね合わせの原理を用いると，

①の解 $u(x, t)$ は，

$u(x, t) = \sum\limits_{k=1}^{\infty} b_k \sin \frac{k\pi}{6} x \cdot e^{-\frac{k^2 \pi^2}{72} t}$ ……⑨ となる。

> **フーリエ・サイン級数の公式**
> $f(x) = \sum\limits_{k=1}^{\infty} b_k \sin \frac{k\pi}{L} x$
> $b_k = \frac{2}{L} \int_0^L f(x) \sin \frac{k\pi}{L} x \, dx$

ここで，⑨に $\boxed{(ウ)}$ を代入すると，初期条件より，

$u(x, 0) = \sum\limits_{k=1}^{\infty} b_k \sin \frac{k\pi}{6} x = \begin{cases} 5x - 10 & (2 < x < 4) \\ -10x + 50 & (4 < x < 5) \\ 0 & (0 < x < 2, \ 5 < x < 6) \end{cases}$

よって，フーリエ・サイン級数の公式より，

$b_k = \frac{2}{6} \int_0^6 u(x, 0) \sin \frac{k\pi}{6} x \, dx$

$= \frac{1}{3} \left\{ \underbrace{\int_2^4 (5x - 10) \sin \frac{k\pi}{6} x \, dx}_{} + \underbrace{\int_4^5 (-10x + 50) \sin \frac{k\pi}{6} x \, dx}_{} \right\}$

$\displaystyle 5\int_2^4 (x-2)\left(-\frac{6}{k\pi}\cos\frac{k\pi}{6}x\right)' dx$
$= 5\left\{-\frac{6}{k\pi}\left[(x-2)\cos\frac{k\pi}{6}x\right]_2^4 + \frac{6}{k\pi}\int_2^4 1\cdot\cos\frac{k\pi}{6}x\, dx\right\}$
$= -\frac{30}{k\pi}\cdot 2\cos\frac{2k\pi}{3} + \frac{30}{k\pi}\cdot\frac{6}{k\pi}\left[\sin\frac{k\pi}{6}x\right]_2^4$
$= -\frac{60}{k\pi}\cos\frac{2k\pi}{3} + \frac{180}{k^2\pi^2}\left(\sin\frac{2k\pi}{3} - \sin\frac{k\pi}{3}\right)$

$\displaystyle -10\int_4^5 (x-5)\left(-\frac{6}{k\pi}\cos\frac{k\pi}{6}x\right)' dx$
$= -10\left\{-\frac{6}{k\pi}\left[(x-5)\cos\frac{k\pi}{6}x\right]_4^5 + \frac{6}{k\pi}\int_4^5 1\cdot\cos\frac{k\pi}{6}x\, dx\right\}$
$= \frac{60}{k\pi}\cos\frac{2k\pi}{3} - \frac{60}{k\pi}\cdot\frac{6}{k\pi}\left[\sin\frac{k\pi}{6}x\right]_4^5$
$= \frac{60}{k\pi}\cos\frac{2k\pi}{3} - \frac{360}{k^2\pi^2}\left(\sin\frac{5k\pi}{6} - \sin\frac{2k\pi}{3}\right)$

よって，

$$b_k = \frac{1}{3}\left\{\frac{180}{k^2\pi^2}\left(\sin\frac{2k\pi}{3} - \sin\frac{k\pi}{3}\right) - \frac{360}{k^2\pi^2}\left(\sin\frac{5k\pi}{6} - \sin\frac{2k\pi}{3}\right)\right\}$$

$$= \frac{60}{k^2\pi^2}\left(\sin\frac{2k\pi}{3} - \sin\frac{k\pi}{3} - 2\sin\frac{5k\pi}{6} + 2\sin\frac{2k\pi}{3}\right)$$

$$\therefore b_k = \frac{60}{k^2\pi^2}\left(3\sin\frac{2k\pi}{3} - \sin\frac{k\pi}{3} - 2\sin\frac{5k\pi}{6}\right) \cdots\cdots ⑩ \quad (k=1, 2, 3, \cdots)$$

となる。

⑩を⑨に代入すると，①の偏微分方程式の解 $u(x, t)$ は，

$$u(x, t) = \boxed{(エ)} \sum_{k=1}^{\infty}\frac{1}{k^2}\left(3\sin\frac{2k\pi}{3} - \sin\frac{k\pi}{3} - 2\sin\frac{5k\pi}{6}\right)\sin\frac{k\pi}{6}x \cdot e^{-\frac{k^2\pi^2}{72}t}$$

$$\cdots\cdots\cdots(答)$$

この解 $u(x, t)$ の無限級数を第 **100** 項までの部分和で近似し，$t = \mathbf{0.005, 0.01, \cdots, 10.24, 20.48}$（秒）としたときのグラフを右に示す。

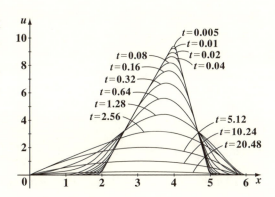

解答　(ア) $\frac{1}{2}XT$　　(イ) $X = $ (定数)　　(ウ) $t = 0$　　(エ) $\frac{60}{\pi^2}$

演習問題 66 ● 1次元熱伝導方程式 (Ⅵ) ●

次の温度分布関数 $u(x, t)$ の偏微分方程式 (1次元熱伝導方程式) を解け。

$\dfrac{\partial u}{\partial t} = \dfrac{\partial^2 u}{\partial x^2}$ ……① $\quad (-\infty < x < \infty, \ t > 0)$

初期条件：$u(x, 0) = \delta(x-1)$ $\left(公式 : \displaystyle\int_{-\infty}^{\infty} e^{-px^2} dx = \sqrt{\dfrac{\pi}{p}} \ は用いてもよい。\right)$

ヒント! 定義域が $-\infty < x < \infty$ なので，境界条件はない。そして，温度分布 $u(x, t)$ は周期関数でもないので，フーリエ級数ではなく，次のフーリエ変換と逆変換の公式：
$F(\alpha) = F[f(x)] = \displaystyle\int_{-\infty}^{\infty} f(x)e^{-i\alpha x} dx, \ f(x) = F^{-1}[F(\alpha)] = \dfrac{1}{2\pi}\displaystyle\int_{-\infty}^{\infty} F(\alpha)e^{i\alpha x} d\alpha$
を用いて解いていこう。

解答 & 解説

初期条件：$u(x, 0) = \delta(x-1)$ で与えられた温度分布関数 $u(x, t)$ $(-\infty < x < \infty)$ のフーリエ変換を $U(\alpha, t)$ とおくと，

$U(\alpha, t) = F[u(x, t)] = \displaystyle\int_{-\infty}^{\infty} u(x, t)e^{-i\alpha x} dx$ ……②

となる。ここで，

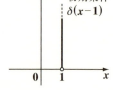

(ⅰ) $u'' = \dfrac{\partial^2 u}{\partial x^2}$ のフーリエ変換は，　公式：$F[f^{(n)}] = (i\alpha)^n F[f]$

$F[u''(x, t)] = (i\alpha)^2 F[u(x, t)] = -\alpha^2 U(\alpha, t)$ ……③ となる。(②より)

(ⅱ) $\dot{u} = \dfrac{\partial u}{\partial t}$ のフーリエ変換は，微分と積分の操作の順番を入れ替えられるものとして，

$F[\dot{u}(x, t)] = \displaystyle\int_{-\infty}^{\infty} \dfrac{\partial u}{\partial t} e^{-i\alpha x} dx = \dfrac{\partial}{\partial t}\left\{\displaystyle\int_{-\infty}^{\infty} u e^{-i\alpha x} dx\right\} = \dfrac{\partial U}{\partial t}$ ……④ となる。

以上 (ⅰ)(ⅱ) より，熱伝導方程式：$\dfrac{\partial u}{\partial t} = \dfrac{\partial^2 u}{\partial x^2}$ ……① の両辺をフーリエ変換すると，③，④より，

$\dfrac{\partial U}{\partial t} = -\alpha^2 U$ となる。よって，これを解くと，

$U(\alpha, t) = f(\alpha) \cdot e^{-\alpha^2 t}$ ……⑤ となる。

> ⑤は，α と t の偏微分方程式の解なので，この係数は任意定数ではなく，α の任意関数になる。

⑤に $t = 0$ を代入すると，

$U(\alpha, 0) = f(\alpha) \cdot e^0 = f(\alpha)$ ……⑤´ となる。

次に，初期条件：$u(x, 0) = \delta(x - 1)$ をフーリエ変換すると，

$F[u(x, 0)] = U(\alpha, 0) = F[\delta(x - 1)]$

$\qquad = e^{-i\alpha} \underbrace{F[\delta(x)]}_{1} = e^{-i\alpha}$ ……⑥ となる。

> 公式
> $F[f(x-q)] = e^{-iq\alpha}F[f(x)]$
> $F[\delta(x)] = 1$

⑤´，⑥より，$f(\alpha) = e^{-i\alpha}$　これを⑤に代入して，

$U(\alpha, t) = e^{-i\alpha} e^{-\alpha^2 t} = e^{-t\alpha^2 - i\alpha}$ ……⑦ となる。

これで，偏微分方程式①と初期条件をみたす $u(x, t)$ のラプラス変換 $U(\alpha, t)$ が求められたので，次に，この⑦のラプラス逆変換を求めて，$u(x, t)$ を決定する。

$u(x, t) = \dfrac{1}{2\pi} \displaystyle\int_{-\infty}^{\infty} U(\alpha, t) e^{i\alpha x} d\alpha$

$\qquad = \dfrac{1}{2\pi} \displaystyle\int_{-\infty}^{\infty} e^{-t\alpha^2 - i\alpha} \cdot e^{i\alpha x} d\alpha \qquad$ (⑦より)

> (e の指数部) $= -t\alpha^2 - i\alpha + i\alpha x = -\{t\alpha^2 - i(x-1)\alpha\}$
> $\qquad = -t\left\{\alpha^2 - \dfrac{i(x-1)}{t}\alpha + \dfrac{i^2(x-1)^2}{4t^2}\right\} - \dfrac{(x-1)^2}{4t}$
> $\qquad = -t\left\{\alpha - \dfrac{i(x-1)}{2t}\right\}^2 - \dfrac{(x-1)^2}{4t}$

よって，

$u(x, t) = \dfrac{1}{2\pi} \displaystyle\int_{-\infty}^{\infty} e^{-t\left\{\alpha - \frac{i(x-1)}{2t}\right\}^2 - \frac{(x-1)^2}{4t}} d\alpha$

$\qquad = \dfrac{1}{2\pi} e^{-\frac{(x-1)^2}{4t}} \displaystyle\int_{-\infty}^{\infty} e^{-t\left\{\alpha - \frac{i(x-1)}{2t}\right\}^2} d\alpha$　より，

この複素積分を，コーシーの積分定理を用いて実積分に切り替える。

$$u(x, t) = \frac{1}{2\pi} e^{-\frac{(x-1)^2}{4t}} \int_{-\infty}^{\infty} e^{-t\left\{\alpha - \frac{i(x-1)}{2t}\right\}^2} d\alpha$$

公式
$$\int_{-\infty}^{\infty} e^{-px^2} dx = \sqrt{\frac{\pi}{p}}$$

$$\int_{-\infty}^{\infty} e^{-t\alpha^2} d\alpha = \sqrt{\frac{\pi}{t}}$$

$h(z) = e^{-tz^2}$ (z：複素変数) とおくと，これは全複素数平面で正則なので，$h(z)$ を右の積分路 C_1, C_2, C_3, C_4 で1周線積分したものは，コーシーの積分定理により，0 となる。

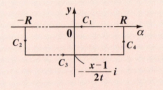

$$\int_{C_1} + \int_{C_2} + \int_{C_3} + \int_{C_4} = 0 \quad \text{ここで，} R \to \infty \text{とすると，} \int_{C_2} \to 0, \int_{C_4} \to 0 \text{より，}$$

$$\int_{C_3} = -\int_{C_1}, \text{すなわち，} \int_{-\infty}^{\infty} e^{-t\left\{\alpha - \frac{i(x-1)}{2t}\right\}^2} d\alpha = -\int_{\infty}^{-\infty} e^{-t\alpha^2} d\alpha = \int_{-\infty}^{\infty} e^{-t\alpha^2} d\alpha$$

よって，求める温度分布 $u(x, t)$ は，

$$u(x, t) = \frac{1}{2\pi} e^{-\frac{(x-1)^2}{4t}} \cdot \sqrt{\frac{\pi}{t}} = \frac{1}{2\sqrt{\pi t}} e^{-\frac{(x-1)^2}{4t}} \quad \text{である。} \quad \cdots\cdots\text{(答)}$$

この結果を基に，$t = 0.1, 0.2, 0.3, \cdots, 1.0$ (秒) のときの温度分布 $u(x, t)$ のグラフを示すと，右のようになる。

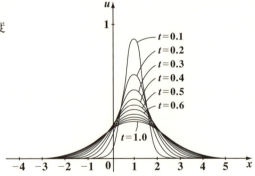

演習問題 67　● 1次元熱伝導方程式 (Ⅶ) ●

次の温度分布関数 $u(x, t)$ の偏微分方程式 (1次元熱伝導方程式) を解け。

$$\frac{\partial u}{\partial t} = \frac{\partial^2 u}{\partial x^2} \quad \cdots\cdots ① \qquad (-\infty < x < \infty, \; t > 0)$$

初期条件：$u(x, 0) = \delta(x-1) + \delta(x-2)$

$\left(\text{ただし，} \int_{-\infty}^{\infty} e^{-px^2} dx = \sqrt{\dfrac{\pi}{p}} \text{ は用いてもよい。}\right)$

ヒント! これも，次のフーリエ変換とフーリエ逆変換の公式：
$F(\alpha) = F[f(x)] = \int_{-\infty}^{\infty} f(x) e^{-i\alpha x} dx, \; f(x) = F^{-1}[F(\alpha)] = \dfrac{1}{2\pi} \int_{-\infty}^{\infty} F(\alpha) e^{i\alpha x} d\alpha$ を利用して解く問題である。まず，初期条件も含めて，$u(x, t)$ のフーリエ変換 $U(\alpha, t)$ を求め，これを逆変換して，$u(x, t)$ を求めればよい。

解答＆解説

初期条件：$u(x, 0) = \delta(x-1) + \delta(x-2)$ で与えられた温度分布関数 $u(x, t)$ $(-\infty < x < \infty)$ のフーリエ変換を $U(\alpha, t)$ とおくと，

$$U(\alpha, t) = F[u(x, t)] = \int_{-\infty}^{\infty} u(x, t) e^{-i\alpha x} dx \;\cdots\cdots ②$$

となる。ここで，

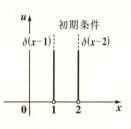

(i) $u'' = \dfrac{\partial^2 u}{\partial x^2}$ のフーリエ変換は，　　公式：$F[f^{(n)}] = (i\alpha)^n F[f]$

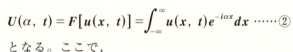

$F[u''(x, t)] = (i\alpha)^2 F[u(x, t)] = -\alpha^2 U(\alpha, t) \;\cdots\cdots ③$ となる。(②より)

(ii) $\dot{u} = \dfrac{\partial u}{\partial t}$ のフーリエ変換は，微分と積分の操作の順番を入れ替えられるものとして，

$$F[\dot{u}(x, t)] = \int_{-\infty}^{\infty} \frac{\partial u}{\partial t} e^{-i\alpha x} dx = \frac{\partial}{\partial t}\left\{\int_{-\infty}^{\infty} u e^{-i\alpha x} dx\right\} = \frac{\partial U}{\partial t} \;\cdots\cdots ④$$ となる。

以上 (i)(ii) より，熱伝導方程式：$\dfrac{\partial u}{\partial t} = \dfrac{\partial^2 u}{\partial x^2} \cdots\cdots ①$ の両辺をフーリエ変換すると，③，④より，

$\dfrac{\partial U}{\partial t} = -\alpha^2 U$ となる。これを解くと，

$U(\alpha, t) = f(\alpha) \cdot e^{-\alpha^2 t}$ ……⑤ となる。

⑤は、α と t の偏微分方程式の解なので、これは α の任意関数になる。

⑤に $t=0$ を代入すると、
$U(\alpha, 0) = f(\alpha) \cdot 1 = f(\alpha)$ ……⑤′ となる。 ← これは、初期条件 $u(x, 0)$ のフーリエ変換

次に、初期条件：$u(x, 0) = \delta(x-1) + \delta(x-2)$
をフーリエ変換すると、

公式
$F[f+g] = F[f] + F[g]$
$F[f(x-q)] = e^{-iq\alpha}F[f(x)]$
$F[\delta(x)] = 1$

$$F[u(x, 0)] = U(\alpha, 0) = F[\delta(x-1) + \delta(x-2)]$$
$$= F[\delta(x-1)] + F[\delta(x-2)]$$
$$= e^{-i\alpha}\underbrace{F[\delta(x)]}_{①} + e^{-i\cdot 2\alpha}\underbrace{F[\delta(x)]}_{①}$$
$$= e^{-i\alpha} + e^{-i\cdot 2\alpha} \quad ……⑥$$

⑤′、⑥より、$f(\alpha) = e^{-i\alpha} + e^{-i\cdot 2\alpha}$ より、これを⑤に代入して、
$$U(\alpha, t) = (e^{-i\alpha} + e^{-i\cdot 2\alpha})e^{-\alpha^2 t}$$
$$= e^{-t\alpha^2 - i\alpha} + e^{-t\alpha^2 - 2i\alpha} \quad ……⑦ \text{ となる。}$$

これで、偏微分方程式①と初期条件をみたす $u(x, t)$ のラプラス変換 $U(\alpha, t)$ が求められたので、次に、この⑦のラプラス逆変換を求めて、$u(x, t)$ を決定する。

$$u(x, t) = \frac{1}{2\pi}\int_{-\infty}^{\infty} U(\alpha, t)e^{i\alpha x} d\alpha$$
$$= \frac{1}{2\pi}\int_{-\infty}^{\infty} (e^{-t\alpha^2 - i\alpha} + e^{-t\alpha^2 - 2i\alpha})e^{i\alpha x} d\alpha$$
$$= \frac{1}{2\pi}\left(\int_{-\infty}^{\infty} e^{-t\alpha^2 - i\alpha + i\alpha x} d\alpha + \int_{-\infty}^{\infty} e^{-t\alpha^2 - 2i\alpha + i\alpha x} d\alpha\right)$$

(e の指数部) $= -\{t\alpha^2 - i(x-1)\alpha\}$
$= -t\left\{\alpha^2 - \dfrac{i(x-1)}{t}\alpha + \dfrac{i^2(x-1)^2}{4t^2}\right\} - \dfrac{(x-1)^2}{4t}$
$= -t\left\{\alpha - \dfrac{i(x-1)}{2t}\right\}^2 - \dfrac{(x-1)^2}{4t}$

(e の指数部) $= -\{t\alpha^2 - i(x-2)\alpha\}$
$= -t\left\{\alpha^2 - \dfrac{i(x-2)}{t}\alpha + \dfrac{i^2(x-2)^2}{4t^2}\right\} - \dfrac{(x-2)^2}{4t}$
$= -t\left\{\alpha - \dfrac{i(x-2)}{2t}\right\}^2 - \dfrac{(x-2)^2}{4t}$

これから，

$$u(x, t) = \frac{1}{2\pi}\left(e^{-\frac{(x-1)^2}{4t}}\int_{-\infty}^{\infty}e^{-t\left\{\alpha-\frac{i(x-1)}{2t}\right\}^2}d\alpha + e^{-\frac{(x-2)^2}{4t}}\int_{-\infty}^{\infty}e^{-t\left\{\alpha-\frac{i(x-2)}{2t}\right\}^2}d\alpha\right)$$ となる．

公式
$$\int_{-\infty}^{\infty}e^{-px^2}dx = \sqrt{\frac{\pi}{p}}$$

$$\int_{-\infty}^{\infty}e^{-t\alpha^2}d\alpha = \sqrt{\frac{\pi}{t}}$$

$$\int_{-\infty}^{\infty}e^{-t\alpha^2}d\alpha = \sqrt{\frac{\pi}{t}}$$

$h(z) = e^{-tz^2}$ (z：複素変数) とおくと，これは全複素数平面で正則なので，$h(z)$ を右の積分路 C_1, C_2, C_3, C_4 で1周線積分したものは，コーシーの積分定理により，0 となる．

$\int_{C_1} + \int_{C_2} + \int_{C_3} + \int_{C_4} = 0$ ここで，$R \to \infty$ とすると，$\int_{C_2} \to 0$, $\int_{C_4} \to 0$ より，

$-R$, C_1, R, C_2, 0, α, C_4, C_3, $-\frac{x-1}{2t}i$ (または, $-\frac{x-2}{2t}i$)

または，$\frac{i(x-2)}{2t}$

$\int_{C_3} = -\int_{C_1}$, すなわち, $\int_{-\infty}^{\infty}e^{-t\left\{\alpha-\frac{i(x-1)}{2t}\right\}^2}d\alpha = -\int_{\infty}^{-\infty}e^{-t\alpha^2}d\alpha = \int_{-\infty}^{\infty}e^{-t\alpha^2}d\alpha$

よって，求める温度分布 $u(x, t)$ は，

$$u(x, t) = \frac{1}{2\pi}\left\{e^{-\frac{(x-1)^2}{4t}}\cdot\sqrt{\frac{\pi}{t}} + e^{-\frac{(x-2)^2}{4t}}\cdot\sqrt{\frac{\pi}{t}}\right\}$$

$$= \frac{1}{2\sqrt{\pi t}}\left\{e^{-\frac{(x-1)^2}{4t}} + e^{-\frac{(x-2)^2}{4t}}\right\}$$ である．……………………(答)

この結果を基に，$t = 0.01, 0.02, 0.04, \cdots, 5.12$ (秒) のときの温度分布 $u(x, t)$ のグラフを示すと，右のようになる．

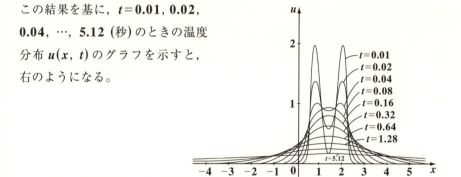

演習問題 68　　●2次元熱伝導方程式●

次の温度分布関数 $u(x, y, t)$ の偏微分方程式 (2次元熱伝導方程式) を解け。

$$\frac{\partial u}{\partial t} = \frac{\partial^2 u}{\partial x^2} + \frac{\partial^2 u}{\partial y^2} \quad \cdots\cdots ① \qquad (0 < x < 4, \ 0 < y < 4, \ t > 0)$$

境界条件：$u(0, y, t) = u(4, y, t) = u(x, 0, t) = u(x, 4, t) = 0$

初期条件：$u(x, y, 0) = f(x) \cdot g(y)$

$$\left[\text{ただし，}f(x) \text{ と } g(y) \text{ は次の関数である。}\right.$$
$$f(x) = \begin{cases} -5x + 15 & (1 < x < 3) \\ 0 & (0 < x \leq 1, \ 3 \leq x < 4) \end{cases} \qquad g(y) = \begin{cases} 1 & (0 < y < 2) \\ 0 & (2 < y < 4) \end{cases} \left.\right]$$

ヒント！ 2次元の熱伝導方程式においても，$u(x, y, t) = X(x) \cdot Y(y) \cdot T(t)$ とおいて，変数分離法にもち込んで解けばよい。また，2次元問題なので，次に示す2重フーリエ・サイン級数の公式を利用する。
$0 \leq x \leq L_1, \ 0 \leq y \leq L_2$ の範囲で区分的に滑らかな2変数関数 $f(x, y)$ は次のように2重フーリエ・サイン級数 (2重フーリエ正弦級数) に展開できる。

$$f(x, y) = \sum_{k=1}^{\infty} \sum_{j=1}^{\infty} b_{kj} \sin \frac{k\pi}{L_1} x \cdot \sin \frac{j\pi}{L_2} y$$

$$\left(\text{ただし，} b_{kj} = \frac{4}{L_1 L_2} \int_0^{L_1} \int_0^{L_2} f(x, y) \sin \frac{k\pi}{L_1} x \cdot \sin \frac{j\pi}{L_2} y \, dx \, dy \right.$$
$$\left. (k = 1, 2, 3, \cdots, \ j = 1, 2, 3, \cdots) \right)$$

解答＆解説

初期条件：$u(x, y, 0) = f(x) \cdot g(y)$

$f(x) = \begin{cases} -5x + 15 & (1 < x < 3) \\ 0 & (0 < x \leq 1, \ 3 \leq x < 4) \end{cases}$

$g(y) = \begin{cases} 1 & (0 < y < 2) \\ 0 & (2 < y < 4) \end{cases}$

から，$t = 0$ における温度分布 $u(x, y, 0)$ のグラフの概形は右図のようになる。
また，境界条件により，4頂点 $(0, 0, 0)$，$(4, 0, 0)$，$(4, 4, 0)$，$(0, 4, 0)$ からなる正方形の境界上の温度は $0\,(℃)$ に保たれている。

変数分離法により，
$u(x, y, t) = X(x) \cdot Y(y) \cdot T(t)$ ……②　とおいて，②を①に代入すると，
$X \cdot Y \cdot \dot{T} = X'' \cdot Y \cdot T + X \cdot Y'' \cdot T$　となる。この両辺をXYTで割ると，
$\dfrac{\dot{T}}{T} = \dfrac{X''}{X} + \dfrac{Y''}{Y}$ …………………③　となる。

（$\dfrac{\dot{T}}{T}$：tのみの式）　（$\dfrac{X''}{X} + \dfrac{Y''}{Y}$：$x$と$y$のみの式）

③の左辺はtのみの式，右辺はxとyのみの式なので，この等式が恒等的に成り立つためには，これはある定数αと等しくなければならない。
ここで，$\alpha \geq 0$ は不適である。
よって，$\alpha < 0$ より，
$\alpha = -\omega^2 \ (\omega > 0)$ とおくと，③は，
$\dfrac{\dot{T}}{T} = \dfrac{X''}{X} + \dfrac{Y''}{Y} = -\omega^2$ ……③′ となる。

（$\dfrac{X''}{X}$：新たに$-\omega_1{}^2$）　（$\dfrac{Y''}{Y}$：$-\omega_2{}^2$とおく。）

ここで新たに，$\dfrac{X''}{X} = -\omega_1{}^2,\ \dfrac{Y''}{Y} = -\omega_2{}^2$
$(\omega_1{}^2 + \omega_2{}^2 = \omega^2)$とおくと，
③′より，次の3つの常微分方程式が導かれる。

（ⅰ）$X'' = -\omega_1{}^2 X$ ……④
（ⅱ）$Y'' = -\omega_2{}^2 Y$ ……⑤
（ⅲ）$\dot{T} = -\omega^2 T$ ……⑥

> ・$\alpha > 0$のとき，
> $\dfrac{X''}{X} = \alpha_1,\ \dfrac{Y''}{Y} = \alpha_2\ (\alpha_1 + \alpha_2 = \alpha)$
> とおくと，α_1とα_2のいずれか一方は必ず正となる。今，$\alpha_1 > 0$とすると，
> $X'' = \alpha_1 X\ (\alpha_1 > 0)$ より，
> 特性方程式：$\lambda^2 - \alpha_1 = 0,\ \lambda = \pm\sqrt{\alpha_1}$
> $\therefore X(x) = A_1 e^{\sqrt{\alpha_1}x} + A_2 e^{-\sqrt{\alpha_1}x}$
> となる。ここで境界条件：
> $u(0, y, t) = u(4, y, t) = 0$ より，
> $A_1 = A_2 = 0$となって，不適。
> $\alpha_2 > 0$のときも同様に不適。
> ・$\alpha = 0$のとき，
> $\alpha_1 = \alpha_2 = 0$の場合も考えられる。
> このとき，$X'' = 0$より，$X(x) = px + q$
> 同様に境界条件より，$p = q = 0$　$\therefore$ 不適。

（ⅰ）$X'' = -\omega_1{}^2 X$ ……④は，単振動の微分方程式より，その解は，
$X(x) = A_1 \cos\omega_1 x + A_2 \sin\omega_1 x$
境界条件：$u(0, y, t) = u(4, y, t) = 0$
より，$X(0) = A_1 = 0,\ X(4) = A_2 \sin 4\omega_1 = 0$

> $u(0, y, t) = u(4, y, t) = 0$
> $X(0)Y(y)T(t)$　$X(4)Y(y)T(t)$
> より，$X(0) = X(4) = 0$となる。

（$4\omega_1 = k\pi$）

よって，$A_1 = 0,\ \omega_1 = \dfrac{k\pi}{4}\ (k = 1, 2, 3, \cdots)$ となる。
$\therefore X(x) = A_2 \sin\dfrac{k\pi}{4}x$ ……⑦　となる。

(ii) $Y'' = -\omega_2^2 Y$ ……⑤ も単振動の微分方程式より，その解は，
$Y(y) = B_1\cos\omega_2 y + B_2\sin\omega_2 y$ となる。
境界条件：$u(x, 0, t) = u(x, 4, t) = 0$
より，$Y(0) = B_1 = 0$, $Y(4) = B_2\sin 4\omega_2 = 0$

$u(x, 0, t) = u(x, 4, t) = 0$
$\underbrace{X(x)Y(0)T(t)}$ $\underbrace{X(x)Y(4)T(t)}$
より，$Y(0) = Y(4) = 0$ だね。

$\underbrace{4\omega_2}_{j\pi}$

よって，$B_1 = 0$, $\omega_2 = \dfrac{j\pi}{4}$ $(j = 1, 2, 3, \cdots)$

∴ $Y(y) = B_2\sin\dfrac{j\pi}{4}y$ ……⑧ となる。

(iii) $\dot{T} = -\omega^2 T$ ……⑥ より，
$T(t) = C_1 e^{-\omega^2 t}$ となる。

$\omega_1 = \dfrac{k\pi}{4}$, $\omega_2 = \dfrac{j\pi}{4}$

ここで，$\omega^2 = \omega_1^2 + \omega_2^2 = \left(\dfrac{k\pi}{4}\right)^2 + \left(\dfrac{j\pi}{4}\right)^2 = \dfrac{\pi^2(k^2+j^2)}{16}$ より，

$T(t) = C_1 e^{-\frac{\pi^2(k^2+j^2)}{16}t}$ ……⑨ となる。

以上（ⅰ）（ⅱ）（ⅲ）より，⑦, ⑧, ⑨の定数係数を除いた積を$u_{kj}(x, y, t)$とおくと，

$u_{kj}(x, y, t) = \sin\dfrac{k\pi}{4}x \cdot \sin\dfrac{j\pi}{4}y \cdot e^{-\frac{\pi^2(k^2+j^2)}{16}t}$ $(k = 1, 2, \cdots, j = 1, 2, \cdots)$

となる。ここで，解の重ね合わせの原理を用いると，①の解は，

$u(x, y, t) = \sum\limits_{k=1}^{\infty}\sum\limits_{j=1}^{\infty} b_{kj}\sin\dfrac{k\pi}{4}x \cdot \sin\dfrac{j\pi}{4}y \cdot e^{-\frac{\pi^2(k^2+j^2)}{16}t}$ ……⑩ となる。

ここで，⑩に $t = 0$ を代入すると，初期条件より，

$u(x, y, 0) = \sum\limits_{k=1}^{\infty}\sum\limits_{j=1}^{\infty} b_{kj}\sin\dfrac{k\pi}{4}x \cdot \sin\dfrac{j\pi}{4}y = \underbrace{f(x)}\cdot\underbrace{g(y)}$ ……⑪

$\begin{cases} -5x+15 & (1 < x < 3) \\ 0 & (それ以外) \end{cases}$ $\begin{cases} 1 & (0 < y < 2) \\ 0 & (2 < y < 4) \end{cases}$

2重フーリエ・サイン級数の公式：
$f(x, y) = \sum\limits_{k=1}^{\infty}\sum\limits_{j=1}^{\infty} b_{kj}\sin\dfrac{k\pi}{L_1}x \cdot \sin\dfrac{j\pi}{L_2}y$

$\left(\text{ただし，} b_{kj} = \dfrac{4}{L_1 L_2}\int_0^{L_1}\int_0^{L_2} f(x, y)\sin\dfrac{k\pi}{L_1}x \cdot \sin\dfrac{j\pi}{L_2}y\, dxdy\right)$

2重フーリエ・サイン級数の公式より，係数 b_{kj} を求めると，

$$b_{kj} = \frac{4}{4 \cdot 4}\int_0^4\int_0^4 \underbrace{u(x,y,0)}_{f(x)\cdot g(y)} \cdot \sin\frac{k\pi}{4}x \cdot \sin\frac{j\pi}{4}y\, dx\, dy$$

$$= \frac{1}{4}\int_0^4 f(x)\sin\frac{k\pi}{4}x\,dx \cdot \int_0^4 g(y)\sin\frac{j\pi}{4}y\,dy$$

$$= \frac{1}{4}\int_1^3 (-5x+15)\sin\frac{k\pi}{4}x\,dx \cdot \int_0^2 1 \cdot \sin\frac{j\pi}{4}y\,dy$$

$$5\int_1^3 (-x+3)\left(-\frac{4}{k\pi}\cos\frac{k\pi}{4}x\right)'dx$$
$$= 5\left\{-\frac{4}{k\pi}\left[(-x+3)\cos\frac{k\pi}{4}x\right]_1^3 + \frac{4}{k\pi}\int_1^3 (-1)\cos\frac{k\pi}{4}x\,dx\right\}$$
$$= 5\left\{\frac{4}{k\pi}\cdot 2\cos\frac{k\pi}{4} - \frac{16}{k^2\pi^2}\left[\sin\frac{k\pi}{4}x\right]_1^3\right\}$$
$$= \frac{40}{k\pi}\cos\frac{k\pi}{4} - \frac{80}{k^2\pi^2}\left(\sin\frac{3k\pi}{4} - \sin\frac{k\pi}{4}\right)$$

$$-\frac{4}{j\pi}\left[\cos\frac{j\pi}{4}y\right]_0^2$$
$$= -\frac{4}{j\pi}\left(\cos\frac{j\pi}{2} - 1\right)$$
$$= \frac{4}{j\pi}\left(1 - \cos\frac{j\pi}{2}\right)$$

$$\therefore b_{kj} = \frac{1}{4}\left\{\frac{40}{k\pi}\cos\frac{k\pi}{4} - \frac{80}{k^2\pi^2}\left(\sin\frac{3k\pi}{4} - \sin\frac{k\pi}{4}\right)\right\} \cdot \frac{4}{j\pi}\left(1 - \cos\frac{j\pi}{2}\right)$$

$$= \frac{40}{\pi^3}\left\{\frac{\pi}{k}\cos\frac{k\pi}{4} - \frac{2}{k^2}\left(\sin\frac{3k\pi}{4} - \sin\frac{k\pi}{4}\right)\right\} \cdot \frac{1}{j}\left(1 - \cos\frac{j\pi}{2}\right) \quad \cdots\cdots ⑫ \quad \text{となる。}$$

よって，⑫を⑩に代入すると，①の2次元熱伝導方程式の解 $u(x, y, t)$ は，

$$u(x,y,t) = \frac{40}{\pi^3}\sum_{k=1}^{\infty}\sum_{j=1}^{\infty}\left\{\frac{\pi}{k}\cos\frac{k\pi}{4} - \frac{2}{k^2}\left(\sin\frac{3k\pi}{4} - \sin\frac{k\pi}{4}\right)\right\} \cdot \frac{1}{j}\left(1 - \cos\frac{j\pi}{2}\right)$$
$$\times \sin\frac{k\pi}{4}x \cdot \sin\frac{j\pi}{4}y \cdot e^{-\frac{\pi^2(k^2+j^2)}{16}t} \quad \text{となる。} \cdots\cdots\text{(答)}$$

この解 $u(x, y, t)$ を次のように，k, j それぞれ第60項までの級数で近似して，

$$u(x,y,t) \fallingdotseq \frac{40}{\pi^3}\sum_{k=1}^{60}\sum_{j=1}^{60}\left\{\frac{\pi}{k}\cos\frac{k\pi}{4} - \frac{2}{k^2}\left(\sin\frac{3k\pi}{4} - \sin\frac{k\pi}{4}\right)\right\} \cdot \frac{1}{j}\left(1 - \cos\frac{j\pi}{2}\right)$$
$$\times \sin\frac{k\pi}{4}x \cdot \sin\frac{j\pi}{4}y \cdot e^{-\frac{\pi^2(k^2+j^2)}{16}t}$$

とし，時刻 $t = 0.001, 0.01, 0.1, 1$(秒)としたときの温度分布 $u(x, y, t)$ の経時変化の様子を，コンピュータにより描いたグラフを次に示す。

(ⅰ) $t=0.001$(秒)のとき   (ⅱ) $t=0.01$(秒)のとき

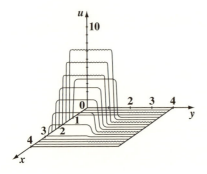 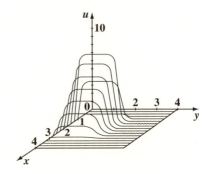

(ⅲ) $t=0.1$(秒)のとき   (ⅳ) $t=1$(秒)のとき

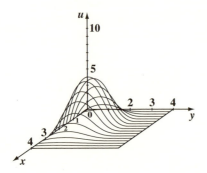 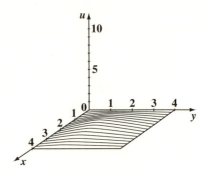

上記の4つのグラフから，時間の経過と供に，境界から放熱して，温度分布 $u(x, y, t)$ が一様な 0(℃)の分布状態に近づいていくことが分かる。

演習問題 69　　●2次元ラプラス方程式（I）●

関数 $u(x, y)$ について，次の偏微分方程式 (ラプラス方程式) を解け。

$\dfrac{\partial^2 u}{\partial x^2} + \dfrac{\partial^2 u}{\partial y^2} = 0$ ……①　　$(0 < x < 4,\ 0 < y < 4)$

境界条件：$u(x, 0) = u(x, 4) = u(4, y) = 0$

$u(0, y) = \begin{cases} y & (0 < y \leq 3) \\ -3y + 12 & (3 < y < 4) \end{cases}$

ヒント！ 4点 $(0, 0, 0)$, $(4, 0, 0)$, $(4, 4, 0)$, $(0, 4, 0)$ を頂点とする正方形の各辺 (境界線) の温度分布が与えられているとき，その内部 $(0 < x < 4,\ 0 < y < 4)$ の温度分布がどのようになるのか？を調べるための方程式が①のラプラス方程式である。この解法においても，$u(x, y) = X(x) \cdot Y(y)$ とおいて，変数分離法を利用しよう。

解答＆解説

境界条件：$u(x, 0) = u(x, 4) = u(4, y) = 0$

$u(0, y) = \begin{cases} y & (0 < y \leq 3) \\ -3y + 12 & (3 < y < 4) \end{cases}$

のグラフを右に示す。

このように，境界線上の温度分布が与えられているとき，内部の領域 $(0 < x < 4,\ 0 < y < 4)$ の温度分布 $u(x, y)$ を①のラプラス方程式を解くことにより求める。

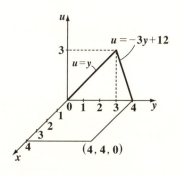

変数分離法により，関数 $u(x, y)$ を

$u(x, y) = X(x) \cdot Y(y)$ ……②　とおいて，②を①に代入すると，

$X'' \cdot Y + X \cdot Y'' = 0$ となる。この両辺を $X \cdot Y$ で割ると，

$\dfrac{X''}{X} + \dfrac{Y''}{Y} = 0$　　$-\underbrace{\dfrac{X''}{X}}_{x \text{のみの式}} = \underbrace{\dfrac{Y''}{Y}}_{y \text{のみの式}}$ ……③ となる。

ここで，③の左辺は x のみの式，また③の右辺は y のみの式であり，③が恒等的に成り立つためには，これらは共にある定数 α と等しくなければならない。

よって，$\dfrac{Y''}{Y} = \alpha$ かつ $-\dfrac{X''}{X} = \alpha$ より，2つの常微分方程式：

(I) $Y'' = \alpha Y$ ……④　　(II) $X'' = -\alpha X$ ……⑤　が導かれる。

(I) $Y'' - \alpha Y = 0$ ……④ について，$\alpha \geqq 0$ のときは不適である。

よって，$\alpha < 0$ より，$\alpha = -\omega^2$
$(\omega > 0)$ とおくと，④の特性
方程式は，
$\lambda^2 + \omega^2 = 0$
これを解いて，$\lambda = \pm i\omega$

> ・$\alpha > 0$ のとき，特性方程式：$\lambda^2 - \alpha = 0$ より，
> $\lambda = \pm\sqrt{\alpha}$　∴一般解 $Y(y) = C_1 e^{\sqrt{\alpha}y} + C_2 e^{-\sqrt{\alpha}y}$
> 境界条件：$u(x, 0) = u(x, 4) = 0$ より，
> $Y(0) = Y(4) = 0$ から，$C_1 = C_2 = 0$　∴不適。
> ・$\alpha = 0$ のとき，$Y'' = 0$ より，$Y(y) = py + q$
> 同じく境界条件より，$p = q = 0$　∴不適。

よって，④の一般解は，$Y(y) = C_1 \cos\omega y + C_2 \sin\omega y$ ……⑥ となる。
境界条件：$\underbrace{u(x, 0)}_{X(x)\cdot Y(0)} = \underbrace{u(x, 4)}_{X(x)\cdot Y(4)} = 0$ より，$Y(0) = Y(4) = 0$

よって，
$\begin{cases} Y(0) = C_1 = 0 \\ Y(4) = C_1\cos 4\omega + C_2\sin 4\omega = 0 \end{cases}$　∴ $\underbrace{\sin 4\omega}_{k\pi} = 0$

これから，$C_1 = 0$ かつ $\omega = \dfrac{k\pi}{4}$ ……⑦　$(k = 1, 2, 3, \cdots)$ となる。

⑦を⑥に代入して，$Y(y) = C_2 \sin\dfrac{k\pi}{4}y$ ……⑧　$(k = 1, 2, 3, \cdots)$

(II) $X'' + \alpha X = 0$ ……⑤ について，

$\boxed{-\omega^2 = -\dfrac{k^2\pi^2}{16}\text{ (⑦より)}}$

$X'' - \dfrac{k^2\pi^2}{16}X = 0$

この特性方程式：$\lambda^2 - \dfrac{k^2\pi^2}{16} = 0$ を解いて，$\lambda = \pm\dfrac{k\pi}{4}$

よって，⑤の一般解は，
$X(x) = A_1 e^{\frac{k\pi}{4}x} + A_2 e^{-\frac{k\pi}{4}x}$ ……⑨ となる。

> 境界条件：$u(0, y)$ は別扱い！

境界条件：$u(4, y) = 0$ より，$X(4) = 0$

よって，$X(4) = A_1 e^{k\pi} + A_2 e^{-k\pi} = 0$　∴ $A_2 = -A_1 e^{2k\pi}$ ……⑩ となる。

⑩を⑨に代入して，

$$X(x) = A_1 e^{\frac{k\pi}{4}x} - A_1 e^{2k\pi - \frac{k\pi}{4}x}$$
$$= A_1 e^{k\pi}\left(e^{\frac{k\pi}{4}x - k\pi} - e^{-\left(\frac{k\pi}{4}x - k\pi\right)}\right)$$

公式： $\sinh\theta = \dfrac{e^{\theta} - e^{-\theta}}{2}$

$$2\sinh\left(\frac{k\pi}{4}x - k\pi\right) = 2\sinh k\pi\left(\frac{x}{4} - 1\right)$$

$$\therefore X(x) = 2A_1 e^{k\pi} \sinh k\pi\left(\frac{x}{4} - 1\right) \cdots\cdots ⑪ \quad \text{となる。}$$

⑧と⑪の，定数係数を除いた積を $u_k(x, y)$ とおくと，

$$u_k(x, y) = e^{k\pi} \sinh k\pi\left(\frac{x}{4} - 1\right) \cdot \sin\frac{k\pi}{4}y \cdots\cdots ⑫ \quad (k = 1, 2, 3, \cdots) \text{ となる。}$$

⑫について，解の重ね合わせの原理を用いると，①の解 $u(x, y)$ は，

$$u(x, y) = \sum_{k=1}^{\infty} b_k' e^{k\pi} \sinh k\pi\left(\frac{x}{4} - 1\right) \cdot \sin\frac{k\pi}{4}y \cdots\cdots ⑬ \quad \text{となる。}$$

境界条件： $u(0, y) = \begin{cases} y & (0 < y \leq 3) \\ -3y + 12 & (3 < y < 4) \end{cases}$ から，フーリエ・サイン級数

の公式を用いると，$x = 0$ を⑬に代入して，

$$u(0, y) = \sum_{k=1}^{\infty} b_k' e^{k\pi} \sinh(-k\pi) \cdot \sin\frac{k\pi}{4}y \quad \text{より,}$$

$-b_k' e^{k\pi} \sinh k\pi = b_k$ とおく。

フーリエ・サイン級数の公式
$$f(x) = \sum_{k=1}^{\infty} b_k \sin\frac{k\pi}{L}x$$
$$b_k = \frac{2}{L}\int_0^L f(x) \sin\frac{k\pi}{L}x \, dx$$

$b_k = -b_k' e^{k\pi} \sinh k\pi$ とおくと，

$$b_k = \frac{2}{4}\int_0^4 u(0, y) \sin\frac{k\pi}{4}y \, dy$$

$$= \frac{1}{2}\left\{\int_0^3 y \sin\frac{k\pi}{4}y \, dy + \int_3^4 (-3y + 12) \sin\frac{k\pi}{4}y \, dy\right\}$$

$\int_0^3 y \cdot \left(-\dfrac{4}{k\pi}\cos\dfrac{k\pi}{4}y\right)' dy$
$= -\dfrac{4}{k\pi}\left[y \cdot \cos\dfrac{k\pi}{4}y\right]_0^3 + \dfrac{4}{k\pi}\int_0^3 1 \cdot \cos\dfrac{k\pi}{4}y \, dy$
$= -\dfrac{12}{k\pi}\cos\dfrac{3k\pi}{4} + \dfrac{16}{k^2\pi^2}\left[\sin\dfrac{k\pi}{4}y\right]_0^3$
$= -\dfrac{12}{k\pi}\cos\dfrac{3k\pi}{4} + \dfrac{16}{k^2\pi^2}\sin\dfrac{3k\pi}{4}$

$3\int_3^4 (-y+4) \left(-\dfrac{4}{k\pi}\cos\dfrac{k\pi}{4}y\right)' dy$
$= 3\left\{-\dfrac{4}{k\pi}\left[(-y+4)\cos\dfrac{k\pi}{4}y\right]_3^4 + \dfrac{4}{k\pi}\int_3^4 (-1) \cdot \cos\dfrac{k\pi}{4}y \, dy\right\}$
$= 3\left\{\dfrac{4}{k\pi}\cos\dfrac{3k\pi}{4} - \dfrac{16}{k^2\pi^2}\left[\sin\dfrac{k\pi}{4}y\right]_3^4\right\}$
$= \dfrac{12}{k\pi}\cos\dfrac{3k\pi}{4} + \dfrac{48}{k^2\pi^2}\sin\dfrac{3k\pi}{4}$

よって，

$b_k = -b_k' e^{k\pi} \sinh k\pi$

$= \dfrac{1}{2}\left(\dfrac{16}{k^2\pi^2}\sin\dfrac{3k\pi}{4} + \dfrac{48}{k^2\pi^2}\sin\dfrac{3k\pi}{4}\right) = \dfrac{32}{k^2\pi^2}\sin\dfrac{3k\pi}{4}$ より

b_k' を求めると，

$b_k' = -\dfrac{32}{k^2\pi^2} \cdot \dfrac{1}{e^{k\pi}} \cdot \dfrac{\sin\dfrac{3k\pi}{4}}{\sinh k\pi}$ ……⑭ となる。

⑭を，$u(x, y) = \sum\limits_{k=1}^{\infty} b_k' e^{k\pi} \sinh k\pi\left(\dfrac{x}{4} - 1\right) \cdot \sin\dfrac{k\pi}{4}y$ ……⑬ に代入すると，

①のラプラス方程式の解 $u(x, y)$ は，次のように求まる。

$u(x, y) = -\dfrac{32}{\pi^2} \sum\limits_{k=1}^{\infty} \dfrac{1}{k^2} \cdot \dfrac{\sin\dfrac{3k\pi}{4}}{\sinh k\pi} \sinh k\pi\left(\dfrac{x}{4} - 1\right) \cdot \sin\dfrac{k\pi}{4}y$ ………(答)

この解 $u(x, y)$ の無限級数を次のように第 100 項までの級数として近似して，

$u(x, y) \fallingdotseq -\dfrac{32}{\pi^2} \sum\limits_{k=1}^{100} \dfrac{1}{k^2} \cdot \dfrac{\sin\dfrac{3k\pi}{4}}{\sinh k\pi} \sinh k\pi\left(\dfrac{x}{4} - 1\right) \cdot \sin\dfrac{k\pi}{4}y$

としたもののグラフを
右に示す。
与えられた境界条件をみ
たす滑らかな曲面が得ら
れることが分かる。

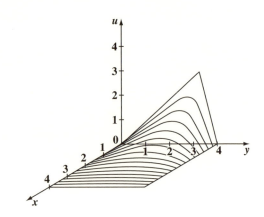

演習問題 70　●2次元ラプラス方程式(Ⅱ)●

関数 $u(x, y)$ について，次の偏微分方程式(ラプラス方程式)を解け。

$\dfrac{\partial^2 u}{\partial x^2} + \dfrac{\partial^2 u}{\partial y^2} = 0$ ……①　　$(0 < x < 4,\ 0 < y < 4)$

境界条件：$u(x, 0) = u(x, 4) = u(4, y) = 0$

$u(0, y) = \begin{cases} 2y - 2 & (1 < y \leq 2) \\ -2y + 6 & (2 < y \leq 3) \\ 0 & (0 < y \leq 1,\ 3 < y < 4) \end{cases}$

ヒント！ 4点 $(0, 0, 0)$, $(4, 0, 0)$, $(4, 4, 0)$, $(0, 4, 0)$ からなる正方形の辺上に与えられた境界条件をみたす関数 $u(x, y)$ は，正則関数であり，滑らかな曲面を描く。

解答＆解説

境界条件：$u(x, 0) = u(x, 4) = u(4, y) = 0$

$u(0, y) = \begin{cases} 2y - 2 & (1 < y \leq 2) \\ -2y + 6 & (2 < y \leq 3) \\ 0 & (0 < y \leq 1,\ 3 < y < 4) \end{cases}$

のグラフを右に示す。

この境界条件をみたすラプラス方程式
①の解となる関数 $u(x, y)$ を求める。

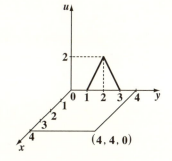

> ラプラス方程式をみたす関数は，複素関数における正則関数と同じものである。

変数分離法により，関数 $u(x, y)$ を
$u(x, y) = X(x) \cdot Y(y)$ ……② とおいて，②を①に代入すると，
$X'' \cdot Y + X \cdot Y'' = 0$ となる。この両辺を $\boxed{(ア)}$ で割ると，

$\dfrac{X''}{X} + \dfrac{Y''}{Y} = 0 \qquad -\dfrac{X''}{X} = \dfrac{Y''}{Y}$ ……③ となる。

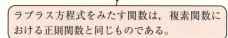

ここで，③の左辺は x のみの式，また③の右辺は y のみの式であり，③が恒等的に成り立つためには，これらは共にある定数 α と等しくなければならない。

187

よって，$\dfrac{Y''}{Y} = \alpha$ かつ $-\dfrac{X''}{X} = \alpha$ より，**2つの常微分方程式：**

(Ⅰ) $Y'' = \alpha Y$ ……④　　(Ⅱ) $X'' = -\alpha X$ ……⑤　が導かれる。

(Ⅰ) $Y'' - \alpha Y = 0$ ……④ について，$\alpha \geqq 0$ のときは不適である。

よって，$\alpha < 0$ より，$\alpha = -\omega^2$ $(\omega > 0)$ とおくと，④の特性方程式は，
$\lambda^2 + \omega^2 = 0$
これを解いて，$\lambda = \pm i\omega$

> ・$\alpha > 0$ のとき，特性方程式：$\lambda^2 - \alpha = 0$ より，
> $\lambda = \pm\sqrt{\alpha}$　∴一般解 $Y(y) = C_1 e^{\sqrt{\alpha}y} + C_2 e^{-\sqrt{\alpha}y}$
> 境界条件：$u(x, 0) = u(x, 4) = 0$ より，
> $Y(0) = Y(4) = 0$ から，$C_1 = C_2 = 0$　∴不適。
> ・$\alpha = 0$ のとき，$Y'' = 0$ より，$Y(y) = py + q$
> 同じく境界条件より，$p = q = 0$　∴不適。

よって，④の一般解は，$Y(y) = C_1 \cos\omega y + C_2 \sin\omega y$ ……⑥ となる。

境界条件：$u(x, 0) = u(x, 4) = 0$ より，$\boxed{\text{(イ)}}$

よって，
$\begin{cases} Y(0) = C_1 = 0 \\ Y(4) = \cancel{C_1 \cos 4\omega} + C_2 \sin 4\omega = 0 \quad \therefore \sin 4\omega = 0 \end{cases}$
$\underbrace{}_{k\pi}$

これから，$C_1 = 0$ かつ $\omega = \dfrac{k\pi}{4}$ ……⑦　$(k = 1, 2, 3, \cdots)$ となる。

⑦を⑥に代入して，$\underline{Y(y) = C_2 \sin\dfrac{k\pi}{4}y}$ ……⑧　$(k = 1, 2, 3, \cdots)$

(Ⅱ) $X'' + \alpha X = 0$ ……⑤ について，

$\boxed{-\omega^2 = -\dfrac{k^2\pi^2}{16}\text{（⑦より）}}$

$X'' - \dfrac{k^2\pi^2}{16}X = 0$

この特性方程式：$\lambda^2 - \dfrac{k^2\pi^2}{16} = 0$ を解いて，$\lambda = \pm\dfrac{k\pi}{4}$

よって，⑤の一般解は，

$X(x) = A_1 e^{\frac{k\pi}{4}x} + A_2 e^{-\frac{k\pi}{4}x}$ ……⑨ となる。

> 境界条件：$u(0, y)$ は別扱い！

境界条件：$u(4, y) = 0$ より，$X(4) = 0$

よって，$X(4) = A_1 e^{k\pi} + A_2 e^{-k\pi} = 0$　∴ $A_2 = \boxed{\text{(ウ)}}$ ……⑩ となる。

⑩を⑨に代入して，

$$X(x) = A_1 e^{\frac{k\pi}{4}x} - A_1 e^{2k\pi - \frac{k\pi}{4}x}$$
$$= A_1 e^{k\pi}\left(e^{\frac{k\pi}{4}x - k\pi} - e^{-\left(\frac{k\pi}{4}x - k\pi\right)}\right)$$

公式：$\sinh\theta = \dfrac{e^{\theta} - e^{-\theta}}{2}$

$$2\sinh\left(\frac{k\pi}{4}x - k\pi\right) = 2\sinh k\pi\left(\frac{x}{4} - 1\right)$$

$$\therefore X(x) = 2A_1 e^{k\pi} \sinh k\pi\left(\frac{x}{4} - 1\right) \cdots\cdots ⑪ \quad \text{となる。}$$

⑧と⑪の，定数係数を除いた積を $u_k(x, y)$ とおくと，

$$u_k(x, y) = e^{k\pi} \sinh k\pi\left(\frac{x}{4} - 1\right) \cdot \sin\frac{k\pi}{4}y \cdots\cdots ⑫ \quad (k = 1, 2, 3, \cdots) \quad \text{となる。}$$

⑫について，解の重ね合わせの原理を用いると，①の解 $u(x, y)$ は，

$$u(x, y) = \sum_{k=1}^{\infty} b_k' e^{k\pi} \sinh k\pi\left(\frac{x}{4} - 1\right) \cdot \sin\frac{k\pi}{4}y \cdots\cdots ⑬ \quad \text{となる。}$$

境界条件：$u(0, y) = \begin{cases} 2y - 2 & (1 < y \leq 2) \\ -2y + 6 & (2 < y \leq 3) \\ 0 & (0 < y \leq 1, \ 3 < y < 4) \end{cases}$ から，

フーリエ・サイン級数の公式を用いると，$x = 0$ を⑬に代入して，

$$u(0, y) = \sum_{k=1}^{\infty} \underbrace{-b_k' e^{k\pi} \sinh k\pi}_{b_k \text{とおく。}} \cdot \sin\frac{k\pi}{4}y \quad \text{となるので，}$$

$b_k = -b_k' e^{k\pi} \sinh k\pi$ とおくと，

$$b_k = -b_k' e^{k\pi} \sinh k\pi = \frac{2}{4}\int_0^4 u(0, y) \sin\frac{k\pi}{4}y \, dy$$

フーリエ・サイン級数の公式
$f(x) = \sum_{k=1}^{\infty} b_k \sin\dfrac{k\pi}{L}x$
$b_k = \dfrac{2}{L}\int_0^L f(x) \sin\dfrac{k\pi}{L}x \, dx$

$$= \boxed{(\text{エ})}\left\{\int_1^2 (2y - 2)\sin\frac{k\pi}{4}y \, dy + \int_2^3 (-2y + 6)\sin\frac{k\pi}{4}y \, dy\right\}$$

$2\int_1^2 (y-1)\left(-\dfrac{4}{k\pi}\cos\dfrac{k\pi}{4}y\right)' dy$
$= 2\left\{-\dfrac{4}{k\pi}\left[(y-1)\cos\dfrac{k\pi}{4}y\right]_1^2 + \dfrac{4}{k\pi}\int_1^2 1 \cdot \cos\dfrac{k\pi}{4}y \, dy\right\}$
$= -\dfrac{8}{k\pi}\cos\dfrac{k\pi}{2} + \dfrac{8}{k\pi} \cdot \dfrac{4}{k\pi}\left[\sin\dfrac{k\pi}{4}y\right]_1^2$
$= -\dfrac{8}{k\pi}\cos\dfrac{k\pi}{2} + \dfrac{32}{k^2\pi^2}\left(\sin\dfrac{k\pi}{2} - \sin\dfrac{k\pi}{4}\right)$

$2\int_2^3 (-y+3)\left(-\dfrac{4}{k\pi}\cos\dfrac{k\pi}{4}y\right)' dy$
$= 2\left\{-\dfrac{4}{k\pi}\left[(-y+3)\cos\dfrac{k\pi}{4}y\right]_2^3 + \dfrac{4}{k\pi}\int_2^3 (-1) \cdot \cos\dfrac{k\pi}{4}y \, dy\right\}$
$= \dfrac{8}{k\pi}\cos\dfrac{k\pi}{2} - \dfrac{8}{k\pi} \cdot \dfrac{4}{k\pi}\left[\sin\dfrac{k\pi}{4}y\right]_2^3$
$= \dfrac{8}{k\pi}\cos\dfrac{k\pi}{2} - \dfrac{32}{k^2\pi^2}\left(\sin\dfrac{3k\pi}{4} - \sin\dfrac{k\pi}{2}\right)$

よって，

$b_k = -b_k' e^{k\pi} \sinh k\pi$

$\quad = \dfrac{1}{2}\left\{ \dfrac{32}{k^2\pi^2}\left(\sin\dfrac{k\pi}{2} - \sin\dfrac{k\pi}{4}\right) - \dfrac{32}{k^2\pi^2}\left(\sin\dfrac{3k\pi}{4} - \sin\dfrac{k\pi}{2}\right)\right\}$

$\quad = \dfrac{16}{k^2\pi^2}\left(\boxed{(オ)}\sin\dfrac{k\pi}{2} - \sin\dfrac{k\pi}{4} - \sin\dfrac{3k\pi}{4}\right)$　より

b_k' を求めると，

$b_k' = \dfrac{16}{k^2\pi^2} \cdot \dfrac{1}{e^{k\pi}} \cdot \dfrac{\left(\sin\dfrac{k\pi}{4} + \sin\dfrac{3k\pi}{4} - 2\sin\dfrac{k\pi}{2}\right)}{\sinh k\pi}$ ……⑭ となる。

⑭を，$u(x, y) = \sum\limits_{k=1}^{\infty} b_k' e^{k\pi} \sinh k\pi\left(\dfrac{x}{4} - 1\right) \cdot \sin\dfrac{k\pi}{4}y$ ……⑬ に代入すると，

①のラプラス方程式の解 $u(x, y)$ は，次のように求まる。

$u(x, y) = \dfrac{16}{\pi^2}\sum\limits_{k=1}^{\infty}\dfrac{\left(\sin\dfrac{k\pi}{4} + \sin\dfrac{3k\pi}{4} - 2\sin\dfrac{k\pi}{2}\right)}{k^2 \sinh k\pi} \sinh k\pi\left(\dfrac{x}{4} - 1\right) \cdot \sin\dfrac{k\pi}{4}y$

………(答)

この解 $u(x, y)$ の無限級数を第 100 項までの級数で近似したもののグラフを右に示す。
与えられた境界条件をみたす滑らかな曲面が得られることが分かる。

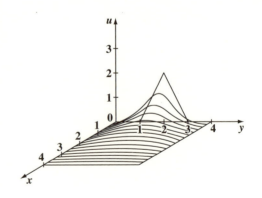

解答　(ア) XY　　(イ) $Y(0) = Y(4) = 0$　　(ウ) $-A_1 e^{2k\pi}$　　(エ) $\dfrac{1}{2}$　　(オ) 2

演習問題 71　●1次元波動方程式（I）●

変位 $u(x, t)$ について，次の偏微分方程式（1次元波動方程式）を解け。

$\dfrac{\partial^2 u}{\partial t^2} = \dfrac{\partial^2 u}{\partial x^2}$ ……①　　$(0 < x < 4,\ t > 0)$

初期条件：$u(x, 0) = \begin{cases} \dfrac{1}{27}x & (0 < x \leq 3) \\ -\dfrac{1}{9}x + \dfrac{4}{9} & (3 < x < 4) \end{cases}$，$u_t(x, 0) = 0$

境界条件：$u(0, t) = u(4, t) = 0$

> **ヒント！** ①は，一般の1次元波動方程式：$u_{tt} = a^2 u_{xx}$ の $a = 1$ のときの方程式である。これは，x 軸上の2点 $x = 0$ と $x = 4$ を両端点として，ゴムひもを張り，$x = 3$ の点を $\dfrac{1}{9}$ だけ上につまみ上げた状態から手を離して，ゴムひもを振動させる問題である。

解答＆解説

変数分離法により，$u(x, t)$ を
$u(x, t) = X(x) \cdot T(t)$ ……② とおく。
②を①に代入して，まとめると，
$X \cdot \ddot{T} = X'' \cdot T$　この両辺を $X \cdot T$ で割って，
$\dfrac{\ddot{T}}{T} = \dfrac{X''}{X}$ ……③ となる。

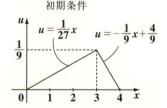

初期条件

③の左辺，右辺はそれぞれ t のみ，x のみの式なので，この等式が恒等的に成り立つためには，これがある定数 α と等しくならなければならない。よって，

$\dfrac{\ddot{T}}{T} = \dfrac{X''}{X} = \alpha$　これから，2つの常微分方程式：

(I) $X'' = \alpha X$ ……④　と (II) $\ddot{T} = \alpha T$ ……⑤ が導かれる。

(I) $X'' = \alpha X$ ……④ について，
　$\alpha \geq 0$ のとき不適である。
　よって，$\alpha < 0$ より，$\alpha = -\omega^2$
　$(\omega > 0)$ とおくと，④の特性
　方程式は，$\lambda^2 + \omega^2 = 0$
　これを解いて，$\lambda = \pm i\omega$ となる。

> ・$\alpha > 0$ のとき，特性方程式：$\lambda^2 - \alpha = 0$ より，
> $\lambda = \pm\sqrt{\alpha}$　∴ $X(x) = A_1 e^{\sqrt{\alpha}x} + A_2 e^{-\sqrt{\alpha}x}$
> 境界条件：$u(0, t) = u(4, t) = 0$ より，
> $X(0) = X(4) = 0$ から，$A_1 = A_2 = 0$　∴不適。
> ・$\alpha = 0$ のとき，$X'' = 0$ より，$X(x) = px + q$
> 同様に境界条件より，$p = q = 0$　∴不適。

よって，$X'' + \omega^2 X = 0$ ……④′ の一般解は，
$X(x) = A_1\cos\omega x + A_2\sin\omega x$ ……⑥ となる。
境界条件：$u(0, t) = u(4, t) = 0$ より，$X(0) = X(4) = 0$

> $x = 0, x = 4$ の両端点は固定されて振動しない。

よって，$\begin{cases} X(0) = A_1 = 0 \\ X(4) = A_2\sin 4\omega = 0 \end{cases}$ $\therefore A_1 = 0, \ \omega = \dfrac{k\pi}{4} \ (k = 1, 2, 3, \cdots)$

（下に $k\pi$）

これらを⑥に代入して，$X(x) = A_2\sin\dfrac{k\pi}{4}x$ ……⑦ $(k = 1, 2, 3, \cdots)$

(Ⅱ) $\ddot{T} - \alpha T = 0$ ……⑤ すなわち，

（$\omega^2 = \dfrac{k^2\pi^2}{16}$）

$\ddot{T} + \dfrac{k^2\pi^2}{16}T = 0$ について，

この特性方程式は，$\lambda^2 + \dfrac{k^2\pi^2}{16} = 0$ これを解いて，$\lambda = \pm i\dfrac{k\pi}{4}$ となる。

よって，⑤の一般解は，

$T(t) = B_1\cos\dfrac{k\pi}{4}t + B_2\sin\dfrac{k\pi}{4}t$ ……⑧ となる。

この両辺を t で微分して，

$\dot{T}(t) = -\dfrac{k\pi}{4}B_1\sin\dfrac{k\pi}{4}t + \dfrac{k\pi}{4}B_2\cos\dfrac{k\pi}{4}t$

> $x = 0$ のとき，ゴムひもの初速度は 0 で，静止した状態から振動を開始する。

初期条件：$u_t(x, 0) = 0$ より，$\dot{T}(0) = 0$

よって，$\dot{T}(0) = \dfrac{k\pi}{4}B_2 = 0$ $\therefore B_2 = 0$ $\left(\because \dfrac{k\pi}{4} \neq 0\right)$

これを⑧に代入して，$\therefore T(t) = B_1\cos\dfrac{k\pi}{4}t$ ……⑨ $(k = 1, 2, 3, \cdots)$

⑦，⑨より，定数係数を除いたこれらの積を $u_k(x, t)$ とおくと，

$u_k(x, t) = \sin\dfrac{k\pi}{4}x \cdot \cos\dfrac{k\pi}{4}t \ (k = 1, 2, 3, \cdots)$ となる。

解の重ね合わせの原理を用いると，①の解 $u(x, t)$ は，

$u(x, t) = \displaystyle\sum_{k=1}^{\infty} b_k \sin\dfrac{k\pi}{4}x \cdot \cos\dfrac{k\pi}{4}t$ ……⑩ となる。

●偏微分方程式への応用

ここで，初期条件は $u(x, 0)$ より，⑩に $t=0$ を代入して，

$$u(x, 0) = \sum_{k=1}^{\infty} b_k \sin \frac{k\pi}{4} x = \begin{cases} \dfrac{1}{27}x & (0 < x \leq 3) \\ -\dfrac{1}{9}x + \dfrac{4}{9} & (3 < x < 4) \end{cases} \quad \text{となる。}$$

よって，フーリエ・サイン級数の公式から係数 b_k を求めると，

> フーリエ・サイン級数の公式
> $f(x) = \sum_{k=1}^{\infty} b_k \sin \dfrac{k\pi}{L} x$
> $b_k = \dfrac{2}{L} \int_0^L f(x) \sin \dfrac{k\pi}{L} x \, dx$

$$b_k = \frac{2}{4} \int_0^4 u(x, 0) \sin \frac{k\pi}{4} x \, dx$$

$$= \frac{1}{2} \left\{ \int_0^3 \frac{1}{27} x \cdot \sin \frac{k\pi}{4} x \, dx + \int_3^4 \left(-\frac{1}{9}x + \frac{4}{9} \right) \sin \frac{k\pi}{4} x \, dx \right\}$$

$\dfrac{1}{27} \int_0^3 x \cdot \left(-\dfrac{4}{k\pi} \cos \dfrac{k\pi}{4} x \right)' dx$

$= \dfrac{1}{27} \left\{ -\dfrac{4}{k\pi} \left[x \cdot \cos \dfrac{k\pi}{4} x \right]_0^3 + \dfrac{4}{k\pi} \int_0^3 1 \cdot \cos \dfrac{k\pi}{4} x \, dx \right\}$

$= -\dfrac{4}{9k\pi} \cos \dfrac{3k\pi}{4} + \dfrac{4}{27k\pi} \cdot \dfrac{4}{k\pi} \left[\sin \dfrac{k\pi}{4} x \right]_0^3$

$= -\dfrac{4}{9k\pi} \cos \dfrac{3k\pi}{4} + \dfrac{16}{27k^2\pi^2} \sin \dfrac{3k\pi}{4}$

$\dfrac{1}{9} \int_3^4 (-x+4) \left(-\dfrac{4}{k\pi} \cos \dfrac{k\pi}{4} x \right)' dx$

$= \dfrac{1}{9} \left\{ -\dfrac{4}{k\pi} \left[(-x+4) \cos \dfrac{k\pi}{4} x \right]_3^4 + \dfrac{4}{k\pi} \int_3^4 (-1) \cdot \cos \dfrac{k\pi}{4} x \, dx \right\}$

$= \dfrac{4}{9k\pi} \cos \dfrac{3k\pi}{4} - \dfrac{4}{9k\pi} \cdot \dfrac{4}{k\pi} \left[\sin \dfrac{k\pi}{4} x \right]_3^4$

$= \dfrac{4}{9k\pi} \cos \dfrac{3k\pi}{4} + \dfrac{16}{9k^2\pi^2} \sin \dfrac{3k\pi}{4}$

$$= \frac{1}{2} \left(\frac{16}{27k^2\pi^2} + \frac{16}{9k^2\pi^2} \right) \sin \frac{3k\pi}{4} = \frac{32}{27k^2\pi^2} \sin \frac{3k\pi}{4} \quad \cdots\cdots ⑪ \quad \text{となる。}$$

⑪を⑩に代入して，求める①の **1次元波動方程式の解**は，

$$u(x, t) = \frac{32}{27\pi^2} \sum_{k=1}^{\infty} \frac{1}{k^2} \cdot \sin \frac{3k\pi}{4} \cdot \sin \frac{k\pi}{4} x \cdot \cos \frac{k\pi}{4} t \quad \text{である。} \cdots\cdots\text{(答)}$$

この解 $u(x, t)$ の無限級数を第 **100** 項までの級数で近似して，$t = 0, \dfrac{2}{3}, \dfrac{4}{3}$, …, **4** と変化させたときのグラフを右に示す。

（分かりやすいように，グラフは少しずらして示した。）

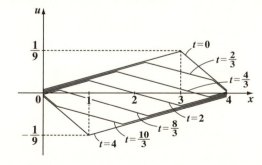

演習問題 72　●1次元波動方程式（Ⅱ）●

変位 $u(x, t)$ について，次の偏微分方程式（1次元波動方程式）を解け。

$\dfrac{\partial^2 u}{\partial t^2} = \dfrac{\partial^2 u}{\partial x^2}$ ……①　　$(0 < x < 4,\ t > 0)$

初期条件：$u(x, 0) = \begin{cases} \dfrac{1}{8}x & (0 < x \leqq 1) \\ -\dfrac{1}{8}x + \dfrac{1}{4} & (1 < x \leqq 3),\ u_t(x, 0) = 0 \\ \dfrac{1}{8}x - \dfrac{1}{2} & (3 < x < 4) \end{cases}$

境界条件：$u(0, t) = u(4, t) = 0$

ヒント！ $u(x, t) = X(x) \cdot T(t)$ とおいて，変数分離法を利用する。また，フーリエ・サイン級数の係数の計算が少し繁雑になるが，落ち着いて計算しよう。

解答 & 解説

変数分離法により，$u(x, t)$ を
$u(x, t) = \boxed{(\text{ア})}$ ……② とおく。
②を①に代入して，まとめると，
$X \cdot \ddot{T} = X'' \cdot T$　この両辺を $X \cdot T$ で割って，
$\dfrac{\ddot{T}}{T} = \dfrac{X''}{X}$ ……③ となる。

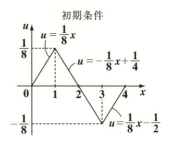
初期条件

③の左辺，右辺はそれぞれ t のみ，x のみの式なので，この等式が恒等的に成り立つためには，これがある定数 α と等しくならなければならない。よって，
$\dfrac{\ddot{T}}{T} = \dfrac{X''}{X} = \alpha$　これから，2つの常微分方程式：
(Ⅰ) $X'' = \alpha X$ ……④　と (Ⅱ) $\ddot{T} = \alpha T$ ……⑤ が導かれる。

(Ⅰ) $X'' = \alpha X$ ……④ について，
　$\alpha \geqq 0$ のとき不適である。
　よって，$\alpha < 0$ より，$\alpha = -\omega^2$
　$(\omega > 0)$ とおくと，④の特性
　方程式は，$\lambda^2 + \omega^2 = 0$
　これを解いて，$\lambda = \pm i\omega$ となる。

・$\alpha > 0$ のとき，特性方程式：$\lambda^2 - \alpha = 0$ より，
$\lambda = \pm\sqrt{\alpha}$ $\therefore X(x) = A_1 e^{\sqrt{\alpha}x} + A_2 e^{-\sqrt{\alpha}x}$
境界条件：$u(0, t) = u(4, t) = 0$ より，
$X(0) = X(4) = 0$ から，$A_1 = A_2 = 0$ $\therefore$ 不適。
・$\alpha = 0$ のとき，$X'' = 0$ より，$X(x) = px + q$
同様に境界条件より，$p = q = 0$ $\therefore$ 不適。

よって，$X'' + \omega^2 X = 0$ ……④′ の一般解は，
$X(x) = A_1 \cos\omega x + A_2 \sin\omega x$ ……⑥ となる。

> $x=0$, $x=4$ の両端点は固定されて振動しない。

境界条件：$u(0, t) = u(4, t) = 0$ より，$X(0) = X(4) = 0$

よって，$\begin{cases} X(0) = A_1 = 0 \\ X(4) = A_2 \sin 4\omega = 0 \end{cases}$ $\therefore A_1 = 0$, $\omega = \dfrac{k\pi}{4}$ $(k = 1, 2, 3, \cdots)$

（下に $k\pi$ のブレース）

これらを⑥に代入して，$\therefore \underline{X(x) = A_2 \sin\dfrac{k\pi}{4}x}$ ……⑦ $(k = 1, 2, 3, \cdots)$

(Ⅱ) $\underline{\ddot{T} - \alpha T = 0}$ ……⑤ すなわち，

$\boxed{\omega^2 = \dfrac{k^2\pi^2}{16}}$

$\ddot{T} + \dfrac{k^2\pi^2}{16}T = 0$ について，

この特性方程式は，$\lambda^2 + \dfrac{k^2\pi^2}{16} = 0$ これを解いて，$\lambda = \boxed{(イ)}$ となる。

よって，⑤の一般解は，

$T(t) = B_1 \cos\dfrac{k\pi}{4}t + B_2 \sin\dfrac{k\pi}{4}t$ ……⑧ となる。

この両辺を t で微分して，

$\dot{T}(t) = -\dfrac{k\pi}{4}B_1 \sin\dfrac{k\pi}{4}t + \dfrac{k\pi}{4}B_2 \cos\dfrac{k\pi}{4}t$

> $x=0$ のとき，ゴムひもの初速度は 0 で，静止した状態から振動を開始する。

初期条件：$u_t(x, 0) = 0$ より，$\dot{T}(0) = 0$

よって，$\dot{T}(0) = \dfrac{k\pi}{4}B_2 = 0$ $\therefore B_2 = 0$ $\left(\because \dfrac{k\pi}{4} \neq 0\right)$

これを⑧に代入して，$\therefore \underline{T(t) = B_1 \cos\dfrac{k\pi}{4}t}$ ……⑨ $(k = 1, 2, 3, \cdots)$

⑦，⑨より，定数係数を除いたこれらの積を $u_k(x, t)$ とおくと，

$u_k(x, t) = \sin\dfrac{k\pi}{4}x \cdot \cos\dfrac{k\pi}{4}t$ $(k = 1, 2, 3, \cdots)$ となる。

解の重ね合わせの原理を用いると，①の解 $u(x, t)$ は，

$u(x, t) = \sum\limits_{k=1}^{\infty} b_k \sin\dfrac{k\pi}{4}x \cdot \cos\dfrac{k\pi}{4}t$ ……⑩ となる。

ここで，初期条件は $u(x, 0)$ より，⑩に $t=0$ を代入して，

$$u(x, 0) = \sum_{k=1}^{\infty} b_k \sin\frac{k\pi}{4}x = \begin{cases} \dfrac{1}{8}x & (0 < x \leq 1) \\ -\dfrac{1}{8}x + \dfrac{1}{4} & (1 < x \leq 3) \\ \dfrac{1}{8}x - \dfrac{1}{2} & (3 < x < 4) \end{cases} \quad \text{となる。}$$

よって，フーリエ・サイン級数の公式から係数 b_k を求めると，

> フーリエ・サイン級数の公式
> $f(x) = \sum_{k=1}^{\infty} b_k \sin\dfrac{k\pi}{L}x$
> $b_k = \dfrac{2}{L}\int_0^L f(x) \sin\dfrac{k\pi}{L}x\,dx$

$$b_k = \frac{2}{4}\int_0^4 u(x, 0) \sin\frac{k\pi}{4}x\,dx$$

$$= \boxed{(ウ)}\left\{\int_0^1 \frac{1}{8}x \cdot \sin\frac{k\pi}{4}x\,dx + \int_1^3\left(-\frac{1}{8}x + \frac{1}{4}\right)\sin\frac{k\pi}{4}x\,dx\right.$$

$\dfrac{1}{8}\int_0^1 x \cdot \left(-\dfrac{4}{k\pi}\cos\dfrac{k\pi}{4}x\right)'dx$
$= \dfrac{1}{8}\left\{-\dfrac{4}{k\pi}\left[x \cdot \cos\dfrac{k\pi}{4}x\right]_0^1 + \dfrac{4}{k\pi}\int_0^1 1 \cdot \cos\dfrac{k\pi}{4}x\,dx\right\}$
$= -\dfrac{1}{2k\pi}\cos\dfrac{k\pi}{4} + \dfrac{2}{k^2\pi^2}\left[\sin\dfrac{k\pi}{4}x\right]_0^1$
$= -\dfrac{1}{2k\pi}\cancel{\cos\dfrac{k\pi}{4}} + \dfrac{2}{k^2\pi^2}\sin\dfrac{k\pi}{4}$

$\dfrac{1}{8}\int_1^3 (-x+2)\left(-\dfrac{4}{k\pi}\cos\dfrac{k\pi}{4}x\right)'dx$
$= \dfrac{1}{8}\left\{-\dfrac{4}{k\pi}\left[(-x+2)\cos\dfrac{k\pi}{4}x\right]_1^3 + \dfrac{4}{k\pi}\int_1^3 (-1)\cdot\cos\dfrac{k\pi}{4}x\,dx\right\}$
$= -\dfrac{1}{2k\pi}\left(-\cos\dfrac{3k\pi}{4} - \cos\dfrac{k\pi}{4}\right) - \dfrac{2}{k^2\pi^2}\left[\sin\dfrac{k\pi}{4}x\right]_1^3$
$= \dfrac{1}{2k\pi}\left(\cancel{\cos\dfrac{k\pi}{4}} + \cancel{\cos\dfrac{3k\pi}{4}}\right) - \dfrac{2}{k^2\pi^2}\left(\sin\dfrac{3k\pi}{4} - \sin\dfrac{k\pi}{4}\right)$

$$\left. + \int_3^4\left(\frac{1}{8}x - \frac{1}{2}\right)\sin\frac{k\pi}{4}x\,dx\right\}$$

$\dfrac{1}{8}\int_3^4 (x-4)\left(-\dfrac{4}{k\pi}\cos\dfrac{k\pi}{4}x\right)'dx$
$= \dfrac{1}{8}\left\{-\dfrac{4}{k\pi}\left[(x-4)\cos\dfrac{k\pi}{4}x\right]_3^4 + \dfrac{4}{k\pi}\int_3^4 1\cdot\cos\dfrac{k\pi}{4}x\,dx\right\}$
$= -\dfrac{1}{2k\pi}\cos\dfrac{3k\pi}{4} + \dfrac{2}{k^2\pi^2}\left[\sin\dfrac{k\pi}{4}x\right]_3^4$
$= -\dfrac{1}{2k\pi}\cancel{\cos\dfrac{3k\pi}{4}} - \dfrac{2}{k^2\pi^2}\sin\dfrac{3k\pi}{4}$

よって，

$$b_k = \frac{1}{2}\left\{\frac{2}{k^2\pi^2}\sin\frac{k\pi}{4} - \frac{2}{k^2\pi^2}\left(\sin\frac{3k\pi}{4} - \sin\frac{k\pi}{4}\right) - \frac{2}{k^2\pi^2}\sin\frac{3k\pi}{4}\right\}$$

$$= \frac{1}{k^2\pi^2}\left(\sin\frac{k\pi}{4} - \sin\frac{3k\pi}{4} + \sin\frac{k\pi}{4} - \sin\frac{3k\pi}{4}\right)$$

$$= \boxed{(エ)}\left(\sin\frac{k\pi}{4} - \sin\frac{3k\pi}{4}\right) \quad \cdots\cdots ⑪ \quad \text{となる。}$$

⑪を，$u(x, t) = \sum\limits_{k=1}^{\infty} b_k \sin\frac{k\pi}{4}x \cdot \cos\frac{k\pi}{4}t \cdots\cdots ⑩$ に代入して，求める①の1次元波動方程式の解は，

$$u(x, t) = \frac{2}{\pi^2}\sum_{k=1}^{\infty}\frac{1}{k^2}\left(\sin\frac{k\pi}{4} - \sin\frac{3k\pi}{4}\right)\sin\frac{k\pi}{4}x \cdot \cos\frac{k\pi}{4}t \quad \text{である。}$$
$$\cdots\cdots\text{(答)}$$

この解 $u(x, t)$ の無限級数を次のように第100項までの級数で近似して，

$$u(x, t) \fallingdotseq \frac{2}{\pi^2}\sum_{k=1}^{100}\frac{1}{k^2}\left(\sin\frac{k\pi}{4} - \sin\frac{3k\pi}{4}\right)\sin\frac{k\pi}{4}x \cdot \cos\frac{k\pi}{4}t \quad \text{とし，}$$

$t = 0, 0.5, 1, 1.5, 2(秒)$
と変化させたときのグラフ
を右に示す。
$\begin{pmatrix}\text{分かりやすいように，グラフ}\\ \text{は少しずらして示した。}\end{pmatrix}$

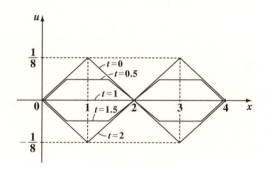

解答 （ア）$X(x) \cdot T(t)$　　（イ）$\pm i\dfrac{k\pi}{4}$　　（ウ）$\dfrac{1}{2}$　　（エ）$\dfrac{2}{k^2\pi^2}$

演習問題 73 　●1次元波動方程式 (Ⅲ)●

関数 $u(x, t)$ が微分方程式 (1 次元波動方程式):

$\dfrac{\partial^2 u}{\partial t^2} = a^2 \dfrac{\partial^2 u}{\partial x^2}$ ……① 　(a：定数, $a \neq 0$) をみたすとき,

①の解は, $u = f(x - at) + g(x + at)$ ……② となることを,

変数変換 $\alpha = x - at$ ……③, $\beta = x + at$ ……④ とおくことにより, 示せ。
(ただし, f と g は 2 階微分可能な任意関数とする。)

ヒント！ ①の 1 次元波動方程式は, ②の形の解をもつ。これを, "**ダランベールの公式**" という。ここでは, 導入に従って, 2 変数 x と t を, ③, ④のように α と β に置き換えて, 証明しよう。

解答 & 解説

①の 1 次元波動方程式の独立変数 x と t を, 次のように α と β に置き換えて, $\alpha = x - at$ ……③, $\beta = x + at$ ……④ とおく。

$\dfrac{③ + ④}{2}$ より, $x = \dfrac{1}{2}(\alpha + \beta)$ ……⑤

$\dfrac{④ - ③}{2a}$ より, $t = \dfrac{1}{2a}(\beta - \alpha)$ ……⑥ となる。

ここで, u を β で微分すると,

$\dfrac{\partial u}{\partial \beta} = \dfrac{\partial u}{\partial x} \cdot \underbrace{\dfrac{\partial x}{\partial \beta}}_{\frac{1}{2} (⑤より)} + \dfrac{\partial u}{\partial t} \cdot \underbrace{\dfrac{\partial t}{\partial \beta}}_{\frac{1}{2a} (⑥より)} = \dfrac{1}{2} \cdot \dfrac{\partial u}{\partial x} + \dfrac{1}{2a} \cdot \dfrac{\partial u}{\partial t}$ 　(⑤, ⑥より)

これをさらに, α で微分して,

$\dfrac{\partial}{\partial \alpha}\left(\dfrac{\partial u}{\partial \beta}\right) = \dfrac{\partial^2 u}{\partial \alpha \partial \beta} = \dfrac{\partial}{\partial \alpha}\left(\dfrac{1}{2} \cdot \dfrac{\partial u}{\partial x} + \dfrac{1}{2a} \cdot \dfrac{\partial u}{\partial t}\right)$

$= \dfrac{1}{2} \cdot \underbrace{\dfrac{\partial}{\partial \alpha}\left(\dfrac{\partial u}{\partial x}\right)}_{\frac{\partial}{\partial x}\left(\frac{\partial u}{\partial \alpha}\right)} + \dfrac{1}{2a} \cdot \underbrace{\dfrac{\partial}{\partial \alpha}\left(\dfrac{\partial u}{\partial t}\right)}_{\frac{\partial}{\partial t}\left(\frac{\partial u}{\partial \alpha}\right)}$ 　　シュワルツの定理 $u_{xy} = u_{yx}$ (u_{xy} と u_{yx} は共に連続とする。)

よって，

$$\frac{\partial^2 u}{\partial \alpha \partial \beta} = \frac{1}{2}\cdot\frac{\partial}{\partial x}\left(\frac{\partial u}{\partial \alpha}\right) + \frac{1}{2a}\cdot\frac{\partial}{\partial t}\left(\frac{\partial u}{\partial \alpha}\right)$$

$$= \frac{1}{2}\cdot\frac{\partial}{\partial x}\left(\underline{\frac{\partial u}{\partial x}}\cdot\underline{\frac{\partial x}{\partial \alpha}} + \underline{\frac{\partial u}{\partial t}}\cdot\underline{\frac{\partial t}{\partial \alpha}}\right) + \frac{1}{2a}\cdot\frac{\partial}{\partial t}\left(\underline{\frac{\partial u}{\partial x}}\cdot\underline{\frac{\partial x}{\partial \alpha}} + \underline{\frac{\partial u}{\partial t}}\cdot\underline{\frac{\partial t}{\partial \alpha}}\right)$$

$\boxed{\frac{1}{2}\,(⑤より)} \quad \boxed{-\frac{1}{2a}\,(⑥より)} \quad \boxed{\frac{1}{2}\,(⑤より)} \quad \boxed{-\frac{1}{2a}\,(⑥より)}$

$$= \frac{1}{2}\cdot\frac{\partial}{\partial x}\left(\frac{1}{2}\frac{\partial u}{\partial x} - \frac{1}{2a}\frac{\partial u}{\partial t}\right) + \frac{1}{2a}\cdot\frac{\partial}{\partial t}\left(\frac{1}{2}\frac{\partial u}{\partial x} - \frac{1}{2a}\frac{\partial u}{\partial t}\right)$$

$$= \frac{1}{4}\cdot\frac{\partial^2 u}{\partial x^2} - \frac{1}{4a}\cdot\frac{\partial^2 u}{\partial x \partial t} + \frac{1}{4a}\cdot\frac{\partial^2 u}{\partial t \partial x} - \frac{1}{4a^2}\cdot\frac{\partial^2 u}{\partial t^2}$$

$\boxed{\frac{\partial^2 u}{\partial x \partial t}} \longleftarrow$ シュワルツの定理

$$= \frac{1}{4a^2}\underline{\left(a^2\frac{\partial^2 u}{\partial x^2} - \frac{\partial^2 u}{\partial t^2}\right)} = 0 \ \cdots\cdots ⑦ \quad となる。\quad (①より)$$

$\boxed{0\,(①より)}$

$\dfrac{\partial^2 u}{\partial \alpha \partial \beta} = 0 \ \cdots\cdots ⑦$ について，

(ⅰ) まず，⑦の両辺を β で積分して，

$\quad \dfrac{\partial u}{\partial \alpha} = \tilde{f}(\alpha) \ \cdots\cdots ⑧ \qquad \left(\tilde{f}(\alpha) : \alpha \text{の任意関数}\right)$

(ⅱ) さらに，⑧の両辺を α で積分して，

$\quad u = \displaystyle\int \tilde{f}(\alpha)\,d\alpha + g(\beta) \ \cdots\cdots ⑨ \qquad \left(g(\beta) : \beta \text{の任意関数}\right)$

ここで，$\displaystyle\int \tilde{f}(\alpha)\,d\alpha$ を新たに α の任意関数 $f(\alpha)$ とおくと，

$u(x,\ t) = f(\alpha) + g(\beta) \ \cdots\cdots ⑨'$ となる。

⑨'に③，④を代入すると，ダランベールの公式：

$u(x,\ t) = f(x-at) + g(x+at) \ \cdots\cdots ② \quad$ が導かれる。 $\cdots\cdots\cdots\cdots\cdots\cdots\cdots\cdots\cdots$ (終)

演習問題 74 ● 1次元波動方程式 (Ⅳ) ●

関数 $u(x, t)$ について,次の 1 次元波動方程式:

$\dfrac{\partial^2 u}{\partial t^2} = a^2 \dfrac{\partial^2 u}{\partial x^2}$ ……① $(a \neq 0)$ の解で,

初期条件: $u(x, 0) = F(x)$, $u_t(x, 0) = G(x)$ をみたすものは,

$u(x, t) = \dfrac{1}{2}\{F(x-at) + F(x+at)\} + \dfrac{1}{2a}\displaystyle\int_{x-at}^{x+at} G(s)\,ds$ ……(∗)

であることを,ダランベールの公式を用いて示せ。

ヒント! ①の 1 次元波動方程式の解は,ダランベールの公式より,$u(x, t) = f(x-at) + g(x+at)$ と表すことができる。これと 2 つの初期条件から,(∗) の解の公式を導くことができる。この (∗) の解のことを **"ストークスの公式"** という。これも頭に入れておこう。

解答 & 解説

①の解は,ダランベールの公式より,

$u(x, t) = f(x-at) + g(x+at)$ ……② と表せる。

②の両辺を t で微分すると,

$u_t(x, t) = -a f'(x-at) + a g'(x+at)$ ……③ ← 合成関数の微分

（$\dfrac{\partial}{\partial t}(x-at)$） （$\dfrac{\partial}{\partial t}(x+at)$）

②, ③を使って,初期条件を表すと,

$\begin{cases} u(x, 0) = f(x) + g(x) = F(x) & \cdots\cdots ④ \\ u_t(x, 0) = -a f'(x) + a g'(x) = G(x) & \cdots\cdots ⑤ \end{cases}$ となる。

ここで,⑤の両辺を,積分区間 $[a, x]$ で積分すると,

$-a\displaystyle\int_a^x f'(s)\,ds + a\displaystyle\int_a^x g'(s)\,ds = \displaystyle\int_a^x G(s)\,ds$ ← 混乱を避けるため,積分変数に s を用いた。

$\bigl([f(s)]_a^x = f(x)-f(a)\bigr)$ $\bigl([g(s)]_a^x = g(x)-g(a)\bigr)$

この両辺を $-a$ $(\neq 0)$ で割って,

200

●偏微分方程式への応用

$$f(x) - f(a) - \{g(x) - g(a)\} = -\frac{1}{a}\int_a^x G(s)ds$$

$$\therefore f(x) - g(x) = f(a) - g(a) - \frac{1}{a}\int_a^x G(s)ds \ \cdots\cdots ⑤'$$

④と⑤'を列記すると，

$$\begin{cases} f(x) + g(x) = F(x) \ \cdots\cdots\cdots\cdots\cdots\cdots\cdots\cdots ④ \\ f(x) - g(x) = f(a) - g(a) - \frac{1}{a}\int_a^x G(s)ds \ \cdots\cdots ⑤' \end{cases}$$ となる。

$\frac{④+⑤'}{2}$ より，$f(x) = \frac{1}{2}F(x) + \frac{1}{2}\{f(a) - g(a)\} - \frac{1}{2a}\int_a^x G(s)ds \ \cdots\cdots ⑥$

$\frac{④-⑤'}{2}$ より，$g(x) = \frac{1}{2}F(x) - \frac{1}{2}\{f(a) - g(a)\} + \frac{1}{2a}\int_a^x G(s)ds \ \cdots\cdots ⑦$

ここで，①の解は，$u(x, t) = f(x - at) + g(x + at) \ \cdots\cdots ②$ より，
②と⑥，⑦から，

$$u(x, t) = f(x - at) + g(x + at)$$

$$= \frac{1}{2}F(x - at) + \frac{1}{2}\{f(a) - g(a)\} - \frac{1}{2a}\int_a^{x-at} G(s)ds$$

$$+ \frac{1}{2}F(x + at) - \frac{1}{2}\{f(a) - g(a)\} + \frac{1}{2a}\int_a^{x+at} G(s)ds$$

$$= \frac{1}{2}\{F(x - at) + F(x + at)\} + \frac{1}{2a}\left\{\int_{x-at}^a G(s)ds + \int_a^{x+at} G(s)ds\right\}$$

$$\int_{x-at}^{x+at} G(s)ds$$

となる。これから，1次元波動方程式①の解として，次のストークスの公式：

$$u(x, t) = \frac{1}{2}\{F(x - at) + F(x + at)\} + \frac{1}{2a}\int_{x-at}^{x+at} G(s)ds \ \cdots\cdots (*)$$ が導かれる。

……(終)

注意

ストークスの公式を利用する問題の場合，初期条件：$u(x, 0) = F(x)$ は，これをフーリエ級数展開した周期関数でなければならないことに気を付けよう。

演習問題 75　●1次元波動方程式 (V)●

変位 $u(x, t)$ について，次の偏微分方程式 (1次元波動方程式) を，ストークスの公式を用いて解け。

$$\frac{\partial^2 u}{\partial t^2} = \frac{\partial^2 u}{\partial x^2} \cdots\cdots ① \quad (0 < x < 4,\ t > 0)$$

初期条件：$u(x, 0) = \begin{cases} \dfrac{1}{27}x & (0 < x \leq 3) \\ -\dfrac{1}{9}x + \dfrac{4}{9} & (3 < x < 4) \end{cases}$ $\cdots\cdots ②$, $u_t(x, 0) = 0 \cdots\cdots ③$

境界条件：$u(0, t) = u(4, t) = 0$ （演習問題71 (P191)）

ヒント！ 1次元波動方程式をストークスの公式：
$$u(x, t) = \frac{1}{2}\{F(x - at) + F(x + at)\} + \frac{1}{2a}\int_{x-at}^{x+at} G(s)ds \cdots\cdots (*)$$
(ただし，$F(x) = u(x, 0)$, $G(x) = u_t(x, 0)$) を用いて解く場合，与えられた初期条件 $u(x, 0)$ をそのまま使ってはいけない。$u(x, 0)$ をフーリエ・サイン級数展開したものを使うことにより，この公式は有効であることに気を付けよう。

解答＆解説

$u(x, t)$ について，ストークスの公式を利用するために，$F(x) = u(x, 0)$ と $G(x) = u_t(x, 0)$ を求める。

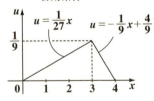
初期条件

(ⅰ) まず，初期条件：$u_t(x, 0) = 0 \cdots\cdots ③$ より，
　　$G(x) = 0 \cdots\cdots ④$ である。

(ⅱ) 次に，②の初期条件 $u(x, 0)$ より，これをフーリエ・サイン級数に展開したものを $F(x)$ とする。よって，

$$F(x) = u(x, 0) = \sum_{k=1}^{\infty} b_k \sin\frac{k\pi}{4}x \cdots\cdots ⑤$$

より，この係数 b_k を求めると，

$$b_k = \frac{2}{4}\int_0^4 u(x, 0)\sin\frac{k\pi}{4}x\,dx \cdots\cdots ⑥$$

となる。よって，

> **フーリエ・サイン級数の公式**
> $f(x) = \sum_{k=1}^{\infty} b_k \sin\dfrac{k\pi}{L}x$
> $b_k = \dfrac{2}{L}\int_0^L f(x)\sin\dfrac{k\pi}{L}x\,dx$

●偏微分方程式への応用

$$b_k = \frac{1}{2}\left\{\int_0^3 \frac{1}{27}x\cdot \sin\frac{k\pi}{4}x\,dx + \int_3^4 \left(-\frac{1}{9}x+\frac{4}{9}\right)\sin\frac{k\pi}{4}x\,dx\right\}$$

$\displaystyle\frac{1}{27}\int_0^3 x\cdot\left(-\frac{4}{k\pi}\cos\frac{k\pi}{4}x\right)'dx$

$= \displaystyle\frac{1}{27}\left\{-\frac{4}{k\pi}\left[x\cdot\cos\frac{k\pi}{4}x\right]_0^3 + \frac{4}{k\pi}\int_0^3 1\cdot\cos\frac{k\pi}{4}x\,dx\right\}$

$= -\displaystyle\frac{4}{9k\pi}\cos\frac{3k\pi}{4} + \frac{4}{27k\pi}\cdot\frac{4}{k\pi}\left[\sin\frac{k\pi}{4}x\right]_0^3$

$= -\displaystyle\cancel{\frac{4}{9k\pi}\cos\frac{3k\pi}{4}} + \frac{16}{27k^2\pi^2}\sin\frac{3k\pi}{4}$

$\displaystyle\frac{1}{9}\int_3^4 (-x+4)\left(-\frac{4}{k\pi}\cos\frac{k\pi}{4}x\right)'dx$

$= \displaystyle\frac{1}{9}\left\{-\frac{4}{k\pi}\left[(-x+4)\cos\frac{k\pi}{4}x\right]_3^4 + \frac{4}{k\pi}\int_3^4(-1)\cdot\cos\frac{k\pi}{4}x\,dx\right\}$

$= \displaystyle\frac{4}{9k\pi}\cos\frac{3k\pi}{4} - \frac{4}{9k\pi}\cdot\frac{4}{k\pi}\left[\sin\frac{k\pi}{4}x\right]_3^4$

$= \displaystyle\cancel{\frac{4}{9k\pi}\cos\frac{3k\pi}{4}} + \frac{16}{9k^2\pi^2}\sin\frac{3k\pi}{4}$

$$= \frac{1}{2}\left(\frac{16}{27k^2\pi^2} + \frac{16}{9k^2\pi^2}\right)\sin\frac{3k\pi}{4}$$

$$\therefore b_k = \frac{32}{27k^2\pi^2}\sin\frac{3k\pi}{4} \quad\cdots\cdots\text{⑦} \quad \text{となる。}$$

⑦を⑤に代入して，

$$F(x) = \frac{32}{27\pi^2}\sum_{k=1}^{\infty}\frac{1}{k^2}\cdot\sin\frac{3k\pi}{4}\cdot\sin\frac{k\pi}{4}x \quad\cdots\cdots\text{⑧} \quad\text{となる。}$$

以上（ⅰ），（ⅱ）より，④，⑧を，ストークスの公式：

$$u(x,\,t) = \frac{1}{2}\{\underbrace{F(x-at)}_{\text{①}} + \underbrace{F(x+at)}_{\text{①}}\} + \frac{1}{2a}\int_{x-at}^{x+at}\underbrace{G(s)}_{0\,(\text{④より})}ds \quad\cdots\cdots(*)$$
に代入して，

$$u(x,\,t) = \frac{1}{2}\left\{\frac{32}{27\pi^2}\sum_{k=1}^{\infty}\frac{1}{k^2}\cdot\sin\frac{3k\pi}{4}\cdot\sin\frac{k\pi}{4}(x-t) + \frac{32}{27\pi^2}\sum_{k=1}^{\infty}\frac{1}{k^2}\cdot\sin\frac{3k\pi}{4}\cdot\sin\frac{k\pi}{4}(x+t)\right\}$$

$$= \frac{16}{27\pi^2}\sum_{k=1}^{\infty}\frac{1}{k^2}\cdot\sin\frac{3k\pi}{4}\underbrace{\left\{\sin\frac{k\pi}{4}(x+t) + \sin\frac{k\pi}{4}(x-t)\right\}}_{2\sin\frac{k\pi}{4}x\cdot\cos\frac{k\pi}{4}t}$$

$\sin(\alpha+\beta) + \sin(\alpha-\beta) = 2\sin\alpha\cos\beta$

$$\therefore u(x,\,t) = \frac{32}{27\pi^2}\sum_{k=1}^{\infty}\frac{1}{k^2}\cdot\sin\frac{3k\pi}{4}\cdot\sin\frac{k\pi}{4}x\cdot\cos\frac{k\pi}{4}t \quad \text{となる。}\cdots\cdots\cdots\text{(答)}$$

この結果は，演習問題**71**（**P191**）の結果と一致する。

演習問題 76　● 2次元波動方程式 ●

変位 $u(x, y, t)$ について, 次の偏微分方程式 (2次元波動方程式) を解け。

$$\frac{\partial^2 u}{\partial t^2} = \frac{\partial^2 u}{\partial x^2} + \frac{\partial^2 u}{\partial y^2} \quad \cdots\cdots ① \qquad (0 < x < 3, \ 0 < y < 3, \ t > 0)$$

初期条件： $u(x, y, 0) = f(x) \cdot f(y), \ u_t(x, y, 0) = 0$

$\left(\text{ただし, } f(x) = \begin{cases} \dfrac{1}{8}x & (0 < x \leq 2) \\ -\dfrac{1}{4}x + \dfrac{3}{4} & (2 < x < 3) \end{cases} \quad f(y) = \begin{cases} \dfrac{1}{8}y & (0 < y \leq 2) \\ -\dfrac{1}{4}y + \dfrac{3}{4} & (2 < y < 3) \end{cases} \right)$

境界条件： $u(0, y, t) = u(3, y, t) = u(x, 0, t) = u(x, 3, t) = 0$

ヒント！ 2次元の波動方程式においても, $u(x, y, t) = X(x) \cdot Y(y) \cdot T(t)$ とおいて, 変数分離法を利用する。また, 2重フーリエ・サイン級数による展開も必要となる。

$$f(x, y) = \sum_{k=1}^{\infty} \sum_{j=1}^{\infty} b_{kj} \sin \frac{k\pi}{L_1} x \cdot \sin \frac{j\pi}{L_2} y$$

$\left(\text{ただし, } b_{kj} = \dfrac{4}{L_1 L_2} \displaystyle\int_0^{L_1} \int_0^{L_2} f(x, y) \sin \dfrac{k\pi}{L_1} x \cdot \sin \dfrac{j\pi}{L_2} y \, dx dy \right)$

解答 & 解説

4頂点 $(0, 0, 0), (3, 0, 0), (3, 3, 0), (0, 3, 0)$ からなる正方形の4つの辺で固定された, 正方形膜の振動問題である。変数分離法により,

$$u(x, y, t) = X(x) \cdot Y(y) \cdot T(t) \quad \cdots\cdots ②$$

とおいて, ②を①に代入すると,

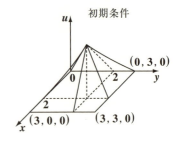
初期条件

$X \cdot Y \cdot \ddot{T} = X''YT + XY''T$　となる。この両辺を XYT で割ると,

$$\dfrac{\ddot{T}}{T} = \dfrac{X''}{X} + \dfrac{Y''}{Y} \quad \cdots\cdots ③ \quad \text{となる。}$$

（tのみの式）（xとyのみの式）

③の左辺は t のみ, 右辺は x と y のみの式なので, この等式が恒等的に成り立つためには, これはある定数 α と等しくなければならない。

ここで，$\alpha \geq 0$ は不適である。
よって，$\alpha < 0$ より，
$\alpha = -\omega^2 \ (\omega > 0)$ とおくと，③は，
$\dfrac{\ddot{T}}{T} = \underbrace{\dfrac{X''}{X}}_{\text{新たに}-\omega_1^2} + \underbrace{\dfrac{Y''}{Y}}_{-\omega_2^2 \text{とおく。}} = -\omega^2 \ \cdots\cdots \text{③}'$ となる。

ここで新たに，$\dfrac{X''}{X} = -\omega_1^2, \ \dfrac{Y''}{Y} = -\omega_2^2$

$(\omega_1^2 + \omega_2^2 = \omega^2)$ とおくと，

③' より，次の3つの常微分方程式が導かれる。

(ⅰ) $X'' = -\omega_1^2 X \ \cdots\cdots$ ④
(ⅱ) $Y'' = -\omega_2^2 Y \ \cdots\cdots$ ⑤
(ⅲ) $\ddot{T} = -\omega^2 T \ \cdots\cdots$ ⑥

> ・$\alpha > 0$ のとき，
> $\dfrac{X''}{X} = \alpha_1, \ \dfrac{Y''}{Y} = \alpha_2 \ (\alpha_1 + \alpha_2 = \alpha)$
> とおくと，α_1 と α_2 のいずれか一方は必ず正となる。今，$\alpha_1 > 0$ とすると，
> $X'' = \alpha_1 X \ (\alpha_1 > 0)$ より，
> 特性方程式：$\lambda^2 - \alpha_1 = 0, \ \lambda = \pm\sqrt{\alpha_1}$
> $\therefore X(x) = A_1 e^{\sqrt{\alpha_1}x} + A_2 e^{-\sqrt{\alpha_1}x}$
> となる。ここで境界条件：
> $u(0, y, t) = u(3, y, t) = 0$ より，
> $A_1 = A_2 = 0$ となって，不適。
> $\alpha_2 > 0$ のときも同様に不適。
> ・$\alpha = 0$ のとき，
> $\alpha_1 = \alpha_2 = 0$ の場合も考えられる。
> このとき，$X'' = 0$ より，$X(x) = px + q$
> 同様に境界条件より，$p = q = 0 \ \therefore$ 不適。

(ⅰ) $X'' = -\omega_1^2 X \ \cdots\cdots$ ④ は，単振動の微分方程式より，その解は，

$X(x) = \cancel{A_1 \cos \omega_1 x} + A_2 \sin \omega_1 x$

境界条件：$u(0, y, t) = u(3, y, t) = 0$
より，$X(0) = A_1 = 0, \ X(3) = A_2 \sin 3\omega_1 = 0$
　　　　　　　　　　　　　　　　　　　　$\underbrace{}_{k\pi}$

> $u(0, y, t) = u(3, y, t) = 0$
> $\boxed{X(0)Y(y)T(t)} \ \boxed{X(3)Y(y)T(t)}$
> より，$X(0) = X(3) = 0$ となる。

よって，$A_1 = 0, \ \omega_1 = \dfrac{k\pi}{3} \ (k = 1, 2, 3, \cdots)$ となる。

$\therefore X(x) = A_2 \sin \dfrac{k\pi}{3} x \ \cdots\cdots$ ⑦ となる。

(ⅱ) $Y'' = -\omega_2^2 Y \ \cdots\cdots$ ⑤ も単振動の微分方程式より，その解は，

$Y(y) = \cancel{B_1 \cos \omega_2 y} + B_2 \sin \omega_2 y$ となる。

境界条件：$u(x, 0, t) = u(x, 3, t) = 0$
より，$Y(0) = B_1 = 0, \ Y(3) = B_2 \sin 3\omega_2 = 0$
　　　　　　　　　　　　　　　　　　　　$\underbrace{}_{j\pi}$

> $u(x, 0, t) = u(x, 3, t) = 0$
> $\boxed{X(x)Y(0)T(t)} \ \boxed{X(x)Y(3)T(t)}$
> より，$Y(0) = Y(3) = 0$ だね。

よって，$B_1 = 0, \ \omega_2 = \dfrac{j\pi}{3} \ (j = 1, 2, 3, \cdots)$

$\therefore Y(y) = B_2 \sin \dfrac{j\pi}{3} y \ \cdots\cdots$ ⑧ となる。

(iii) $\ddot{T} = -\omega^2 T$ ……⑥ も単振動の微分方程式より,その解は,

$T(t) = C_1 \cos\omega t + C_2 \sin\omega t$ ……⑨ となる。これを t で微分して,

$\dot{T}(t) = -\omega C_1 \sin\omega t + \omega C_2 \cos\omega t$

$\dot{T}(0) = \omega C_2 = 0$

よって,$C_2 = 0$ ($\because \omega > 0$)

> 初期条件:
> $u_t(x, y, 0) = 0$ より,
> $X(x)Y(y)\dot{T}(0)$
> $\dot{T}(0) = 0$ だね。

また,(i)(ii) の結果より,

$\omega^2 = \underbrace{\omega_1{}^2}_{\left(\frac{k\pi}{3}\right)^2} + \underbrace{\omega_2{}^2}_{\left(\frac{j\pi}{3}\right)^2} = \frac{k^2 + j^2}{9}\pi^2$ $\therefore \omega = \frac{\sqrt{k^2 + j^2}}{3}\pi$ よって,⑨ は,

$T(t) = C_1 \cos\frac{\sqrt{k^2 + j^2}}{3}\pi t$ ……⑩ となる。

以上 (i) $X(x) = A_2 \sin\frac{k\pi}{3}x$ ……⑦, (ii) $Y(y) = B_2 \sin\frac{j\pi}{3}y$ ……⑧

(iii) $T(t) = C_1 \cos\frac{\sqrt{k^2 + j^2}}{3}\pi t$ ……⑩ より,

①の微分方程式の独立解 $u_{kj}(x, y, t)$ は,

$u_{kj}(x, y, t) = b_{kj} \sin\frac{k\pi}{3}x \cdot \sin\frac{j\pi}{3}y \cdot \cos\frac{\sqrt{k^2 + j^2}}{3}\pi t$ ……⑪

$(k = 1, 2, 3, \cdots, j = 1, 2, 3, \cdots)$ となる。

そして,この⑪を 2 重に重ね合わせた 2 重フーリエ・サイン級数を $u(x, y, t)$ とおくと,これもまた①の解となる。よって,

$u(x, y, t) = \sum_{k=1}^{\infty}\sum_{j=1}^{\infty} b_{kj} \sin\frac{k\pi}{3}x \cdot \sin\frac{j\pi}{3}y \cdot \cos\frac{\sqrt{k^2 + j^2}}{3}\pi t$ ……⑫

ここで,$t = 0$ のとき,⑫ は,

$u(x, y, 0) = \sum_{k=1}^{\infty}\sum_{j=1}^{\infty} b_{kj} \sin\frac{k\pi}{3}x \cdot \sin\frac{j\pi}{3}y \cdot \underbrace{\cos\frac{\sqrt{k^2 + j^2}}{3}\pi \cdot 0}_{\cos 0 = 1}$

$= \sum_{k=1}^{\infty}\sum_{j=1}^{\infty} b_{kj} \sin\frac{k\pi}{3}x \cdot \sin\frac{j\pi}{3}y$ ……⑫'

ここで，初期条件：$u(x, y, 0) = f(x) \cdot f(y)$ より，

$$\left(f(x) = \begin{cases} \dfrac{1}{8}x & (0 < x \leq 2) \\ -\dfrac{1}{4}x + \dfrac{3}{4} & (2 < x < 3) \end{cases} \quad (f(y) も同様) \right)$$

⑫′の係数 b_{kj} を，2重フーリエ・サイン級数の公式を使って求めると，

> **2重フーリエ・サイン級数の公式：**
> $$f(x, y) = \sum_{k=1}^{\infty} \sum_{j=1}^{\infty} b_{kj} \sin\frac{k\pi}{L_1}x \cdot \sin\frac{j\pi}{L_2}y$$
> $$b_{kj} = \frac{4}{L_1 L_2} \int_0^{L_1} \int_0^{L_2} f(x, y) \sin\frac{k\pi}{L_1}x \cdot \sin\frac{j\pi}{L_2}y \, dxdy$$

$$b_{kj} = \frac{4}{3 \cdot 3} \int_0^3 \int_0^3 f(x) \cdot f(y) \sin\frac{k\pi}{3}x \cdot \sin\frac{j\pi}{3}y \, dxdy$$

$$= \frac{4}{9} \underbrace{\int_0^3 f(x) \sin\frac{k\pi}{3}x \, dx}_{\lambda_k とおくと，} \cdot \underbrace{\int_0^3 f(y) \sin\frac{j\pi}{3}y \, dy}_{\lambda_j となる。} \quad \cdots\cdots ⑬$$

(k と j が異なるだけで，積分変数は x でも y でも構わない。)

ここで，$\lambda_k = \int_0^3 f(x) \sin\frac{k\pi}{3}x \, dx$ とおくと，

$$\lambda_k = \int_0^2 \frac{1}{8}x \cdot \sin\frac{k\pi}{3}x \, dx + \int_2^3 \left(-\frac{1}{4}x + \frac{3}{4}\right) \sin\frac{k\pi}{3}x \, dx$$

$$= \frac{1}{8} \int_0^2 x \left(-\frac{3}{k\pi} \cos\frac{k\pi}{3}x\right)' dx + \frac{1}{4} \int_2^3 (-x+3) \left(-\frac{3}{k\pi} \cos\frac{k\pi}{3}x\right)' dx$$

$$= \frac{1}{8} \left\{ -\frac{3}{k\pi} \left[x \cos\frac{k\pi}{3}x \right]_0^2 + \frac{3}{k\pi} \int_0^2 1 \cdot \cos\frac{k\pi}{3}x \right\}$$
$$\quad + \frac{1}{4} \left\{ -\frac{3}{k\pi} \left[(-x+3) \cos\frac{k\pi}{3}x \right]_2^3 + \frac{3}{k\pi} \int_2^3 (-1) \cos\frac{k\pi}{3}x \, dx \right\}$$

$$= -\cancel{\frac{3}{4k\pi} \cos\frac{2k\pi}{3}} + \frac{3}{8k\pi} \cdot \frac{3}{k\pi} \left[\sin\frac{k\pi}{3}x \right]_0^2 + \cancel{\frac{3}{4k\pi} \cos\frac{2k\pi}{3}} - \frac{3}{4k\pi} \cdot \frac{3}{k\pi} \left[\sin\frac{k\pi}{3}x \right]_2^3$$

$$= \frac{9}{8k^2\pi^2} \sin\frac{2k\pi}{3} + \frac{9}{4k^2\pi^2} \sin\frac{2k\pi}{3} = \frac{27}{8} \cdot \frac{1}{k^2\pi^2} \sin\frac{2k\pi}{3} \quad となる。$$

よって，$\lambda_k = \dfrac{27}{8} \dfrac{1}{k^2\pi^2} \sin\dfrac{2k\pi}{3}$ $\cdots\cdots$ ⑭，$\lambda_j = \dfrac{27}{8} \dfrac{1}{j^2\pi^2} \sin\dfrac{2j\pi}{3}$ $\cdots\cdots$ ⑭′ より，

⑭と⑭′を⑬に代入して，

$$b_{kj} = \frac{4}{9} \times \left(\frac{27}{8}\right)^2 \cdot \frac{1}{\pi^4 k^2 j^2} \sin\frac{2k\pi}{3} \cdot \sin\frac{2j\pi}{3}$$

∴ $b_{kj} = \dfrac{81}{16\pi^4} \cdot \dfrac{1}{k^2 j^2} \sin \dfrac{2k\pi}{3} \cdot \sin \dfrac{2j\pi}{3}$ ……⑮ となる。

⑮を，$u(x, y, t) = \sum\limits_{k=1}^{\infty} \sum\limits_{j=1}^{\infty} b_{kj} \sin \dfrac{k\pi}{3} x \cdot \sin \dfrac{j\pi}{3} y \cdot \cos \dfrac{\sqrt{k^2+j^2}}{3} \pi t$ ……⑫ に

代入すると，①の2次元波動方程式の解 $u(x, y, t)$ は，

$$u(x, y, t) = \dfrac{81}{16\pi^4} \sum_{k=1}^{\infty} \sum_{j=1}^{\infty} \dfrac{1}{k^2 j^2} \sin \dfrac{2k\pi}{3} \cdot \sin \dfrac{2j\pi}{3} \cdot \sin \dfrac{k\pi}{3} x \cdot \sin \dfrac{j\pi}{3} y \cdot \cos \dfrac{\sqrt{k^2+j^2}}{3} \pi t$$

となる。……………………………………………………………………………(答)

ここで，$u(x, y, t)$ の2重無限級数をそれぞれ第40項までの級数で近似して，

$$u(x, y, t) \fallingdotseq \dfrac{81}{16\pi^4} \sum_{k=1}^{40} \sum_{j=1}^{40} \dfrac{1}{k^2 j^2} \sin \dfrac{2k\pi}{3} \cdot \sin \dfrac{2j\pi}{3} \cdot \sin \dfrac{k\pi}{3} x \cdot \sin \dfrac{j\pi}{3} y \cdot \cos \dfrac{\sqrt{k^2+j^2}}{3} \pi t$$

として，$t = 0, 0.5, 1, 1.5, 2, \cdots, 3.5$(秒)のときの振動の様子をグラフにして，以下に示す。変位の大きさは，分かりやすくするために大きくとっている。

(i) $t = 0$ のとき

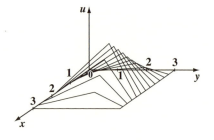

(ii) $t = 0.5$ のとき

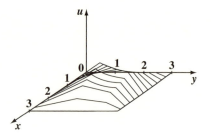

(iii) $t = 1$ のとき

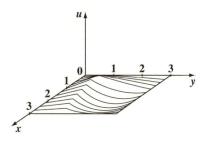

(iv) $t = 1.5$ のとき

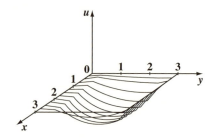

(v) $t = 2$ のとき   (vi) $t = 2.5$ のとき

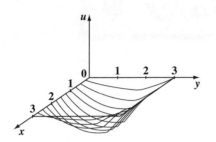 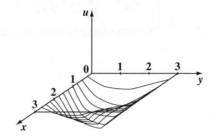

(vii) $t = 3$ のとき   (viii) $t = 3.5$ のとき

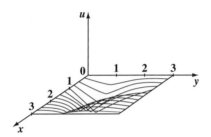 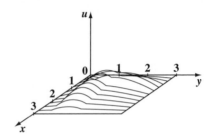

正方形に張られたゴム膜の振動の様子が分かって，興味をもって頂けたと思う。

◆ Term・Index ◆

あ行

- R-Lの補助定理 …………… **66, 72**
- 一様収束 …………………………… **67**
- 一周線積分 ……………………… **174**
- 一般解 …………………………… **159**
- オイラーの公式 …………… **41, 50**
- 温度分布関数 …………………… **158**

か行

- 解の重ね合わせの原理 ……… **160**
- 各点収束の定理 ………………… **66**
- 奇関数 ……………………………… **7**
- ギブスの現象 …………………… **69**
- ギブスのツノ ………………… **69, 91**
- 境界条件 ………………………… **158**
- 偶関数 ……………………………… **7**
- 区分的に滑らか ………………… **8**
- 区分的に連続 …………………… **8**
- 合成積 …………………………… **113**
- コーシーの積分定理 ………… **174**
- コンボリューション積分 …… **113**

さ行

- 周期関数 …………………………… **6**
- シュワルツの定理 …………… **198**
- 初期条件 ………………………… **158**
- ストークスの公式 ……… **157, 200**
- 正規直交関数系 ………………… **68**
- 正則 ……………………………… **53**
- 絶対可積分 ……………………… **110**

た行

- たたみ込み積分 ……………… **113**
- ダランベールの公式 …… **154, 198**
- 単位階段関数 …………………… **71**
- 単振動 …………………………… **179**
- デルタ関数 ……………………… **71**
- 特性方程式 ……………………… **158**

な行

- 内積 ………………………………… **8**
- 2重フーリエ・サイン級数 …… **156**
- 2重フーリエ正弦級数 ………… **156**

熱伝導方程式 ……… **155, 156**
ノルム ……………………… **8**

は行
パーシヴァルの等式 ……… **69, 113**
波動方程式 ……………… **155, 157**
複素フーリエ級数 ………… **12, 13**
────── 展開 ……… **12**
────── (周期$2L$の) … **12, 13**
複素フーリエ係数 …………… **12**
フーリエ逆変換 …………… **110**
フーリエ級数 ……………… **9, 11**
────── 展開 ………… **9**
────── の項別積分 … **70**
────── の項別微分 … **70**
────── (周期$2L$の) … **11**
────── (周期2πの) … **9**
フーリエ係数 ………………… **9**
フーリエ・コサイン逆変換 …… **111**
フーリエ・コサイン級数 ……… **10**
フーリエ・コサイン変換 ……… **111**

フーリエ・サイン逆変換 ……… **111**
フーリエ・サイン級数 ………… **10**
フーリエ・サイン変換 ………… **111**
フーリエ正弦級数 ………… **10, 12**
フーリエの積分定理 ………… **110**
フーリエの定理 …………… **66, 73**
フーリエ変換 ……………… **110**
フーリエ余弦級数 ………… **10, 12**
平均収束 ……………………… **67**
ベッセルの不等式 …………… **69**
変数分離法 ………………… **156**
偏微分方程式 ……………… **154**
────── (2階線形) …… **155**

ら行
ラプラス方程式 …………… **155, 157**
リーマン・ルベーグの補助定理 … **66, 72**
ロピタルの定理 …………… **101, 133**

わ行
ワイエルシュトラスのM判定法 … **67**

スバラシク実力がつくと評判の
演習 フーリエ解析 キャンパス・ゼミ
改訂1

著　者　馬場 敬之
発行者　馬場 敬之
発行所　マセマ出版社
〒 332-0023 埼玉県川口市飯塚 3-7-21-502
TEL 048-253-1734　　FAX 048-253-1729
Email：info@mathema.jp
https://www.mathema.jp

編　集	七里 啓之	平成 28 年 8 月 25 日 初版発行
校閲・校正	高杉 豊　秋野麻里子	令和 4 年 11 月 1 日 改訂 1 初版発行
制作協力	久池井 茂　栄 瑠璃子	
	木津 祐太郎　藤原 雛子	
	三浦 優希子　穴井 達	
	間宮 栄二　町田朱美	
カバーデザイン	馬場 冬之	
ロゴデザイン	馬場 利貞	
印刷所	中央精版印刷株式会社	

ISBN978-4-86615-269-1 C3041
落丁・乱丁本はお取りかえいたします。
本書の無断転載、複製、複写 (コピー)、翻訳を禁じます。
KEISHI BABA 2022 Printed in Japan